Karolina Wilczyńska

Uczucia zaklęte w kamieniu

STACJA JAGODNO

Redaktor prowadząca: Sylwia Smoluch
Redakcja: Kinga Gąska
Korekta: Barbara Kaszubowska
Projekt typograficzny: Maciej Majchrzak
Skład i łamanie: Barbara Adamczyk
Projekt okładki: Design Partners
(www.designpartners.pl)
Fotografie na okładce: Mizin Roman / shutterstock.com
                        linux1987 / depositphotos.com
Fotografia autorki: Studio Fot Molly Polly

Zezwalamy na udostępnianie okładki książki w internecie.

ISBN 978-83-7976-952-0

CZWARTA STRONA
Grupa Wydawnictwa Poznańskiego sp. z o.o.
ul. Fredry 8, 61-701 Poznań
tel.: 61 853-99-10
fax: 61 853-80-75
redakcja@czwartastrona.pl
www.czwartastrona.pl
Druk i oprawa: WZDZ - Drukarnia „LEGA"

Posłuszna głosowi dobiegającemu z głośnika nawigacji, zjechała z siódemki, kierując się w stronę Bodzentyna. Zerknęła na ekran urządzenia, które prowadziło ją od kilku godzin, i stwierdziła, że do celu pozostało już niewiele ponad dwadzieścia kilometrów.

Poruszyła kilkakrotnie ramionami, pokręciła głową i wyprostowała plecy. Samochodowy fotel, choć dosyć wygodny, teraz, po kilku godzinach nieprzerwanej jazdy, zamieniał się powoli w coś na kształt narzędzia tortur.

Powinnam się zatrzymać i rozprostować nogi – pomyślała. – Kawa też dobrze by mi zrobiła – westchnęła na wspomnienie mijanej niedawno stacji benzynowej.

Odpowiedzią na tę chwilę wahania było mocniejsze naciśnięcie pedału gazu.

– Dojedziesz, to odpoczniesz – powiedziała na głos, zerkając do lusterka.

Zobaczyła w nim jasnobłękitne oczy otoczone wyraźną kreską eyelinera. Patrzyły zdecydowanie i w tym spojrzeniu nie było już ani śladu strachu i żalu, które widziała, patrząc w szklaną taflę na drzwiach garderoby w swoim gdańskim mieszkaniu.

Pomyśleć, że pięć godzin temu wydawało mi się, że mój świat się kończy – stwierdziła w duchu i sięgnęła po paczkę papierosów leżącą na siedzeniu dla pasażera. – Nie, żeby coś się od tamtej pory zmieniło, ale przynajmniej niczego już po mnie nie widać.

Jedną ręką, nie spuszczając wzroku z drogi, wyłuskała papierosa i wsadziła go do ust. Zapalniczkę wymacała bez problemu, zawsze kładła ją na półeczce pod licznikami. Zaciągnęła się głęboko dymem i wydmuchnęła go w kierunku uchylonego okna.

Kolejne kilometry drogi zostawały w tyle, a Lea starała się skupić na prowadzeniu samochodu. Jednak natrętne myśli ciągle wracały. Nie mogła uwolnić się od poczucia, że po raz kolejny uciekła.

I tak miałam zamiar wyjechać – usprawiedliwiała się w duchu. – Od dawna myślałam o tym projekcie, a teraz akurat znalazłam chwilę na oddech między kolejnymi zamówieniami, więc warto ją wykorzystać. Pogoda dopisuje, a w końcu nie mam żadnych zobowiązań i nikomu nic nie obiecywałam. Jestem panią własnego życia, nie muszę się tłumaczyć ze swoich decyzji.

Jakby chcąc nadać większego znaczenia swoim myślom, nieświadomie postukiwała palcem w kierownicę.

Lea bardzo ceniła swoją wolność i nie zamierzała z niej rezygnować. Tak deklarowała i uważała, że każdy, kto choć trochę ją zna, powinien o tym wiedzieć.

Wybrałam wolny zawód, abym mogła robić to, na co mam ochotę. I nikogo nie powinno dziwić, że wyjeżdżam. Tak chcę i tak robię. Koniec i kropka. – Tym razem zupełnie świadomie uderzyła dłonią w klakson. Nie odniosło to jednak żadnego skutku. Może oprócz zdziwionego spojrzenia kierowcy opla, który właśnie ją minął.

– I co się tak gapisz?! – rzuciła ze złością, chociaż tamten nie mógł jej usłyszeć. – Każdy mężczyzna jest taki zdziwiony, kiedy widzi, że kobieta robi to, co chce – powiedziała głośno i ze złością wyrzuciła na asfalt resztkę papierosa. – Jakby sposób na życie był jeden, a każde odstępstwo świadczyło o problemach psychicznych. A nawet jeśli tak, to co? Nie wolno?!

Złościła się, wiedziała o tym, ale wcale nie miała zamiaru przestać. Przeciwnie, ta złość ja napędzała. To dzięki niej przez ostatnie godziny szybko pokonywała kolejne kilometry i nie zawróciła. Miała nadzieję, że tego uczucia wystarczy jeszcze na długo. Zwłaszcza w takich chwilach jak ta. Ekran telefonu rozświetlił się i jedno spojrzenie wystarczyło, żeby zobaczyć zdjęcie tego, z którym rozmawiać nie chciała.

Po chwili dzwonek rozbrzmiał ponownie, więc zahamowała gwałtownie, zjechała na pobocze i włączyła światła awaryjne. Ktoś mógłby uznać takie zachowanie za niezbyt rozsądne, na szczęście o tak wczesnej porze nie było na drodze ruchu. Zresztą Lea lubiła, gdy uważano ją za nieprzewidywalną. Traktowała to jako część swojej artystycznej kreacji, a w rzeczywistości doskonale wiedziała, co robi, i kontrolowała sytuację. Teraz także przed wykonaniem widowiskowego manewru zerknęła w lusterko i widziała, że jest sama na drodze. A ostre hamowanie tym razem było raczej spowodowane chęcią rozładowania emocji.

Telefon nadal dzwonił. Odczekała, aż melodia umilknie, i powoli, jakby celebrując każdy ruch, odnalazła w spisie kontaktów numer dzwoniącego i zablokowała go. Przed naciśnięciem ostatniego polecenia zawahała się, ale zacisnęła zęby i pomalowanym na czerwono paznokciem wykonała ostateczny wyrok.

— Już dla mnie nie istniejesz — powiedziała cicho.

Nie miała zamiaru dla nikogo się poświęcać. Postanowiła to już dawno temu. Chciała żyć po swojemu, według własnych zasad. Dla siebie, nie dla kogoś.

Można się nabrać raz — pomyślała. — Ale od tego człowiek ma rozum, żeby nie popełniać tych samych błędów.

Założyła za ucho opadający kosmyk włosów i ruszyła w dalszą drogę. Nie żałowała tego, co przed chwilą zrobiła. Zresztą tak naprawdę była to tylko kropka nad „i". Decyzję podjęła już poprzedniego wieczora, teraz tylko realizowała przyjęty plan. Nie chciała dalej brnąć w związek, który i tak był skazany na niepowodzenie.

A do tej pory wszystko szło tak dobrze — rozmyślała, obserwując mijane zabudowania. — Wydawało mi się, że podobnie patrzymy na świat.

Pokręciła głową na wspomnienie telefonu od koleżanki i informacji, którą tamta jej przekazała. W pierwszej chwili nie mogła uwierzyć, ale kiedy upewniła się, że Iwona jest całkiem poważna, od razu wiedziała, że musi działać. Postanowiła nie czekać. Darowała sobie spotkanie, nie chciała słuchać tłumaczeń i wyjaśnień, nie miała ochoty na ckliwe chwile i namowy na jakieś próby. Przerabiała to już, a powtórka nie była jej do niczego potrzebna.

Posłuchała wewnętrznego głosu, spakowała kilka rzeczy i wyjechała o świcie, dziękując swojemu rozsądkowi, dzięki któremu nie dała się namówić na wspólne zamieszkanie. Mogła zatrzasnąć drzwi i nie musiała się nikomu tłumaczyć. Teraz miała tylko nadzieję, że podczas jej nieobecności on zrozumie, że nie chce go już więcej widzieć, i zniknie z jej życia raz na zawsze.

A przy okazji załatwię to, co już dawno powinnam zrobić – pomyślała. – Odkładałam ten pomysł zbyt długo. Tylko patrzeć, a ktoś by mnie wyprzedził. No, Lea, nie ma tego złego, co by na dobre nie wyszło.

Odetchnęła głęboko i poczuła, że powietrze ma zupełnie inny zapach. Czy to odzyskana wolność tak pachnie? – przyszło jej do głowy. – A może to tylko zapach jodłowych lasów, tak inny niż morskie powietrze, do którego jestem przyzwyczajona?

Tak czy inaczej, poczuła, że oddycha jakoś swobodniej i podobało jej się to. Nie miała jednak czasu na głębszą analizę swojego stanu, bo przed chwilą minęła zielona tabliczkę z napisem „Święta Katarzyna", a teraz głos z nawigacji oznajmił:

— Za pięćset metrów miejsce docelowe będzie po lewej stronie.

— Może jeszcze się zastanowimy? — Jadwiga usiadła przy kuchennym stole i zaplotła palce na kubku z herbatą. Obok, na talerzyku, leżały nietknięte kanapki z żółtym serem i pomidorem.

Roman spojrzał uważnie na kobietę i z westchnieniem pokręcił głową.

— Jadziu, co tym razem?

W ciągu ostatniego tygodnia słyszał to zdanie co najmniej kilka razy. Najpierw się przejął. Nie wiedział, co się dzieje. Przecież z pomocą dzieci udało mu się wreszcie ostatecznie przekonać Jadwigę do wyjazdu na wczasy. Mieli przez dziesięć dni być tylko we dwoje. Wydawało mu się, że rozwiał już jej wszystkie wątpliwości. Omówili każdy szczegół opieki nad dzieciakami, Jadzia przez kilka dni gotowała, smażyła i pakowała zapasy do słoików i zamrażalnika.

— Czy ty nie przesadzasz? — Śmiał się, obserwując jej poczynania. — Przecież nawet gdyby jedli od rana do wieczora, to jeszcze im zostanie.

— Lepiej niech zostanie, niż mieliby być głodni — tłumaczyła mu z taką miną, jakby chodziło o przetrwanie jakiegoś kataklizmu.

Potem przyszedł etap pisania instrukcji. Tak to nazwał, chociaż Jadwiga oburzyła się, kiedy to usłyszała.

– To nie są żadne instrukcje. Po prostu piszę, żeby nie zapomnieli o najważniejszych sprawach.

– Naprawdę uważasz, że nie znajdziemy skarpetek? – zdziwiła się Tereska, czytając jedną z karteczek matki. – Przecież od dawna umiemy się sami ubrać.

– No niby tak, córeńko. – Jadwiga pogłaskała dziewczynę po policzku. – Ale jakby co, to będzie. Nie zaszkodzi.

Igor nieco spokojniej obserwował poczynania matki. Jednak nawet on w końcu nie wytrzymał i kiedy po raz kolejny usłyszał przypomnienie o zamykaniu drzwi na noc i uważaniu na młodsze rodzeństwo, rzucił z irytacją:

– Od lat z nimi zostaję i jakoś wszyscy żyją, więc może i teraz jakoś się uda.

Słysząc to, Jadwiga zamilkła i opuściła głowę.

– Przepraszam, mamo. – Chłopakowi zrobiło się głupio. – To dlatego że trochę przesadzasz. Naprawdę damy sobie radę.

– Wiem, wiem. – Machnęła ręką. – Ale nie mogę inaczej. Nigdy was na tak długo nie zostawiałam. A nawet kiedy wychodziłam, to tylko wtedy kiedy musiałam. Żeby zarobić. A teraz nie muszę przecież...

– Nie musisz, ale możesz – wtrącił Roman. – Masz prawo zrobić coś dla własnej przyjemności. Myślałem, że już to ustaliliśmy.

— Tak, tak — potwierdziła. — Tyle że ciągle jakoś trudno mi to zrozumieć.

Kiedy wreszcie zrobiła wszystko, co uznała za niezbędne, wydawało się, że wreszcie zapanuje spokój. Roman nie mógł się doczekać tego wyjazdu. Wspólnie wybrali Łebę. Może on wolałby spokojniejszą miejscowość, bez tłumów wczasowiczów, ale kiedy zapytał Jadwigę, jak chciałaby spędzić ten urlop, odparła:

— Wyobrażam sobie, że będzie wesoło. Popatrzę, jak żyją ludzie, może pójdziemy gdzieś na kolację, najlepiej, żeby grała tam muzyka. Bo wiesz, chciałabym z tobą zatańczyć. — Popatrzyła na niego tym spojrzeniem, które zawsze go rozczulało. — I... chciałabym popłynąć statkiem. Widziałam w telewizji, że są takie, które wożą turystów. Wiesz, ładne, kolorowe, z rzeźbami na przodzie. Trochę się boję, ale z tobą to dałabym radę. Tak wypłynąć na morze... — Rozmarzyła się, ale zaraz szybko dodała: — Oczywiście jak to nie będzie drogie, bo jakby co, to się obejdę bez tego statku.

— Będziesz miała statek — zapewnił Roman. — I w takim razie pojedziemy do Łeby.

Wybrał kwaterę w centrum, ale niedaleko głównego wejścia na plażę. Zadzwonił, wszystko ustalił i wpłacił zaliczkę. Obiecał sobie, że Jadwiga będzie miała to, co sobie wymarzyła. Poza tym to było i jego marzenie — zabrać ukochaną kobietę w podróż. I liczył też na wieczorny spacer brzegiem morza. Bo Roman, chociaż z pozoru rzeczowy mężczyzna, w głębi duszy był romantykiem. I robił, co mógł, żeby zadowolić swoją wybrankę.

A teraz to już naprawdę nie wiedział, jaką kolejną przeszkodę dostrzegła Jadwiga.

– No, powiesz, co tym razem? – powtórzył.

– Bo ja tak cały czas myślę, czy my dobrze robimy...

– A niby dlaczego nie?

– Czy to tak wypada? Na wczasy raczej młodzi jeżdżą. Jak cały rok pracują, to potem odpoczynek im się należy.

– A tobie się nie należy? Albo mnie? Nie pracujemy czy jak? A ze starością to też chyba przesadzasz, Jadziu.

– Nie wiem, Romku. – Pokręciła głową. – Jak sobie pomyślę, że tam, nad tym morzem, będą takie młode dziewczyny i kobiety, to... – Zawahała się, ale mówiła dalej: – Bo chodzi mi o to, że ty pewnie będziesz chciał iść na plażę. No a ja... przy tych dziewczynach... – Wpatrywała się w kubek, jakby bała się podnieść wzrok. – One i młodsze, i pewnie bardziej zadbane... Gdzie mnie do nich... Jak pomyślę, że bym się miała tam rozebrać... No i że ty sobie porównasz... – Zdradziecka łza spadła wprost do herbaty. – To ja nie wiem, co potem będzie! – zakończyła z nutką desperacji.

– Jadziu, co tobie do głowy przychodzi! – Roman aż poderwał się z krzesła. – Jak ty mogłaś coś takiego pomyśleć! – Obszedł stół i stanął za Jadwigą. – Jeśli tylko w tym tkwi problem, to ci mówię z ręką na sercu, że dla mnie jesteś najpiękniejsza i ani mi w głowie żadna inna! – Położył swoje wielkie dłonie na delikatnych ramionach kobiety.

Jadwiga podniosła głowę i popatrzyła na mężczyznę.

– Nie kłamiesz? – Uśmiechnęła się lekko.

– Ani trochę. I mam nadzieję, że to już ostatnia rzecz, jaka cię dręczy.

– Niby tak...

– Jadziu, ja cię proszę, ty już nic nie wymyślaj, bo odwołam ten wyjazd. – Pogroził jej żartobliwie palcem.

– Kiedy naprawdę jest jeszcze coś...

– Mów – westchnął zrezygnowany.

– No bo jak ty chcesz jednak ze mną na tę plażę chodzić... Bo chcesz, tak?

– Mówiłem przecież, że chcę.

– To ja powinnam przecież kostium kąpielowy mieć. Do tej pory mi nigdy nie był potrzebny, zresztą nawet pieniędzy nie miałam na takie rzeczy ani czasu, żeby o plażowaniu myśleć, to... – Zagryzła dolną wargę.

Wyglądała jak mała zawstydzona dziewczynka. Roman czasami myślał o jej zmarłym mężu i zastanawiał się, jak można było krzywdzić kogoś tak delikatnego jak Jadwiga.

– Takie problemy rozwiązuję od ręki. Zapraszam do samochodu. Jedziemy kupić kostium kąpielowy. Zanim dojedziemy do Kielc, akurat otworzą sklepy. I wybierzemy taki, że zostaniesz miss Plaży. – Roześmiał się i chwycił ją za rękę. – No już! Wstawaj i idziemy! Już nie mogę się doczekać tego przymierzania!

– No wiesz! – Jadwiga udała oburzenie, ale posłusznie dała się zaprowadzić do auta.

Nareszcie się uśmiechnęła – pomyślał Roman. Zrobiłby o wiele więcej niż pojechanie z nią do galerii handlowej, żeby tylko zobaczyć ten uśmiech. Był przecież w głębi duszy romantykiem.

જ

Marysia postawiła na stole talerz z kanapkami i kubek z herbatą.

– A ty, babciu, naprawdę nie masz ochoty? – zapytała

– Jedz, dziecko, mną się nie przejmuj. – Babcia Róża wskazała dziewczynie krzesło. – Siadaj, siadaj. Ja już jadłam.

– Okej. – Dziewczyna zajęła miejsce przy stole.

– I jak ci tam w tej pracy? Podoba ci się?

– Ciężko tu mówić o podobaniu. – Wzruszyła ramionami. – Przecież ja cały dzień tylko parówki w bułkę wkładam albo hamburgery robię. A w ramach odmiany sprzedaję soczki, chipsy i lody.

– I ludzie to kupują?

– Jeszcze jak! – Marysia ugryzła duży kęs kanapki z białym serem. – Czasami nie mam nawet chwili odpoczynku.

– Kiedy ja byłam młoda, to jeździło się na wycieczki z własnym jedzeniem. Pomidory, jajka na twardo, chleb, jakaś kiełbasa. A do picia kompot.

– Na szczęście teraz jest inaczej. – Marysia uśmiechnęła się.

– Jakie to szczęście? Na pewno nie dla żołądka.

– Ich żołądki, ich sprawa. – Dziewczyna mrugnęła okiem. – A szczęście dla mnie. Gdyby nie to, nie mogłabym zarabiać.

– Racja – zgodziła się babcia. – Tylko się martwię, czy za bardzo cię to nie męczy. Przecież powinnaś odpoczywać, masz wakacje...

– Babciu, nie masz się czym martwić. Daję radę – zapewniła Marysia.

Owszem, bywała zmęczona. Czasami pracowała cały dzień i kiedy wracała, myślała tylko o tym, żeby położyć się i dać odpocząć nogom. Ale kolejne banknoty dokładane do szydełkowej sakiewki motywowały ją do dalszego wysiłku. Była dumna z tych pierwszych samodzielnie zarobionych pieniędzy. A gdyby nie wsparcie babci Róży, nie miałaby na to szansy.

Kiedy dwa tygodnie temu powiedziała o swoich planach, mama nie była zachwycona.

Zresztą ostatnio w ogóle trudno się było z nią dogadać. Reagowała na wszystko przesadnie, przynajmniej tak uważała Marysia. Dlatego próbowała przekonywać ją racjonalnymi argumentami, ale czuła, że nic z tego nie będzie. Dopiero interwencja babci pomogła.

– Tamarko, może niech spróbuje i sama się przekona, że to nie dla niej – powiedziała. – Wiesz, jak to z dziećmi bywa. Im bardziej zabraniasz, tym bardziej chcą. A jak się martwisz, to idź tam, porozmawiaj i zobacz, czy będzie bezpieczna.

Marysia podsłuchiwała tę rozmowę i aż wstrzymała oddech, czekając, czy mama złapie się w pułapkę sprytnie zastawioną przez babcię.

— Może i racja — odpowiedziała Tamara. — Niech na własnej skórze poczuje, co to ciężka praca. Za kilka dni sama przyzna mi rację.

— Babciu! Dziękuję! — Marysia nie wytrzymała i z piskiem wbiegła do kuchni.

— Mamie podziękuj — powiedziała ze spokojem staruszka. — To ona zdecydowała.

— Dziękuję, mamo. — Posłusznie wykonała polecenie, ale w głębi serca doskonale wiedziała, komu zawdzięcza tę szansę.

Dlatego teraz tak bardzo zależało jej na uspokojeniu babci Róży. Za nic nie chciała, żeby staruszka martwiła się o nią. Zresztą naprawdę nie było o co. Zmęczenie jeszcze nikomu nie zaszkodziło.

— A wiesz, że sakiewka jest coraz bardziej pękata. — Postanowiła skierować rozmowę na nieco inne tory.

— Widzę w twoich oczach, że bardzo cię to cieszy.

— A dziwisz się? Będę miała za co poszaleć nad morzem. — Upiła kilka łyków z porcelanowego kubka malowanego w małe błękitne kwiatuszki. — Nie patrz tak! — Roześmiała się. — Mam na myśli pyszne rybki, a nie alkohol i narkotyki.

— A wiesz, że nawet mi to do głowy nie przyszło — odpowiedziała spokojnie staruszka. — Przyglądam się, bo czekam na dalszy ciąg.

– Jaki dalszy ciąg?

– Sądziłam, że powiesz: będziemy mieli za co poszaleć nad morzem...

– A, chodzi ci o Kamila?

– Mnie? Ja już za stara jestem... – zażartowała babcia Róża.

– Babciu! Wiesz przecież, co chciałam powiedzieć!

– Wiem, czego nie powiedziałaś. – Błękitne oczy spojrzały uważnie.

– Bo to przecież oczywiste, prawda?

Marysia szybko sięgnęła po kolejną kanapkę. Nie miała ochoty rozmawiać o Kamilu. Nie, właściwie nic się nie zmieniło. Chłopak zaliczył sesję i przyjechał na kilka dni do domu. Chodzili na spacery, było cudownie, Kronos szalał ze szczęścia, ona też. A potem Kamil wyjechał. Miał wrócić za trzy tygodnie i wtedy zaplanowali wspólny wyjazd.

Tylko że Marysia była pełna złych przeczuć. Niby nie dawał jej powodu do niepokoju, bo dzwonił, przysyłał MMS-y i interesował się, co u niej słychać, ale coraz częściej wydawało jej się, że jest między nimi jakoś inaczej. Nikomu o tym nie mówiła, bo sama nie była do końca przekonana, czy czegoś nie wymyśliła. Jakiś głos w jej głowie podpowiadał, że dzieje się coś złego. Czy to była kobieca intuicja? A może znowu jej spokój mącił brak pewności siebie? Przecież niedługo pojadą razem nad morze, więc chyba Kamilowi nadal na niej zależy. To wszystko było takie zagmatwane...

— Może jednak zrobić ci herbatę? — Przełknęła ostatni kęs i szybko wstała od stołu.

— Nie chcę cię zatrzymywać, sama sobie zrobię za chwilę. — Uwadze babci Róży nie umknęło lekkie westchnienie ulgi, które usłyszała. — Tylko uważaj na siebie. Pełna sakiewka to nie najważniejsza rzecz na świecie. Pieniądze mogą dać chwilę przyjemności, ale nie zastąpią prawdziwego szczęścia.

Marysia nie odpowiedziała, ale babcia Róża wcale na to nie liczyła. Wiedziała, że jej słowa dotarły do uszu dziewczyny i to w zupełności wystarczyło.

Kiedy skrzypnięcie furtki zasygnalizowało, że nastolatka pobiegła zająć się swoimi obowiązkami, staruszka powoli podniosła się z krzesła i przytrzymując się sprzętów, zrobiła kilka kroków, pokonując odległość dzielącą ją od kuchenki. Z widocznym wysiłkiem nasypała ziół do ulubionego kubka i zalała je wrzątkiem. Przykryła naczynie spodeczkiem i czekała, aż napar nabierze mocy. Miała nadzieję, że ta mieszanka pomoże jej poczuć się lepiej.

Tamara była w dworku już od godziny. Najpierw cicho, żeby nie obudzić gości, weszła na piętro i otworzyła drzwi do pokoju Łukasza. Wiedziała, że nie zamknął ich na klucz. To był znak, że na nią czeka.

Powoli, by nie zrobić hałasu, przymknęła drzwi i stanęła przy łóżku. Patrzyła na śpiącego mężczyznę, na ostry zarys szczęk i zmierzwioną ciemną czuprynę. Dostrzegła na skroniach kilka srebrnych nitek. Nieoczekiwanie zalała ją fala dziwnego wzruszenia i poczuła, że chce jej się płakać. Kocham go – pomyślała. – Naprawdę go kocham.

Szybko zrzuciła tenisówki i wsunęła się pod kołdrę. Przysunęła się do niego, żeby poczuć ciepło męskiego ciała. Niespodziewanie poczuła, jak ją obejmuje i przyciąga do siebie.

– Udawałeś! – krzyknęła z wyrzutem. – Wcale nie śpisz!

– Jak będziesz tak głośno, to i goście za chwilę nie będą spać – upomniał ją, rozbawiony jak chłopiec, któremu udał się psikus.

– Okropny jesteś – zniżyła głos.

– Naprawdę?

Poczuła jego twardy zarost na swojej szyi, a zaraz potem usta Łukasza spotkały się z jej ustami.

– No dobrze, wybaczam ci – stwierdziła, kiedy już obdarowali się poranną porcją czułości.

– To dobrze. W przeciwnym razie musiałbym przekonywać cię dalej.

Tamara bardzo lubiła te wspólne poranki. Codziennie wstawała wcześniej, żeby spędzić z nim chociaż pół godziny. Czasami planowali dzień, a czasami jedynie leżeli, w milczeniu wpatrując się w drewniany sufit. Po prostu ze sobą byli.

Łukasz na początku próbował ją przekonywać, żeby u niego nocowała, ale Tamara nie zgodziła się na to.

– Jakaś mieszczańska pruderia przez ciebie przemawia – złościł się mężczyzna. – Mogę zrozumieć, że chałupka po dziadkach nie była dobrą scenerią do miłosnych igraszek, ale tutaj chyba warunki są odpowiednie.

– Nie o to mi chodzi. Zresztą do igraszek to chyba nie masz zastrzeżeń. – Udała, że jest urażona.

– Dobra, przecież wiesz, że nie to miałem na myśli. Chciałbym po prostu spędzić z tobą całą noc. Zasnąć z twoją głową na ramieniu i obudzić się wtulony w twoje włosy. To źle?

– To bardzo dobrze. Też bym tego chciała.

– W takim razie w czym problem? Zachowujemy się jak para nastolatków. Kryjemy się po kątach, a przecież wszyscy wiedzą, że jesteśmy razem. Zresztą i tak...

– Wiem – przerwała mu. – Ale poczekaj jeszcze chwilę. Wszystko po kolei i w swoim czasie.

Kilkakrotnie próbował przekonywać ją do zmiany zdania, ale Tamara była nieugięta. W końcu uszanował jej wolę i nawet polubił ten poranny rytuał. Choć nadal nie podobało mu się, że wieczorem wychodziła, żeby wrócić do białego domku. Na razie jednak musiało mu wystarczyć to, co miał.

Teraz chętnie poleżałby jeszcze chwilę, ale Tamara podniosła głowę i spojrzała mu w oczy. Wiedział, co to oznacza.

– Czas na nas – bardziej stwierdził, niż zapytał.

– Muszę pomóc pannie Zuzannie w przygotowaniu śniadania. Wiesz dobrze, że mamy siedem osób i nie mogę zostawić jej z tym samej.

Chociaż hrabianka nigdy nie prosiła o pomoc, to przecież zdawali sobie sprawę, że kobieta ma swoje lata. Ponadto nie powinna pełnić w dworku roli pracownika, a rezydentki. To, że pomagała, było wyłącznie jej dobrą wolą. Poza tym nikt nie mógłby zabronić pannie Zuzannie robienia tego, na co miała ochotę. Tamara i Łukasz doskonale o tym wiedzieli. Co nie znaczyło, że zamierzali zostawić ją samą sobie.

Mężczyzna włożył spodnie i narzucił kraciastą koszulę.

– Skoro ty idziesz do kuchni, ja sprawdzę, co słychać w altanie. A potem przejdę się do lasu, bo ten mały Staś chciał, żeby zrobić mu łuk. Pewnie będę musiał uczyć go strzelania – westchnął.

– Może zajmie się tym jego ojciec.

– Szczerze wątpię. Nie wygląda na takiego, który kiedykolwiek miał w ręku jakąkolwiek gałąź.

Tamara uśmiechnęła się pod nosem. Łukasz nie darzył sympatią głowy tej rodziny. Chyba dlatego, że pan Jerzy był typem nieco metroseksualnym. Dbał o siebie i to było widać. Wklepywał w twarz krem z filtrem, a po lesie biegał w śnieżnobiałych butach. Poza tym okazał się sympatycznym człowiekiem z dużym poczuciem humoru i Tamara nawet go polubiła. Za to Łukasz chyba nie mógł mu wybaczyć tego kremu do opalania. Cóż, mój mężczyzna jest z pewnością bardziej typem drwala – pomyślała z rozbawieniem. – Dużo bardziej.

Poszli razem na dół i chociaż kobieta do kuchni weszła już sama, to panna Zuzanna zmierzyła ją od stóp do głów i stwierdziła z przekąsem:

– Co taka blada? Może niewyspana? Albo zmęczona tym jeżdżeniem po nocach?

– Panno Zuzanno...

– Co? Może nieprawdę mówię?

Nie odpowiedziała. Nie przychodziła jej do głowy żadna celna riposta. Poszła do samochodu, żeby przynieść pieczywo. Po drodze zajrzała do salonu i zobaczyła, że panna Zuzanna zdążyła już nakryć stoły i rozstawić naczynia. Białe talerze i kubki ładnie prezentowały się na tle kraciastych obrusów. Letnie słońce rozświetlało pomieszczenie, a przez otwarte okna słychać było ćwierkanie ptaków. Śniadanie w takim miejscu musi smakować – pomyślała. – Goście powinni być zadowoleni.

– Jadalnia wygląda pięknie... – zaczęła, wchodząc do kuchni.

W tym momencie poczuła zapach gotowanego mleka. Wszystko podeszło jej do gardła i z całych sił starała się powstrzymać mdłości. Musiała przytrzymać się szafki, bo myślała, że zemdleje.

– Muszę wyjść – wydusiła przez ściśnięte gardło. – Źle się poczułam.

I wybiegła, bo czuła, że jeżeli natychmiast nie zaczerpnie świeżego powietrza, to naprawdę zwymiotuje.

– Jakoś mnie to nie dziwi – mruknęła pod nosem panna Zuzanna i zajęła się układaniem bułek w wiklinowych koszyczkach wyłożonych lnianymi serwetkami.

Lea zaparkowała przy niewielkim budynku i wysiadła z samochodu. Rozejrzała się dookoła. Muzeum Minerałów i Skamieniałości miało siedzibę na skrzyżowaniu trzech dróg. Sąsiadowało z zajazdem oferującym posiłki i lody. Naprzeciwko zobaczyła pobieloną kapliczkę, a za nią budynek wyglądający na szkołę. Święta Katarzyna na pierwszy rzut oka nie różniła się od innych niewielkich miejscowości, przez które zdarzało się jej przejeżdżać.

Dopiero kiedy spojrzała nieco dalej, za budynek muzeum i zajazdu, zobaczyła górę porośniętą drzewami. To było coś zupełnie innego niż krajobraz, do którego przywykła. Innego i w jakiś sposób pociągającego.

Dlatego kiedy podeszła do drzwi muzeum i przeczytała, że ma jeszcze godzinę do otwarcia, stwierdziła, że spacer będzie dobrym pomysłem. Zabrała z samochodu torebkę i ruszyła poboczem, szukając miejsca, w którym będzie mogła skręcić do lasu.

Zaledwie kilkadziesiąt metrów dalej natrafiła na kościół otoczony wysokim kamiennym murem. Sięgnęła po telefon i już po chwili wiedziała, że oto stoi przed klasztorem. Z ciekawością przeczytała jego historię i informację o działalności mieszkających tu sióstr bernardynek.

Przy okazji zerknęła na mapkę i bez trudu odnalazła początek drogi prowadzącej, według internetowych wskazówek, do źródełka i kapliczki św. Franciszka, a dalej na sam szczyt najwyższego wzniesienia Gór Świętokrzyskich – Łysicy.

Na wspinaczkę nie mam ochoty – pomyślała – ale tę kapliczkę chętnie zobaczę.

Spacer leśną drogą okazał się dobrym pomysłem. Po długiej jeździe dobrze było rozruszać mięśnie. A kiedy przekroczyła drewnianą bramę stanowiącą symboliczne wrota do Świętokrzyskiego Parku Narodowego, poczuła, jakby weszła do innego świata. O tej porze nie było jeszcze na szlaku żadnych turystów, więc Lea samotnie stawiła czoła potędze Puszczy Jodłowej. Szła po kamienistej i pełnej wystających korzeni dróżce, a wokół szumiały majestatyczne jodły i słychać było szmer płynącego wzdłuż ścieżki strumyka.

Rozglądała się dokoła, podziwiając piękno prawdziwego lasu. Tutaj rządziła wyłącznie natura, ludzka ręka nie przeszkadzała i nie zmieniała odwiecznej kolei rzeczy. Powalone drzewa stawały się schronieniem dla zwierząt i ptaków, spróchniałe pnie pozwalały rozwijać się mchom, porostom i użyźniały ziemię. Niewiele było podobnych miejsc, w których można poczuć się jak przed wiekami, gdy jeszcze ludzie nie ingerowali w przyrodę, a życie toczyło się zgodnie z prawami natury.

Było tu pięknie i zarazem trochę strasznie. Czuło się, że człowiek nie ma żadnej władzy, że jest tylko małą częścią wielkiego systemu, przed którym powinien czuć respekt. A jednocześnie Lea zrozumiała, jak nigdy wcześniej, że jest blisko tej pierwotnej potęgi i że dobrze się z tym czuje. To było coś nowego. Bywała w wielu miejscach na świecie, tych dużo bardziej znanych i reklamowanych, ale nigdzie indziej nie doznała takiego związku z przyrodą. Dopiero tutaj, u stóp Łysicy, przyszło coś na kształt objawienia, jakby wreszcie znalazła się na swoim miejscu.

Bez przesady – starała się jakoś zracjonalizować swoje odczucia. – Widziałam już większe góry. Po prostu od dawna nie wyjeżdżałam z miasta i najwyraźniej brakowało mi kontaktu z naturą. Owszem, pięknie tutaj, ale chyba trochę mnie poniosło.

Doszła do źródełka, zajrzała przez zakratowane okienko do wnętrza kapliczki i ruszyła w drogę powrotną. Wrażenia sprzed chwili gdzieś odpłynęły, a po minięciu szkolnej wycieczki poganianej przez dwie nauczycielki w jaskrawych kurtkach zapomniała o nich zupełnie.

Spacer zaliczony, teraz trzeba trochę popracować – zdecydowała.

Zastanawiała się, co powie w muzeum. Nie chciała mówić, kim jest, wolała zachować anonimowość. Nie, żeby musiała coś ukrywać, ale nigdy nie zdradzała zbyt wiele nowo poznanym osobom. Ale szczęście jej sprzyjało, bo przed wejściem czekała kolejna wycieczka. Jak zdążyła się zorientować z rozmów prowadzonych przez energiczne kobiety, przyjechały z okolic Lublina w ramach letnich imprez organizowanych przez tamtejszy oddział PTTK.

Lea postanowiła skorzystać z okazji i po prostu wmieszała się w tłum. Dzięki temu uniknęła niewygodnych pytań, mogła zupełnie anonimowo słuchać przewodnika i oglądać eksponaty.

Musiała przyznać, że ekspozycja mile ją zaskoczyła. Nie spodziewała się w takiej niewielkiej miejscowości tak ciekawego zbioru minerałów i skamieniałości. Na dodatek przewodnik, nie dość, że sympatyczny i pełen pozytywnej energii, to jeszcze niezwykle fachowo opowiadał o każdym eksponacie. Widać było, że ma dużą wiedzę i lubi swoją pracę.

Lea słuchała wszystkiego, ale tak naprawdę najbardziej interesował ją tylko jeden kamień – krzemień pasiasty. To dla niego tu przyjechała. Chciała dowiedzieć się jak najwięcej o tym, gdzie można go znaleźć, jak kupić i do czego wykorzystać. Nie zawiodła się, bo właściciel muzeum okazał się prawdziwym pasjonatem krzemienia pasiastego. Sam go obrabiał i wykonywał z niego zarówno biżuterię, jak i inne ozdobne przedmioty. Patrząc okiem fachowca, musiała przyznać uczciwie, że był w tym bardzo dobry. W prezentowanych eksponatach widać było nie tylko doskonałe rzemiosło, ale i to, co Lea nazywała artystyczną duszą, ten rodzaj intuicji, który podpowiada, jak z kamienia wydobyć jego piękno. Nie każdy to potrafi, nie da się tego wyuczyć. Albo się to ma, albo nie. W tym wypadku miała do czynienia z artystą, bez żadnych wątpliwości.

Wysłuchała wykładu i obejrzała krótką prezentację obróbki krzemienia pasiastego, która choć przeznaczona dla laików, to i tak dała jej kilka cennych wskazówek i tropów, z których zamierzała skorzystać. Dzięki ciekawości uczestniczek wycieczki nie musiała zadawać żadnych pytań, wszystkie informacje otrzymała podane na tacy. Oczywiście o tym, że krzemień pasiasty występuje tylko na tym terenie, wiedziała już wcześniej, ale teraz była bogatsza w konkrety – jak szukać najpiękniejszych okazów i gdzie je kupić.

Ze szczególną uwagą przyjrzała się biżuterii. Była bardzo ładna, ale z ulgą stwierdziła, że prezentuje zupełnie inny styl niż to, co sama tworzyła. W gablotach prezentowano wyroby klasyczne, eleganckie i proste w formie. Lea lubiła coś innego – bardziej awangardowe połączenia, dla odważnych kobiet, pragnących przyciągać uwagę, a nawet prowokować. Dlatego wśród jej klientek było wiele aktorek, artystek i projektantek. Właśnie dla nich miała zamiar przygotować teraz specjalną kolekcję, której bohaterem chciała uczynić unikatowy krzemień pasiasty zwany też kamieniem optymizmu.

Wyszła z muzeum z poczuciem, że dowiedziała się tego, czego chciała. To był dopiero początek, ale bardzo zadowalający. Wsiadła do samochodu i stwierdziła, że właściwie mogłaby wracać. Tyle że wcale nie miała na ten powrót ochoty.

— Pani Kasiu, bardzo proszę. – Klientka nie zamierzała odpuścić. – Mam wesele, muszę jakoś wyglądać. Niech mnie pani zrozumie.

— Rozumiem, ale naprawdę nie mam gdzie pani zapisać. – Patrzyła na kartkę w swoim granatowym kalendarzu, gdzie wpisywała umówione wizyty. — Wygląda na to, że nie pani jedna ma imprezę w tym terminie. Już od czwartku wszystko zajęte, a w piątek to chyba nie będę miała czasu nawet się po głowie podrapać.

— Ja się dostosuję, może być nawet piąta rano! — Kobieta nie rezygnowała. — Przecież do Kielc jechać to strata czasu. Kilka godzin zejdzie. Nie chce pani zarobić?

— Chcę. — Kasia pokiwała głową. — Ale dzień nie jest z gumy. A co pani powie na środę?

— To za wcześnie — jęknęła klientka. — Przez dwa dni może mi się coś zepsuć albo złamać...

— Jak Kasia zrobi, to się miesiąc utrzyma — wtrąciła się do rozmowy Dorotka.

— Niby tak, ale wolałabym na świeżo. Do pani na włosy jestem umówiona w sobotę rano i tak jest najlepiej, bo prosto od fryzjera do kościoła pojadę. Pani Kasiu — pochyliła się nad biurkiem — niech pani coś wymyśli... To ślub chrześniaczki, trzeba się pokazać. Zapłacę nawet podwójnie, byle się udało mnie gdzieś wcisnąć.

Katarzyna westchnęła z rezygnacją. Wyglądało na to, że klientka naprawdę jest zdesperowana i nie zrezygnuje.

— Dobrze, przyjdę w sobotę i zrobię pani te paznokcie. Tylko proszę pamiętać, że to w drodze wyjątku.

— Wiedziałam, że się pani nade mną zlituje! — zawołała ucieszona kobieta. — To o dziewiątej będzie dobrze? Bo my jesteśmy umówione na wpół do jedenastej, tak? — zwróciła się do Dorotki.

— Tak, dziesiąta trzydzieści.

– W takim razie do mnie na dziewiątą – zdecydowała Kasia. – Tylko proszę przyjść punktualnie, bo o jedenastej muszę być już z powrotem w domu.

– Oczywiście, nie spóźnię się – obiecała klientka. – A po weselu wam ciasta przyniosę w podziękowaniu.

– Nie trzeba. – Kasia machnęła ręką. Wpisała termin do kalendarza i popatrzyła na zamykającą drzwi kobietę. – Ależ się uparła. – Pokręciła głową.

– Co się dziwisz. Chce wyglądać, jak to kobieta. W końcu po to jesteśmy. – Dorotka układała grzebienie w kolorowych szufladkach pomocnika. – A dodatkowy grosz się przyda. Nie mówiąc o reklamie, bo przecież wszystkim na tym weselu pochwali się paznokciami. Wiesz, jak jest... Chociaż tobie już reklama niepotrzebna. – Fryzjerka roześmiała się. – Kalendarz, jak widzę, pęka w szwach.

– To przez ten kurs. Dwa dni w tygodniu mi wypadają. A potem w pozostałe muszę nadrabiać. – Kasia wstała i skierowała się w stronę zaplecza. – Chcesz kawę?

– Nie wiem, czy wypada, żeby szefowa kawę pracownicy robiła – zażartowała Dorotka.

– No wiesz co! Bzdury pleciesz!

Odkąd Kasia zaczęła zajmować się dokumentami, koleżanka od czasu do czasu rzucała żartobliwe uwagi o jej „szefowaniu". Obie jednak wiedziały, że to tylko nieszkodliwe docinki. Relacje między nimi się nie zmieniły, a Dorotka z sympatią obserwowała Kasię i Tomasza, zastanawiając się w duchu, kiedy wreszcie obydwoje oficjalnie przyznają się do czegoś więcej niż wspólna praca.

Po chwili obie usiadły z kubkami pełnymi gorącego napoju.

– Ja rozumiem, że wolałabyś mieć wolny weekend, żeby trochę odpocząć. Widzę, że ostatnio dużo pracujesz, ale tak to już jest w naszej branży. Imprezy są najczęściej w soboty i trzeba się dostosować – wróciła do tematu Dorotka.

– Wiem, wiem. Tyle że mnie ta sobota naprawdę nie pasuje.

– A co? Też się gdzieś wybierasz?

– Nie ja. Chłopcy wyjeżdżają. Muszę ich spakować, przygotować wszystko...

– Wysyłasz ich na kolonie? Nic nie mówiłaś. Góry czy morze? – zainteresowała się fryzjerka. – Też myślałam, żeby moją Zuzię gdzieś posłać, ale ona nie chce. U ciebie to inaczej. Jak pojadą we dwóch, to będzie im raźniej. A moja mała nie jest zbyt śmiała, więc nie nalegam za bardzo. – Odstawiła kubek i zerkając do lustra, przejechała palcem po brwiach. – Regulacja by się przydała – stwierdziła.

– Sprawdzę w kalendarzu, na kiedy mam termin – zażartowała Kasia, próbując przy okazji zmienić temat.

– Lepiej powiedz, gdzie te kolonie. – Dorotka nie dawała za wygraną.

– To nie kolonie – westchnęła Katarzyna. – Jarek zabiera chłopców na wakacje.

– Nic nie mówiłaś. – Koleżanka spoważniała i spojrzała uważnie. – To chyba dobrze, że chce z nimi jechać?

— Nie mówiłam, bo nie ma o czym. — Kasia wzruszyła ramionami. — Zresztą staram się o tym nie myśleć.

Rzeczywiście starała się nie myśleć. Zwłaszcza o tym, że kiedy powiedziała synom o wyjeździe, Pawełek się rozpłakał, a Krzysio stanowczo odmówił. Kilka wieczorów musiała ich przekonywać, co nie było łatwe także dlatego, że sama nie akceptowała tego pomysłu. Tyle że nie miała wyjścia. Prawo stało po stronie Jarka, a ten ani myślał brać pod uwagę zdanie dzieci.

— Nastawiasz ich przeciwko mnie i dlatego nie chcą jechać — powiedział, kiedy zadzwoniła i próbowała przekonać go do zmiany planów. — Sąd zdecydował, że mam prawo spędzić z nimi dwa tygodnie wakacji, i tak będzie. Nawet nie próbuj kombinować. I nie wmawiaj mi, że dzieci nie chcą wyjechać w góry, bo żaden sąd nie uwierzy, że wolą siedzieć na wsi. Będę po nich w sobotę o jedenastej. Tyle w temacie.

I rozłączył się.

— Co miałam robić? — Spojrzała bezradnie na Dorotkę. — Musiałam ich przekonać. Ale serce mnie boli, kiedy patrzę na te smutne miny. Sama widzisz, że powinnam być w domu, kiedy po nich przyjedzie.

— Rozumiem. — Fryzjerka pokiwała głową. — Trudna sprawa. Współczuję ci. Ale może Jarek naprawdę chce z nimi trochę pobyć. A taki męski wyjazd dobrze zrobi chłopcom — próbowała pocieszać Kasię. — Nie martw się na zapas. Może im się spodobać, nigdy nic nie wiadomo. W końcu to ich ojciec, przecież krzywdy im nie zrobi.

— Mam nadzieję — westchnęła Kasia.

Jednak nie wyglądała na przekonaną. Za dobrze znała swojego byłego męża i wiedziała, że taka ojcowska troska nie jest u niego normą. Czuła, że coś się pod tym kryje, ale nie wiedziała co. I tego bała się najbardziej.

⚓

No i stało się!

W pierwszej chwili zlekceważyła nietypowy dźwięk, ale kiedy nie ustawał, skupiła na nim uwagę. Znała charakterystyczny warkot silnika, który towarzyszył jej podczas licznych podróży, więc teraz była pewna, że coś się dzieje. Nie wiedziała tylko co.

Zwolniła z nadzieją, że to jakaś chwilowa anomalia i za moment wszystko wróci do normy. Tak się jednak nie stało.

W kolejnych minutach z przerażeniem obserwowała, jak wskaźnik temperatury podnosi się w błyskawicznym tempie, a spod maski zaczyna wydobywać się dym.

— Nie jest dobrze — stwierdziła, bo nic konkretniejszego nie była w stanie wymyślić. Jej wiedza z zakresu mechaniki samochodowej była właściwie zerowa. W Gdańsku miała znajomego fachowca, do którego zwracała się z każdym problemem. Pan Ziutek regularnie przeglądał auto, w którym był zakochany chyba bardziej niż ona. Tyle że teraz znajdował się prawie pięćset kilometrów od tej drogi, a dym spod maski i wskazówka na jednym z zegarów jasno dawały do zrozumienia, że dzieje się coś bardzo niedobrego.

Lea zrobiła jedyną rzecz, jaką mogła. Zwolniła do minimum i z ulgą skręciła na parking przed jakimś marketem. Wyłączyła silnik, wysiadła z samochodu i otworzyła maskę. Kłęby dymu buchnęły w górę i rozpłynęły się powoli w gorącym powietrzu letniego popołudnia.

– To się porobiło! – rzucił jeden ze stojących przed sklepem mężczyzn. Reszta jego kumpli wydała z siebie coś, co brzmiało jak nieumiejętnie tłumiony rechot. Widać było, że problemy kobiety bardzo ich rozbawiły.

Lea posłała im piorunujące spojrzenie. Zrobiła dwa kroki, żeby sięgnąć po pozostawione w aucie papierosy, i zauważyła, że pod samochodem tworzy się kałuża.

Olej? Benzyna? – przeszło jej przez głowę. Nie miała pojęcia, ale nawet taki laik jak ona rozumiał, że tego typu widok oznacza poważny problem.

Dżizas! Że też akurat teraz! – Ze złością wyszarpnęła papierosa z paczki i przypaliła go. – Skąd w tej wsi wezmę człowieka, który ogarnie takie auto!

Wydmuchując dym, zaczęła się rozglądać. Pierwsze emocje powoli opadały i Lea zaczynała myśleć logicznie.

Nie z takich opresji w życiu wychodziłam – stwierdziła w duchu. – Najważniejsze to nie panikować. W końcu mam w torebce kartę kredytową, a z jej pomocą da się na szczęście załatwić prawie wszystko.

Do mężczyzn spod sklepu nie miała zamiaru się zwracać. Pewnie wiedzieli wiele o mieszkańcach, ale ani myślała dawać im dodatkowej satysfakcji. Musiała poszukać kogoś innego.

Wyglądało na to, że znalazła się w miejscu stanowiącym coś w rodzaju centrum handlowego tej miejscowości. Uwagę Lei przykuła witryna jednego z lokali w pawilonie handlowym. Intuicja podpowiedziała jej, że warto tam zajrzeć Zarzuciła torebkę na ramię i poszła.

– Dzień dobry. – Sympatyczna blondynka na jej widok podniosła się zza biurka. – W czym mogę pani pomóc?

Lea rozejrzała się po wnętrzu. Zobaczyła stoliki i stojący na komodzie ekspres do kawy, a obok niego dwa półmiski z szarlotką.

– To kawiarnia?

– Kawiarnio-sklepik – odpowiedziała kobieta. – Trochę miejscowej sztuki, miła atmosfera i miejsce, w którym można odpocząć w chłodzie. To ostatnie przy dzisiejszym upale wysuwa się chyba na pierwszy plan.

Lea pokiwała głową. Rzeczywiście upał mocno dawał się we znaki.

– Tak, ma pani rację. Chociaż w moim przypadku bardziej doskwiera niski poziom kofeiny w organizmie. Chętnie się napiję.

Blondynka pokiwała głową i podeszła do ekspresu.

– Pani u nas przejazdem czy w odwiedziny do kogoś z miejscowych? – zapytała. – Przepraszam, może pani nie odpowiadać. Nie chcę być wścibska, po prostu tutaj wszyscy się znamy i...

– Przejazdem – przerwała jej Lea. – Taki przymusowy postój. Auto odmówiło posłuszeństwa i właściwie nie wiem, co robić. Nikogo tu nie znam, więc może pani mogłaby mi pomóc?

– Proszę siadać. – Blondynka wskazała na najbliższy stolik. – Zaraz pomyślimy.

Po chwili postawiła przed Leą filiżankę z kawą.

– Bardzo ładna porcelana. Podaje pani w czymś takim? Nie boi się pani, że ktoś stłucze?

– Czasami jest ważne nie tylko, co się pije, ale i w czym. Zwłaszcza gdy są kłopoty. Wtedy każdy okruch pozytywnej energii się przydaje.

Lea spojrzała na kobietę z ciekawością. Ta zauważyła spojrzenie i uśmiechnęła się.

– Proszę się nie dziwić. To nie jest typowy sklep. To mój Kolorowy Szalik, a ja mam na imię Małgorzata. – Wyciągnęła do niej rękę.

– Lea. – Uścisnęła dłoń kobiety i poczuła, że napięcie ustępuje miejsca poczuciu, że wszystko jakoś się ułoży.

– Witamy w Jagodnie. – Małgorzata uśmiechnęła się. – Może w ramach dodatkowej porcji energii masz ochotę na kawałek szarlotki? Sama piekłam, więc gwarantuję brak zakalca i dużo cynamonu. Nie wiem, czy lubisz...

– Lubię. – Poczuła, że usta same układają się jej w uśmiech. – I poproszę dwa kawałki, bo właśnie mi się przypomniało, że od wczoraj wieczora nic nie jadłam.

– Proszę bardzo. – Małgorzata nałożyła ciasto na talerzyk. Przy okazji dyskretnie zmierzyła gościa spojrzeniem. Zaciekawiła ją ta kobieta. A jeśli trafiła do Kolorowego Szalika, to nie można było jej zostawić bez pomocy.

— Jedz, pij i daj mi chwilę. Zaraz zadzwonię do kogoś, kto będzie nam umiał pomóc.

Do męża nie miała zamiaru dzwonić, bo wiedziała, że tego dnia ma spotkanie za spotkaniem. Po namyśle wybrała numer Łukasza.

— Masz chwilę? — zapytała. — Jest u mnie ktoś, kto potrzebuje mechanika. Co się stało? Pojęcia nie mam, przecież się na tym nie znam. Dobrze, nie ma pośpiechu, poczekamy. — Odłożyła telefon i usiadła naprzeciwko gościa. — Będzie niedługo.

— Zna się na tym?

— Nie wiem, ale nawet jeśli nie, to na pewno znajdzie kogoś odpowiedniego. A do tej pory postaram się zabawić cię rozmową...

※

Łukasz pojawił się po kilkunastu minutach.

— Biegłeś czy co? — zdziwiła się Małgorzata, gdy zobaczyła go w drzwiach.

— Nie musiał, przywiozłam go. — Usłyszała zza pleców mężczyzny głos Tamary. — Goście zjedli śniadanie i poszli nad zalew, więc mam wolną chwilę. Pomyślałam, że przy okazji cię odwiedzę.

— Bardzo się cieszę. — Żona wójta ucałowała przybyłych. — To Łukasz, o którym ci mówiłam — zwróciła się do gościa. — A to Tamara, moja przyjaciółka. — Dokonała prezentacji i wskazała na siedzącą przy stoliku kobietę. — A to Lea. Awaria samochodu ją u nas zatrzymała,

37

ale ja tam nie wierzę w przypadki. Musiała do mnie trafić, bo dzięki niej dowiedziałam się wiele nowego. Bo Lea robi biżuterię...

— Gosiu, pozwól, że poplotkujecie sobie za chwilę, co? — Łukasz swoim zwyczajem nie bawił się w kurtuazję. — Najpierw chciałbym wiedzieć, co się stało i gdzie stoi ten samochód.

Lea wstała i podeszła do okna.

— Tam. — Wskazała. — Ten czerwony.

Łukasz powiódł wzrokiem za jej palcem.

— Ten kabriolet? — upewnił się.

— Masz kabriolet?! — wykrzyknęła w tej samej chwili Tamara.

— Tak — odpowiedziała na oba pytania jednocześnie. — Doskonały samochód. Jeśli nie liczyć dymu spod maski i tego, że coś się z niego wylało.

Łukasz podrapał się po głowie.

— Wygląda na to, że mamy do czynienia z poważniejszą awarią. Normalnie wskazałbym ci któregoś z naszych mechaników, ale prawdę mówiąc, oni mają doświadczenie raczej z bardziej popularnymi modelami. Passat, golf, ostatecznie yaris czy corolla. A do czegoś takiego potrzeba prawdziwego fachowca.

— Czyli dupa zbita — podsumowała bez ogródek Lea. — Nie powiem, żeby mnie to ucieszyło. Chyba muszę wyjść, żeby zapalić.

— Zapalić zawsze można — zgodził się Łukasz. — Tylko po co zaraz te nerwy. Czy ja powiedziałem, że nic się nie da zrobić?

— A da się?

— Zaraz sprawdzę. Dajcie mi chwilę. Naprawdę nie rozumiem tej kobiecej skłonności do histerii. — Wzruszył ramionami i wyszedł.

— Nie przejmuj się. — Tamara machnęła ręką, widząc minę Lei. — To taka poza. Sama się przekonasz, że zyskuje przy bliższym poznaniu.

— Już ty go tak nie zachwalaj! — Małgorzata parsknęła śmiechem.

— Bez obaw. I tak nie uwierzę. — Lea pokręciła głową. — Jeszcze nie widziałam mężczyzny, który zyskuje przy bliższym poznaniu.

— Przynajmniej mogę być spokojna. — Tamara uśmiechnęła się.

— W takim razie robię kolejną filiżankę kawy, bo to pewnie chwilę potrwa — stwierdziła Małgorzata.

— Za kawę dziękuję. Ale herbatą nie pogardzę. Najlepiej owocową, jeżeli masz.

Przegadały kolejne trzy kwadranse i Lea ze zdumieniem stwierdziła, że czas w towarzystwie dwóch nowo poznanych kobiet minął niezwykle szybko. Nie spodziewała się spotkać w małej miejscowości kogoś takiego. Inteligentne, sympatyczne, zadbane — zupełne przeciwieństwo jej wyobrażeń o mieszkankach miasteczek i wsi. Czyżbym wyszła na zarozumiałą snobkę z dużego miasta? — pomyślała i ta refleksja lekko ją zawstydziła. Była przeciwniczką stereotypów, a tymczasem okazało się, że sama je powiela. — Muszę się nad tym zastanowić w wolnej chwili — stwierdziła.

Za to mechanik okazał się bardzo pasować do obiegowych opinii o przedstawicielach tego fachu. Podjechał żółtą lawetą, która dawno nie widziała wody i szczotki. Wysiadł z szoferki i podszedł do jej samochodu nonszalanckim krokiem. Obszedł wóz dookoła, schylił się, potem zajrzał pod maskę i przez chwilę uważnie wpatrywał się między chłodnicę a silnik. Po tych oględzinach stanął w rozkroku, wkładając ręce do kieszeni szarych, ubrudzonych smarem, roboczych spodni.

— Nieźle utrzymany — stwierdził. — Alfa Romeo Spider. Z sześćdziesiątego szóstego.

— Tyle to ja mogę przeczytać w dowodzie rejestracyjnym — prychnęła Lea.

— Ten samochód ma ponad pół wieku? — szepnęła Tamara do ucha Łukasza.

Pokiwał głową.

— To miał prawo się zepsuć — stwierdziła i zamilkła, widząc pogardliwe spojrzenie mężczyzny w roboczym ubraniu.

Stali przy samochodzie i przez chwilę żadne z nich nic nie mówiło. Wreszcie Lea nie wytrzymała.

— Wie pan chociaż, co się zepsuło? Czy po prostu to pana przerosło?

Małgorzata i Tamara wymieniły spojrzenia. Takie stwierdzenie dotknęłoby większość mężczyzn do żywego. A jak wiadomo, skutki urażenia męskiej dumy mogą być katastrofalne.

Tymczasem mechanik zachował obojętny wyraz twarzy.

– To pompa wodna – powiedział i podrapał się po zarośniętym policzku.

– I? – drążyła Lea.

– I tyle. – Wzruszył ramionami.

– Czyli nic poważnego?

Zmierzył ją spojrzeniem.

– O ile znajdę pompę do wymiany, to tak.

– W porządku. W takim razie proszę ją kupić i wymienić. Długo to potrwa?

– Zaraz wejdę do Lewiatana, wezmę z dzisiejszej dostawy i będzie można jechać. – Mężczyzna popatrzył na Łukasza i pokręcił głową z politowaniem.

Ten od razu zrozumiał, co znajomy chce mu przekazać.

– Tamaro, czy możesz zabrać Leę do nas na obiad? Ja pomogę Grzegorzowi zapakować auto na lawetę i zawieziemy je do warsztatu. Dam znać co i jak. Nie ma sensu, żebyście tu siedziały.

– Świetna myśl! Zobaczysz naszą Stację Jagodno – podchwyciła Tamara. I tak musiała wracać do dworku, żeby pomóc w przygotowaniach do obiadu, a upał już dawał jej się we znaki, więc myśl o chłodzie i cieniu drzew była bardzo kusząca.

– Zajrzyj do mnie jeszcze przed wyjazdem – poprosiła Małgorzata. – Będę tutaj do osiemnastej.

– Jasne. – Lea pokiwała głową.

Nie zauważyły, że mężczyźni wymienili ponad ich głowami porozumiewawcze spojrzenia.

Godziny między południem a piętnastą zawsze były najgorsze. Słońce nagrzewało dach przyczepy, a rozgrzany olej dodatkowo podnosił temperaturę wnętrza. Chociaż włożyła tylko lekką koszulkę na ramiączkach, czuła, że pot spływa jej strużką po plecach. Niestety, mimo że mokry, nie dawał ochłody.

Najchętniej położyłaby się gdzieś w cieniu. Albo zanurzyła w chłodnej wodzie. Wiedziała jednak, że przez najbliższe godziny nie będzie miała czasu nawet powachlować się ręką. Plażowicze, którzy od rana wypoczywali nad zalewem, zdążyli już zgłodnieć. Matki, dbając o swoje pociechy, odwoływały je z plaży na czas największego upału, a dzieci, nie mogąc pływać i bawić się w piasku, domagały się soczków, chipsów i frytek. Natomiast ich ojcowie nabierali ochoty na hamburgery i grillowane kiełbaski.

Chociaż w godzinach szczytu pracowały we dwie, Marysia wiedziała, że kolejka nie zmaleje przez dłuższy czas.

— Dołóż jeszcze porcję frytek. — Usłyszała głos Beaty. — I zaczynaj kroić cebulę, bo zaraz się skończy.

Posłusznie wykonała polecenia koleżanki. Beata pracowała tu już w zeszłym roku, więc miała doświadczenie. Uczyła Marysię i naprawdę miała dużo cierpliwości. Nawet kiedy pierwszego dnia nowicjuszka spaliła trzy kotlety do hamburgerów, nie gniewała się, tylko uspokajała:

— Jutro będzie lepiej, spoko.

I miała rację. Po dwóch tygodniach Marysia już nic nie przypalała, ale i tak doświadczona koleżanka lepiej sobie radziła. Dziewczyna miała nadzieję, że niedługo i ona nabierze takiej wprawy. W tej chwili jednak marzyła tylko o tym, żeby wszyscy już się najedli.

Uwijały się w upale, smażąc, krojąc i pakując. Przyjmowały zamówienia, wydawały resztę i zadawały wciąż te same pytania:

— Hamburger mocno wysmażony?

— Keczup czy musztarda?

— Woda gazowana czy nie?

Wreszcie, kiedy na odruchowe pytanie „Co podać?” nie usłyszała żadnej odpowiedzi, zrozumiała, że nadszedł moment upragnionej przerwy.

— Wyjdę na chwilkę na schodki, dobrze? – zapytała.

— W porządku – odparła Beata. – Zrobić ci coś do zjedzenia?

— Dzięki, ale nie mogę już na to wszystko patrzeć. – Pokręciła przecząco głową.

— Spoko.

Nie rozumiała, jakim cudem Beata nie ma jeszcze dość frytek i hot dogów. Ona sama czuła, że nie zje nic podobnego przez najbliższych kilka lat. Z ulgą otworzyła drzwi przyczepy i usiadła na metalowych stopniach, które, gdyby nie materiał spodenek, z pewnością poparzyłyby jej pośladki. Trudno – pomyślała. – Najważniejsze, że mogę wyciągnąć nogi.

Odkręciła butelkę z wodą i łapczywie wypiła kilka łyków. A potem głośno wypuściła powietrze z płuc.

– Pracujesz tutaj?

Podnosząc głowę, zobaczyła kolejno opalone nogi, czarne spodenki, pomarańczową koszulkę z napisem RATOWNIK, a na samym końcu uśmiechniętą twarz i modnie obcięte ciemne włosy. Łał! – pomyślała, niezbyt może inteligentnie, ale chłopak zrobił na niej naprawdę duże wrażenie.

– Tak – odpowiedziała. – Ale chwilowo mam przerwę, więc jeżeli chcesz coś zjeść, to z drugiej strony – wskazała okienko – jest moja koleżanka.

– Jasne. – Pokiwał głową. – Ale nie jestem głodny. Dzisiaj zacząłem pracę i staram się poznać towarzyszy niedoli. Przypadkiem trafiłem tu, na tyły, ale widzę, że warto było.

– Wy, ratownicy, to raczej nie macie tak źle. – Wydęła usta. – Głównie leżycie na plaży. Spróbowałbyś posiedzieć kilka godzin w tej puszce. To dopiero można nazwać niedolą.

– Za to macie bardzo twarzowe czapeczki. – Mrugnął okiem.

Marysia zawstydziła się. Zupełnie zapomniała o białej czapeczce, którą musiała nosić podczas pracy. Takie podobno były przepisy, ale ona podejrzewała, że to wymysł właściciela. Uważała, że wygląda w niej jak kucharka ze szkolnej stołówki, i zdejmowała nakrycie głowy, kiedy tylko wychodziła z przyczepy, ale dziś, w tym całym zamieszaniu, zupełnie zapomniała.

– Ej, nie obrażaj się! – Nowy znajomy roześmiał się. – Naprawdę nie jest zła.

— Dobra, dobra. — Pokiwała głową. — Mam lustro. Nie dam się nabrać.

— Ale się nie gniewasz? Fakt, trochę nie trafiłem z tym komplementem.

— Nie da się ukryć.

— A może mógłbym to jakoś naprawić? Co powiesz na wspólne leżenie na plaży?

— Jestem przeciw. Mam dosyć upału.

— W takim razie może spacer w cieniu sosen? — Błysnął białymi zębami i spojrzał zachęcająco.

— Dzięki za propozycję, ale nie. Mam już plany na popołudnie.

Odmówiła, ale było jej przyjemnie. On mnie chyba podrywa — pomyślała. — Spodobałam mu się nawet w tej durnej czapce? — zastanawiała się.

Chłopak był przystojny i wydawał się sympatyczny, ale lojalność wobec Kamila zwyciężyła. Dziewczyna podniosła się ze schodków.

— Muszę wracać do pracy — powiedziała.

— Rozumiem. — Pokiwał głową. — Zresztą ja też. Do zobaczenia. — Uniósł rękę w pożegnalnym geście i odszedł.

Marysia weszła do przyczepy. Beata właśnie kończyła jeść frytki.

— Był tu jakiś chłopak. Pytał o ciebie — oznajmiła, przełykając. — Powiedziałam, że jesteś z tyłu. Znalazł cię?

A więc nie wszedł tam przypadkiem — pomyślała Marysia.

— Taki wysoki, z czarnymi włosami, ratownik — kontynuowała Beata. — O, patrz! Tam idzie! — Wskazała na postać omijającą plażowiczów. — To jakiś twój znajomy?

— Absolutnie nie — zaprzeczyła. — Nawet nie wiem, jak ma na imię.

Nie skłamałam przecież — usprawiedliwiała się w myślach.

— Szkoda, bo fajny. Miałam nadzieję, że mnie z nim poznasz. Ratownicy są najlepsi — stwierdziła Beata z miną znawczyni.

— Nawet nie wiesz, Różo, jak się cieszę, że wreszcie miałyśmy czas na dłuższą pogawędkę. — Ewa krzątała się przy kuchni, odkładając wycierane naczynia do odpowiednich szafek.

— Mnie też było miło, Ewuniu. Tak rzadko ostatnio do mnie zaglądasz. — Staruszka obserwowała kobietę spod półprzymkniętych powiek.

— Wiem i czuję z tego powodu wyrzuty sumienia. Bo niby Tamara i Marysia przebywają tu na co dzień, ale mam świadomość, że one całymi dniami są zajęte, a ty w związku z tym siedzisz sama. Tak nie powinno być, muszę z nimi porozmawiać — stwierdziła stanowczo.

— Daj im spokój. Samotność to dla mnie nic nowego. Miałam czas się przyzwyczaić...

— Naprawdę nie musisz mi o tym przypominać.

— Nie złość się, Ewuniu. Nie traktuj moich słów jak wyrzutu, po prostu stwierdzam fakt. Nie chcę, żebyś się martwiła. Teraz naprawdę jest tu ruch jak nigdy dotąd. Tamara i Marysia dbają o mnie, nic nie muszę robić. Obiady przywożą z dworku, sprzątają, pomagają. Nawet czasem mam o to pretensje. Bo przecież taka bezczynność wcale nie jest dobra. Przyznaj, jak lekarz, ruch jest najważniejszy.

— To racja, aktywność jest jak najbardziej wskazana — zgodziła się Ewa.

— Im to powiedz. Niech mi pozwolą trochę popracować.

— Ty już się dosyć w życiu narobiłaś. A jeśli potrzebujesz ruchu, to wyjdź do ogrodu, pospaceruj...

— Tak, wygląda na to, że ja już nikomu do niczego nie jestem potrzebna — westchnęła babcia Róża. — I wszyscy wiedzą lepiej, co dla mnie dobre.

— Różo, wybacz, ale pleciesz bzdury — zdenerwowała się Ewa. — Przecież wiesz, jak ważna jesteś dla nas wszystkich. Dlatego musimy o ciebie dbać.

— Dobrze, że mam własny rozum. — Babcia Róża postukała palcem w blat stołu. — I wolną wolę. Gdybym was słuchała, to musiałabym się położyć i czekać na koniec. Na szczęście tak źle jeszcze ze mną nie jest. Zresztą sama zobacz. — Wskazała palcem na kredens. — Otwórz tę szafkę na dole.

Ewa wykonała polecenie.

— Widzisz tam, w głębi?

— Te butelki?

— Tak. To sok z malin. Własnej roboty. W sam raz na zimowe przeziębienia i chłodne wieczory. Starczy dla wszystkich — poinformowała z dumą.

— Sama to wszystko zrobiłaś?

— Wspólnie z Zofią. Ona jeszcze do słoików robiła, bo chce mieć do tych swoich babeczek zapas.

— Różo, naprawdę nie musiałaś...

— Ale chciałam. I póki mogę, to będę robić. Zresztą nie miej do mnie pretensji, Ewuniu, bo teraz przynajmniej mam dla kogo. A to dopiero jest radość. I nie próbuj mi jej odbierać.

— Uparta jesteś, Różo — skwitowała jej słowa Ewa. — Ale przecież do krzesła cię nie przywiążę — westchnęła.

— Uważaj przynajmniej na siebie, dobrze? Szczególnie w taki upał. Obiecaj mi, proszę.

— Obiecuję. A teraz powiedz mi jeszcze raz, jak ty masz zamiar Tamarę i Łukasza przekonać, żeby z wami zamieszkali.

Babcia Róża dobrze wiedziała, że wspomnienie problemu, który obecnie najbardziej zaprzątał głowę Ewy, spowoduje, że temat zdrowia zejdzie na dalszy plan. Nie myliła się. Ewa natychmiast chwyciła przynętę.

— Właśnie nie wiem, co mam robić. Uważam, że najlepiej byłoby powiedzieć im to wprost. Oznajmić i tyle. Przecież i tak wiadomo, że są razem. Poza tym to już zaczyna być śmieszne.

— Co niby?

— Ich dziwne zachowanie. — Postawiła przed Różą talerz z sernikiem pokrytym czerwoną galaretką i zatopionym w niej ananasem. — Proszę, to na deser. Sernik na zimno. Nic lepszego nie zdążyłam zrobić.

— Na upał w sam raz.

— Też prawda. O czym to ja mówiłam? A, o ich zachowaniu. Nawet Marysia już się zaczyna z tego śmiać. Wpadłam do niej trzy dni temu, tam do tej budy, w której pracuje. Swoją drogą, naprawdę nie rozumiem, dlaczego Tamara się na to zgodziła. Przecież niczego im chyba nie brakuje? Żeby dziecko w taki upał do roboty gonić!

— Marysia sama chciała — wtrąciła babcia Róża.

— Tak, a gdyby chciała autostopem do Indii jechać, to też trzeba jej pozwolić? Wybacz, Różo, ale uważam, że matka jest od tego, żeby jakoś kontrolować nieprzemyślane pomysły dziecka. — Zauważyła spojrzenie staruszki i machnęła ręką. — Tak, dobrze już, koniec tematu. Tamara jest matką, Marysia nie jest głupia, ja się nie wtrącam. Wiem to wszystko — westchnęła — ale czasami trudno mi się powstrzymać.

— To naturalne. — Staruszka położyła rękę na dłoni Ewy. — Troszczysz się o nie.

— Dokładnie tak. Troszczę się i właśnie dlatego staram się, żeby było im jak najlepiej. W tym celu pojechałam na plażę. Żeby sprawdzić, jakie tam Marysia ma warunki. I nawet nie chcę o tym mówić, bo mi się w głowie nie mieści, że moja wnuczka z własnej woli tak się męczy. Ale trudno, nie mam na to wpływu. Za to z Tamarą muszę porozmawiać i przed tym mnie nie powstrzymasz. Bo to nie jest normalne, że dziecko się podśmiewuje z nocnych powrotów matki. Sama powiedz: mam rację, prawda?

— Każdy ma jakąś rację. I dla każdego jego racja jest najważniejsza. Może i Tamara ma własną.

— Zapewne — prychnęła Ewa.

— A znasz ją?

— Niestety, nie raczyła się ze mną tym podzielić.

— Może nie wie, że cię to interesuje.

— Oczywiście, że interesuje! — oburzyła się Ewa.

— W takim razie zapytaj.

— To samo powiedział Adam. Zmówiliście się czy co? Mówi, żeby najpierw zapytać o powody. A potem dopiero coś proponować. I uszanować ich decyzję.

— Mądry ten twój Adam. — Babcia Róża uśmiechnęła się.

— To wiem. Tylko w głowie mi się nie mieści, że mogliby odmówić. Gdyby mnie ktoś zaproponował piętro nowiutkiego domu, to byłabym szczęśliwa.

— Każdy ma swoje pojęcie szczęścia.

— Tak, tak, oczywiście. Swoją rację, swoje szczęście, swoje zdanie. To powiedz mi, Różo, co ja mam robić, żeby im jakoś pomóc?

Staruszka nie odpowiedziała.

Ewa spojrzała na nią znad filiżanki, przekonana, że Róża swoim zwyczajem czeka, aż sama sobie odpowie na własne pytanie. Ale zamiast spodziewanego lekkiego uśmiechu i życzliwego spojrzenia zobaczyła zamknięte powieki i pomarszczoną dłoń przyciśniętą do piersi.

— Różo! — krzyknęła.

— Ciiii — wyszeptała staruszka. — Spokojnie, Ewuniu, zaraz mi przejdzie.

Jednak Ewa nie zamierzała czekać. Zadziałał lekarski instynkt. Zepchnął ludzkie emocje na samo dno i umysłem kobiety natychmiast zawładnął wieloletni profesjonalizm.

Natychmiast znalazła się obok staruszki. Rozluźniła jej bluzkę pod szyją i chwyciła za nadgarstek. Przez chwilę stała w skupieniu, a zaraz potem stanowczym, ale spokojnym głosem powiedziała:

— Różo, czy dasz radę dojść do łóżka? Powinnaś się położyć.

Ta pokiwała głową i próbowała wstać z krzesła, ale widać było, że sama sobie nie poradzi.

Ewa stanęła za nią i pomogła jej się podnieść. Potem zarzuciła rękę Róży na swoje ramię i powoli, krok za krokiem, poszły do pokoju. Lekarka dopasowała tempo do możliwości staruszki, ale na jej twarzy malował się niepokój i niecierpliwość. Kiedy tylko Róża znalazła się na łóżku, ruchy Ewy stały się szybsze.

— Leż spokojnie – powiedziała. – Zmierzę ciśnienie.

Wyjęła z szufladki nocnej szafki aparat, dziękując sobie w myślach, że zostawiła u Róży stary model, do którego używała też stetoskopu. W głębi duszy nie do końca ufała nowoczesnym elektronicznym aparatom. Nie raz widziała, że potrafiły przekłamywać wynik. A stara metoda, opierająca się na wyczulonym lekarskim uchu, nie zawodziła. Tym razem jednak bardziej zależało jej na samym stetoskopie.

— Zbadam cię – poinformowała, rozpinając staruszce bluzkę.

Róża nie odpowiedziała. Ewa przez moment wsłuchiwała się w bicie jej serca, potem jeszcze raz zerknęła na bladą twarz leżącej i wiedziała już, że decyzja może być tylko jedna.

— Zaraz wrócę — powiedziała i wyszła do kuchni.

Tam wyjęła telefon z torebki, wybrała numer i kiedy usłyszała głos dyspozytorki, poinformowała:

— Mówi doktor Ewa Dobrosz. Proszę o karetkę, migotanie przedsionków, stan poważny. — Następnie podała adres i rozłączyła się. Wróciła do pokoju, pochyliła się nad staruszką i delikatnie pogłaskała ją po pomarszczonym policzku. — Różo, wezwałam pogotowie. Pojedziemy do szpitala. Tam ci pomogą. Słyszysz mnie?

Staruszka poruszyła ustami i Ewa musiała się pochylić, żeby usłyszeć, co mówi.

— Spokojnie, Ewuniu. Zaraz mi przejdzie.

Gdyby nie to, że była teraz doktor Ewą, na pewno by się rozpłakała. Na szczęście w tym profesjonalnym wcieleniu brakowało miejsca na emocje i wielki strach o to, co może się stać, nie został dopuszczony do głosu. Ale był i Ewa czuła, że tylko czeka na sposobność, żeby przejąć nad nią władzę.

To się nie może wydarzyć — pomyślała.

۶

Tamara znalazła Leę tam, gdzie się spodziewała — w altanie. To miejsce było tak piękne, że przyciągało wszystkich gości. Dlatego niosąc tacę z kompotem i szklankami, od razu skierowała się do Różanego Kącika.

– Widzę, że korzystasz ze słońca – powiedziała na widok twarzy kobiety wystawionej w kierunku ciepłych promieni.

– Dawno nie miałam okazji do takiego błogiego lenistwa. – Lea odwróciła się w stronę Tamary i otworzyła oczy.

– Dużo pracujesz?

– To też. Ale po prostu żyję zupełnie inaczej. Wiesz, jak bywa w mieście. Jeżeli odpoczynek, to raczej w domu, ewentualnie ze znajomymi w jakimś lokalu albo klubie.

– Jesteś z Gdańska? – zapytała. – Widziałam rejestrację – dodała jako wyjaśnienie.

– Tak. Tam mieszkam. Ale dopiero od czasu studiów.

– No to przecież masz morze na wyciągnięcie ręki. Nie korzystasz?

– Niespecjalnie – przyznała. – Wiesz, dla miejscowych to żadna atrakcja i na dodatek ciągle nie po drodze. Poza tym niezbyt lubię ten turystyczny zgiełk. Tłum akceptuję tylko na parkiecie i po kilku drinkach. – Mrugnęła okiem. – Raczej miejskie zwierzę ze mnie.

– Ale u nas ci się podoba? – Tamara nalała napój do szklanki i podała ją Lei.

– Aż się sama dziwię – przyznała. – Ale pół godziny tutaj zrelaksowało mnie bardziej niż kilka godzin w spa.

– Wiem coś o tym. – Tamara uśmiechnęła się. – Odkąd tu zamieszkałam, czuję się zupełnie inaczej, niż kiedy pracowałam w Kielcach.

– Powiem ci, że nigdy za bardzo nie wierzyłam w te opowieści o kobietach, które porzucają korporacje i odnajdują szczęście na wsi. A tu, całkiem przypadkiem, znalazłam żywy dowód, że to prawda.

– Nie jest aż tak sielankowo. – Tamara pokręciła głową. – Owszem, nie narzekam, ale problemy są, jak wszędzie. Gdybyś pobyła u nas dłużej, poznałabyś wiele historii. I nie wszystkie są kolorowe. Ja też nie zawsze mam z górki, ale mimo wszystko nie wróciłabym do miasta na stałe. – Upiła łyk kompotu.

– Na dłuższy pobyt nie ma szans, ale wierzę ci na słowo.

– Nie wiem, co dla ciebie znaczy dłuższy pobyt, ale trzy dni to minimum. – Łukasz wyszedł zza drewnianego słupa i usiadł na wolnym krześle, wyciągając przed siebie nogi.

– Ależ się wystraszyłam! – Lea aż podskoczyła.

– On tak zawsze. Ja już się przyzwyczaiłam – powiedziała Tamara i spojrzała z czułością na mężczyznę. – Ale na początku też mnie to denerwowało.

– Ja się chyba nie zdążę przyzwyczaić. Chociaż przed chwilą usłyszałam coś o trzech dniach i wcale mi się to nie podoba.

– Szybciej nie da rady. – Łukasz wzruszył ramionami. – Tę pompę trzeba zamówić, Grzegorz znalazł w kraju jedną jedyną. Już rozmawiał z facetem i tamten obiecał, że jutro wyśle zamówienie kurierem. Czyli dojdzie pojutrze. Potem trzeba jeszcze doliczyć czas na robociznę, więc nie chce być inaczej.

— A ten Grzegorz to chociaż wie, co robi? Jakoś nie wzbudził we mnie zaufania. — Lea postanowiła wyrazić swoje wątpliwości.

— Mechanik nie jest od wzbudzania zaufania, tylko od tego, żeby dobrze wykonał swoją robotę. A ja nie znam nikogo lepszego, tyle mogę powiedzieć. — Łukasz sięgnął po szklankę i dzbanek.

— Skoro tak mówisz... — Lea nadal nie wyglądała na przekonaną. Ten mężczyzna też nie do końca wydawał się jej wiarygodny. Poza tym przywykła do ludzi nieco bardziej cywilizowanych i kontaktowych. A tutejsi panowie sprawiali wrażenie jakichś takich... Nie wiedziała, jak to nazwać, ale do głowy przychodziło jej tylko jedno określenie — nieokrzesanych.

— Tak mówię — odpowiedział, jakby jej ironia była mu zupełnie obojętna.

— W takim razie chyba muszę wracać pociągiem — zastanawiała się Lea. — A kiedy samochód będzie gotowy, przyjadę z powrotem i go odbiorę. Zaraz sprawdzę, czy są bezpośrednie połączenia z Kielc do Gdańska. — Sięgnęła po telefon. — Lepszy byłby samolot, ale z tego, co wiem, nie macie tu lotniska, prawda?

Łukasz już otwierał usta, ale Tamara wiedziała, na co się zanosi, i nie pozwoliła mu dojść do głosu. Potrafił być naprawdę złośliwy. Sama doświadczyła tego w czasie, gdy jeszcze uważał ją za rozpieszczoną mieszczankę. A najwyraźniej Leę ocenił podobnie.

— Naprawdę chcesz tłuc się nie wiadomo ile godzin w wakacyjnym tłoku tylko po to, żeby pojutrze jechać z powrotem?

— A mam inne wyjście? — odpowiedziała pytaniem na pytanie, nie odrywając oczu od ekranu smartfona. Jedyny dłuższy kosmyk czarnych włosów uparcie opadał jej na oczy, a ona odgarniała go co chwilę za ucho.

— Myślę, że jest jedno — zaczęła Tamara i udała, że nie widzi ostrzegawczego spojrzenia Łukasza.

— Mianowicie jakie? — Lea podniosła wzrok i spojrzała znad okularów w designerskich czarnych oprawkach.

Tamara nie zdążyła odpowiedzieć, bo zadzwonił jej telefon. Wyjęła komórkę z kieszeni spodni i zerknęła na wyświetlacz.

— Przepraszam, zaraz ci powiem, tylko odbiorę. To moja mama. — Przeciągnęła palcem po ekranie i przyłożyła telefon do ucha. — Mamo, mam teraz gościa. Czy to coś... — przerwała, a Łukasz, widząc, jak rozszerzają się jej oczy, od razu wyprostował się na krześle i spojrzał na nią pytająco. — Jak to? Co się dzieje? Do jakiego szpitala? — Słuchała przez chwilę. — Dobrze, zaraz przyjadę.

— Co się stało? — Mężczyzna podniósł się i stanął naprzeciwko Tamary.

— Babcia Róża. Nie wiem dokładnie, nie zrozumiałam... Mama jedzie z nią karetką do szpitala. Przepraszam — zwróciła się do Lei. — Muszę jechać...

— Jadę z tobą — oznajmił Łukasz.

— A kto się zajmie gośćmi? — Tamara rozejrzała się bezradnie. — Zaraz kolacja, a potem mieliśmy robić ognisko... Musisz zostać — zdecydowała.

— Ani mi się śni! — zaprotestował. — Nie puszczę cię samej. Jesteś zdenerwowana, a poza tym...

– Jedźcie – wtrąciła się Lea. – Ja zostanę i pomogę. Ta starsza pani mi powie co i jak. No, nie patrzcie tak, jedźcie! – Popędziła ich ruchem ręki.

※

Małgorzata zamknęła swoją sklepiko-kawiarnię i odchodząc, zerknęła jeszcze na przyklejoną do drzwi kartkę. *W dniach 25 lipca–4 sierpnia Kolorowy Szalik będzie zamknięty.* Ta z pozoru typowa dla wakacyjnego okresu informacja kryła w sobie o wiele więcej, niż mógłby pomyśleć przypadkowy przechodzień. Dla Małgorzaty symbolizowała coś, czego jeszcze nigdy nie przeżyła i na co bardzo czekała.

Nie mogła się już doczekać i prawdę mówiąc, zamknęła prawie godzinę wcześniej. Nic się nie stanie – pomyślała. – W taki upalny dzień i tak nikt już tu nie zajrzy. Wszyscy są nad wodą albo wypoczywają w przydomowych ogródkach.

Kiedy zaparkowała przed domem Jadwigi, serce zaczęło jej bić jak oszalałe. Wysiadła i pchnęła drewnianą furtkę. Ledwie zrobiła kilka kroków, a drzwi od domu otworzyły się i mała dziewczynka wybiegła jej na spotkanie.

– Ciociu, ciociu! – wołała z uśmiechem. – Już jestem spakowana. Tylko Okruszek się nie zmieścił, a Tereska mówi, że nie mogę go zabrać.

Okruszek był ogromnym pluszowym misiem, którego Amelka wygrała w przedszkolnym konkursie wokalnym. Dziewczynka pokochała tę jedną z nielicznych wtedy zabawek i nie chciała się z nią rozstawać.

Teraz z impetem wpadła w ramiona Małgorzaty, ani na chwilę nie przestając mówić.

– Prawda, że zabierzemy Okruszka? Powiedz, ciociu, że tak. On też chce mieć wakacje.

– Dobrze, dobrze, zabierzemy Okruszka – obiecała Małgorzata. Postawiła dziewczynkę na ziemi, chwyciła małą rączkę i razem weszły do domu.

– Dzień dobry, pani Małgosiu – przywitała ją Tereska.

– Już nie wiem, jak jej tłumaczyć, że miś powinien zostać.

– Patrzyła na gościa z bezradną miną. – Uparła się. Ale jakby co, to proszę się nie przejmować, ja się Amelką zajmę.

– Co ty opowiadasz, Teresko. – Małgorzata pokręciła głową. – Czy sądzisz, że jeden pluszowy miś może mnie zniechęcić?

– Ale mama powiedziała, że ma zabrać tylko ubrania. I nie robić pani kłopotu – tłumaczyła nastolatka.

Tak, Jadwiga długo wzbraniała się przed przyjęciem propozycji Małgorzaty.

– Nie mogę ci zostawiać dzieciaka na prawie dwa tygodnie – mówiła. – Igor z Tereską się nią zajmą, mają wprawę.

– Na pewno. Ale przecież oni też mają wakacje. Wystarczą im Zbyszek i Karol. Zresztą ty też będziesz spokojniejsza, przyznaj.

– To akurat prawda. Amelka jest jeszcze mała, dobrze, gdyby ktoś dorosły miał na nią oko – zgodziła się Jadwiga.

Wreszcie dała się ostatecznie przekonać. Kacper też się zgodził, chociaż bez wielkiego entuzjazmu.

— Nie dam rady wziąć urlopu w tym terminie — powiedział. — Zastanów się, czy sobie poradzisz.

— Oczywiście, że sobie poradzę! — zapewniła z przekonaniem.

Teraz już była tego pewna. Tym bardziej że Amelka kilka razy odwiedziła ją w towarzystwie Tereski, a raz już została na cały dzień tylko z Małgorzatą i świetnie się razem bawiły. To dlatego dziewczynka bez oporów przyjęła informację, że mama pojedzie na wakacje nad morze, a ona zostanie u cioci Małgosi. Na początku planowali, że pierwszej nocy Amelce potowarzyszy starsza siostra, ale dziewczynka tak dobrze się czuła w domu wójta, że nie było takiej potrzeby.

Teraz nowa ciocia pakowała na tylne siedzenie samochodu ogromnego misia, a Amelka sama wdrapała się do fotelika, który poprzedniego dnia zamontował Kacper.

— Jeszcze tego brakowało, żeby żona wójta dostała mandat za niezgodne z przepisami przewożenie dziecka — powiedział, kiedy skończył. — Nie musisz dziękować, robię to, żeby nie ucierpiała moja reputacja — dodał.

Ale Małgorzacie i tak zrobiło się ciepło na sercu. Bo wiedziała, że na swój sposób Kacper dał jej sygnał, że zaakceptował pobyt Amelki u nich.

Teraz, kiedy podjechały pod dom, wyszedł im naprzeciwko i wniósł do środka torbę z rzeczami małej oraz dodatkowego lokatora. Ani słowem nie skomentował zabawki, po prostu zaniósł ją do pokoju gościnnego, w którym Małgorzata przygotowała łóżko dla dziewczynki. Wybrała pościel z nadrukowanymi kotkami i miała nadzieję, że Amelce to się spodoba. Dodatkowo wstawiła kwiaty w kolorowe osłonki, a na ścianie nad łóżkiem powiesiła plakat z ubraną w różową sukienkę królewną. Wszystko po to, żeby uczynić pomieszczenie bardziej przytulnym i odpowiednim dla małej dziewczynki.

— Tutaj będziesz spała — powiedziała, kucając obok Amelki. — Podoba ci się?

— A innych dzieci nie będzie? — zapytało dziecko.

— Nie, tylko ty.

— Będę miała cały pokój?

— Tak.

Mała wyglądała na trochę onieśmieloną.

— Nie podoba jej się? — zapytał szeptem Kacper.

— Raczej jest zaskoczona — wyjaśniła Małgorzata. — Mówiłam ci przecież, że w domu śpi w jednym pokoju z siostrą i dwoma braćmi.

Kacper pokręcił głową z niedowierzaniem.

— Nie wszyscy mają takie szczęście jak my. — Żona wtuliła się w niego.

— Muszę wracać do pracy. — Wójt pocałował Małgorzatę w policzek. — Bawcie się dobrze. Zobaczymy się podczas kolacji.

Zostały same i Małgorzata mogła zająć się Amelką. Pokazała jej cały dom, odpowiedziała na wszystkie pytania zaczynające się niezmiennie od słowa: dlaczego.

Wieczorem była zmęczona, ale bardzo szczęśliwa. Amelka po kolacji i kąpieli w wannie z bąbelkami została przebrana w swoją piżamkę i zasnęła w nowej pościeli. Małgorzata zajrzała do niej kilka razy, ale w końcu sama postanowiła się położyć.

– Wszystko w porządku? Śpi? – zapytał Kacper, kiedy wsunęła się pod kołdrę. Przeglądał jeszcze jakieś dokumenty i robił notatki w laptopie.

Skinęła głową.

– Zadowolona?

– Bardzo – powiedziała i pocałowała go w policzek.

Zamknął komputer i odłożył go na szafkę obok łóżka.

– Pora spać – stwierdził i wyłączył lampkę.

Położyła głowę na jego ramieniu i pomyślała, że jest szczęśliwa. I będzie przez kolejnych dziesięć dni i nocy. Nie było to może wiele, ale musiało wystarczyć.

– Hej, Mary, nie śpij! – Głos Beaty po raz kolejny wyrwał ją z zamyślenia.

– Przepraszam – bąknęła.

– Nie przepraszaj, tylko bierz do ręki ścierkę. Ogarniesz ten bałagan i możesz iść – zarządziła Beata.

– Dokąd mam iść? – zdziwiła się Marysia.

– Do domu. Albo gdzie tam chcesz. Bo tutaj nic dzisiaj po tobie.

– Ale mam jeszcze trzy godziny zmiany – zaprotestowała dziewczyna.

— Akurat zdążysz się poparzyć albo coś spalić. — Beata była brutalnie szczera. — Nie nadajesz się dzisiaj do pracy.

Marysia zawahała się. Koleżanka miała rację. Nie mogła się skupić, wszystko leciało jej z rąk. Wiedziała, że powinna wziąć się w garść, ale mimo starań nie mogła.

— No, rusz się! — ponagliła Beata. — Dziesięć minut i jesteś wolna.

— Naprawdę mogę?

— Możesz, możesz, spoko. Dam sobie radę.

— A szef nie będzie miał pretensji?

— Najwyżej mu powiem, że masz okres. On jak słyszy to słowo, to zaraz ucieka. — Koleżanka roześmiała się. — Wiesz, jak to facet.

Marysię czasami zaskakiwała bezpośredniość Beaty. Ta dziewczyna nie miała chyba żadnych zahamowań. Mówiła wprost i zupełnie bez skrępowania. Teraz też Marysia nie wiedziała, czy proponowane przez koleżankę usprawiedliwienie było odpowiednie, ale w końcu doszła do wniosku, że jest jej obojętne, co usłyszy szef, byle mogła już wrócić do białego domku.

— Myślisz, że mnie nie wywali?

— A myślisz, że jest wielu chętnych do roboty w tej puszce? — odpowiedziała pytaniem na pytanie Beata.

W sumie miała rację.

Marysia szybko zgarnęła okruchy z roboczego blatu, umyła pojemniki i założyła na uchwyt nową rolkę jednorazowych ręczników.

– To ja lecę – powiedziała.

– Okej. Do jutra.

Z ulgą zatrzasnęła za sobą drzwi przyczepy. Ruszyła szybkim krokiem w kierunku drogi.

– Dokąd tak pędzisz? – Usłyszała.

Od razu poznała głos. To ten ratownik, który przedwczoraj próbował nawiązać z nią znajomość. Postanowiła udawać, że go nie słyszy. Jednak chłopak nie zamierzał dać za wygraną.

– Cześć! – Dogonił ją i przywitał uśmiechem.

– Cześć – odpowiedziała, nie zwalniając kroku.

– Ktoś cię goni?

– Tak, ty – odburknęła niezbyt grzecznie.

– No to możesz zwolnić, bo już dogoniłem. Ucieczka się nie udała.

Musiała przyznać, że to inteligentny facet. W innej sytuacji pewnie by się zatrzymała, ale teraz naprawdę nie w głowie jej były słowne gierki.

– Hej, koleżanko, powiedziałem coś nie tak?

– Zawsze jesteś taki uparty?

– Zawsze.

Nie wiedziała, co odpowiedzieć.

– Będziemy tak biegli czy jednak przystaniesz na chwilę?

Naprawdę nie dawał za wygraną.

– Nie mam czasu. Spieszę się.

– To może cię odprowadzę?

– Dziękuję, ale nie – wydyszała, bo naprawdę narzuciła ostre tempo.

– Co ci zależy, przecież i tak idziemy.

Zatrzymała się gwałtownie.

– Czy naprawdę do ciebie nie dociera, że nie mam ochoty na towarzystwo? – rzuciła gniewnie, patrząc wyzywająco w brązowe oczy. – Chciałam ci to powiedzieć delikatnie, ale najwyraźniej nie ogarniasz, więc...

– Ale się fajnie złościsz – przerwał jej.

– Weź się odczep! – Naprawdę ją wkurzał.

– Dobra, ale powiedz, jak masz na imię.

Odwróciła się i bez słowa ruszyła dalej. Że też musiał się przyczepić – pomyślała. – Jakbym miała mało problemów.

– I tak się dowiem! – krzyknął za nią. – I znowu zapomniałaś zdjąć czapkę!

Czuła, że się czerwieni. Dobrze, że nie widzi mojej twarzy – pomyślała.

Ściągnęła pechowe nakrycie głowy i wcisnęła je za pasek spódnicy. Naprawdę miała wszystkiego dość!

Z ulgą powitała ściany białego domku. Wiedziała, że nie będzie tam nikogo. Ale sama świadomość, że znajdzie się wśród znajomych sprzętów, zrobi sobie herbatę w ulubionym kubku i położy się na materacu w swoim malutkim pokoju, koiła nerwy.

Mama pojechała do dworku, a potem do szpitala, w którym babcia Ewa czuwała przy łóżku babci Róży. Marysia martwiła się bardzo o chorą staruszkę i teraz, kiedy weszła do kuchni, widok pustego krzesła, na którym zawsze siedziała, sprawił, że oczy napełniły jej się łzami.

Nie próbowała ich powstrzymać. Już dwa dni to robiła, bo nie chciała rozkleić się przy mamie. Obie starały się wspierać wzajemnie w tej trudnej chwili, ale i tak każda z nich widziała w oczach drugiej strach. I chociaż żadna nie powiedziała głośno, czego się boi, to i tak wiedziały, jakie myśli krążą w ich głowach.

Dom bez babci Róży był cichy i pusty. Nawet Barnaba gdzieś zniknął. Marysia szybko wyszła z kuchni i zaszyła się w swoim pokoju. Leżała, wpatrując się w sufit.

Przyszło jej do głowy, że mogłaby zadzwonić do Kamila, ale odrzuciła tę myśl. Bo chociaż rozmawiali każdego dnia, to miała wrażenie, że mniej mówili o swoich uczuciach. Kamil dużo opowiadał o nowych znajomych, widać było, że jest podekscytowany wyjazdem. Może nie byłoby w tym nic złego, gdyby nie to, że czujność Marysi wzbudziło jedno imię, które często powtarzało się w jego opowieściach. Żeńskie imię.

Dlaczego problemy chodzą stadami? – myślała. – I na dodatek nawet nie mam z kim o tym pogadać. Babcia Róża na pewno poradziłaby mi coś mądrego...

Ale babci nie było. Marysia poczuła się jeszcze bardziej samotna i nieszczęśliwa. Nakryła głowę kocem i pogrążyła się w niewesołych rozmyślaniach.

❧

Letnie słońce toczyło walkę z rozłożystymi gałęziami sosen, próbując dostać się do każdego zakamarka i rozgrzać go gorącymi promieniami. Na szczęście drzewa dzielnie broniły mu dostępu i dzięki temu mieszkańcy dworku mogli cieszyć się odrobiną cienia.

Panna Zuzanna z wysiłkiem dopchnęła wózek Julii do żeliwnego stolika.

— Coraz cięższa się robisz, siostro — powiedziała z westchnieniem, siadając naprzeciwko.

— Nie oszukuj się, Zuzanno. — Panna Julia uśmiechnęła się dobrotliwie. — To nie ja staję się coraz cięższa, ale ty jesteś coraz słabsza.

— Co ty tam wiesz! — oburzyła się Zuzanna. — Siły mam jak koń pociągowy. Nie mogę narzekać. I dobrze, bo beze mnie to nie wiem, co by się tu działo.

— Nic wielkiego, kochana moja. Wszystko toczyłoby się dalej swoim rytmem.

— Nie wydaje mi się. Ci młodzi to naprawdę pojęcia o niczym nie mają. Gdyby nie ja, to...

— Zuzanno, obawiam się, że przesadzasz.

— Co ty powiesz? A kto pilnuje, żeby posiłki były o czasie? Kto sprawdza, czy dobrze posprzątane? Samo się to wszystko robi?

Julia patrzyła na siostrę z lekkim rozbawieniem.

— Oczywiście, wiem, że jesteś niezastąpiona.

— A żebyś wiedziała! Gdyby nie ja, wszyscy tu byście zginęli. Nie wiem, co będzie, jak mnie... — przerwała w pół zdania i zamilkła.

Panna Julia wyciągnęła rękę i pogłaskała siostrę po ramieniu.

— Wiem, o czym myślisz — powiedziała cicho.

— A co ty tam wiesz!

— Nie złość się, Zuzanno. Nie ma o co. Przecież obie wiemy, jaka jest prawda. Nasza droga powoli dobiega końca, a niteczki naszego życia są już coraz cieńsze...

— Nie pleć mi tu o jakichś niteczkach — zezłościła się Zuzanna. — Ja się nigdzie nie wybieram.

— Wiesz dobrze, że to nie od nas zależy — westchnęła Julia. — Często o tym myślę. I doszłam do wniosku, że tobie musi być dużo trudniej niż mnie.

— A tam! — prychnęła Zuzanna.

— Daj mi skończyć — poprosiła staruszka. — Ja przez większą część mojego życia szłam ze świadomością, że jestem słaba. Miałam czas, by oswoić się z myślą o śmierci. Powiem ci tak: były nawet chwile, gdy myślałam, że to byłoby najlepsze wyjście, i czekałam na nią z utęsknieniem...

— Czy ty musisz tak pleść bez sensu? — Czarna laska stuknęła w podłogę altany.

— Wiesz dobrze, że mówię prawdę. — Złość siostry nie robiła na Julii wrażenia. — Ale z tobą jest inaczej. Zawsze byłaś pełna energii. Przez wiele lat miałam okazję obserwować twoją siłę i podziwiałam cię, Zuzanno. Chcę, żebyś o tym wiedziała.

— No to wiem i skończmy już z tym. Przyniosę ci coś do picia.

— Poczekaj. — Julia ją zatrzymała. — Jeszcze nie skończyłam. — Sięgnęła pod pled, którym miała nakryte nogi, wyciągnęła haftowaną chusteczkę i otarła nią oczy. — Trudno się pogodzić ze starością. I z tym, że kiedyś trzeba będzie odejść. A jeszcze trudniej, kiedy ma się wokół siebie tylu ludzi, których się kocha. Mnie też się już przestało spieszyć na tamten świat. Ale są sprawy, na które nic nie poradzisz, choćbyś chciała.

— Taki upał, a tobie się chce jeszcze filozofować — mruknęła Zuzanna.

— To nie żadna filozofia, to życie. Sama zobacz, Róża w szpitalu. Myślę o tym cały czas i nie mogę tego zrozumieć. Jakie to dziwne, że ktoś, kto wydawał mi się niezmienną częścią świata, mógłby odejść, zniknąć na zawsze. A życie toczyłoby się dalej. — Pokiwała ze smutkiem głową. — Tak, Zuzanno, tak samo będzie z nami. Umrzemy, ale świat się nie skończy. I ci, których kochamy, będą musieli sobie poradzić.

— Już to widzę...

— Ale tak właśnie będzie. Poradzą sobie. Trzeba się z tym pogodzić. Ba, trzeba się cieszyć. Dzięki tej świadomości będziemy mogły odejść spokojnie. Przecież to dobra myśl — świadomość, że i bez nas będą szczęśliwi. Czy nie o to nam chodzi? O ich szczęście?

— Podaj mi chusteczkę — powiedziała Zuzanna. — Oczy mi łzawią od tego słońca. Takiego upalnego lata dawno nie było. Klomb trzeba podlać, bo wszystko wyschnie na wiór. Skaranie boskie z tymi młodymi. Jak nie przypomnisz, to nic nie jest zrobione.

Julia uśmiechnęła się. Wiedziała doskonale, że jej słowa dotarły do Zuzanny.

— Znam te twoje uśmieszki. — Staruszka zauważyła spojrzenie siostry. — Zawsze ci się wydawało, że jak jesteś starsza, to i mądrzejsza. Może i tak, może i masz rację, ale nigdy nie powiem, że mnie się to podoba.

– A czy ja twierdzę, że mnie się podoba?

– No to po co o tym mówić? Nikt o śmierci słuchać nie chce.

– Dlatego nikomu innemu o niej nie opowiadam.

– Tak? Czyli tylko mnie postanowiłaś tak uszczęśliwić?

– Chciałam ci po prostu powiedzieć, że nie musisz się tak męczyć. Widzę przecież, że robisz wszystko, żeby być potrzebną. Jakbyś chciała udowodnić, że bez ciebie młodzi nie potrafią żyć. Tylko kogo chcesz oszukać? Śmierć? Nie uda ci się.

– Nie raz ją oszukałyśmy...

– Nie, Zuzanno, to ona bawiła się z nami w kotka i myszkę. Bo wie, że na koniec i tak wygra. Cieszmy się więc, bo pozwoliła nam na tak wiele. I podziękujmy, ponieważ dane nam było dożyć tej chwili, cieszyć się, a dworek odzyskał dawny blask i znowu tętni życiem. My już zrobiłyśmy swoje, teraz pora patrzeć i podziwiać. Niech dalej budują ci, którzy mają więcej sił. Pomyśl, Róża też nie chciała odpocząć. I co? Dobrze, że akurat była przy niej Ewa, bo mogło się to skończyć dużo gorzej...

– Ale się nie skończyło. – Zuzanna stuknęła laską. – Idę po kompot.

Julia patrzyła za odchodzącą siostrą. Doskonale wiedziała, że wiadomość o chorobie Róży mocno nią wstrząsnęła, ale za nic nie chciała tego okazać. Zresztą ona, Julia, też nie pozostała na to obojętna. Bo chociaż obie wiedziały, że czas nieubłaganie płynie, to dopiero teraz dotarło do nich z całą mocą, że na miejscu Róży mogła znaleźć się każda z nich. Nie była to miła świadomość, ale musiały ją zaakceptować. I każda z nich robiła to na swój sposób.

§

— Chyba dobrze trafiłyśmy — stwierdziła Tamara, widząc numer umieszczony na ścianie domu z drewnianych belek.

— Na warsztat samochodowy to nie wygląda — zauważyła sceptycznie Lea. — I nie ma żadnej tablicy reklamowej.

— Ale adres się zgadza, więc to chyba tutaj...

Rzeczywiście, nic nie wskazywało na to, że trafiły na posesję mechanika. Starą, przedwojenną willę otaczał zadbany ogród, a na podwórku nie stał żaden samochód. Owszem, w głębi dostrzegły spory budynek z dwiema bramami garażowymi, ale nigdzie nie zauważyły części samochodowych, opon czy narzędzi, czyli tego wszystkiego, co było obowiązkowym elementem wystroju miejsca, gdzie naprawiano samochody.

— Poczekaj, zadzwonię do Łukasza i dopytam, czy czegoś nie pomyliłam. — Tamara sięgnęła po telefon.

— Już nie trzeba. — Lea ją powstrzymała. — Popatrz! — Wskazała palcem balkon na piętrze domu.

Rzeczywiście, nie było już żadnych wątpliwości, bo obie rozpoznały Grzegorza, który stał oparty o drewnianą balustradę.

— No to idę — powiedziała Lea. — Dzięki, że mnie przechowaliście i za wszystko w ogóle. — Poprawiła okulary i zerknęła na Tamarę. — Nie jestem dobra w pożegnaniach i innych takich, ale naprawdę cieszę się, że mogłam u was spędzić te trzy dni. Miła ta wasza Stacja Jagodno, serio.

— To ja dziękuję — odpowiedziała z uśmiechem Tamara. — Bardzo mi pomogłaś.

Mówiła prawdę. Była wdzięczna Lei, która przez trzy dni właściwie zastępowała ją we wszystkich obowiązkach. Nie tylko pomogła przy kolacji, kiedy Tamara z Łukaszem pojechali do szpitala, ale w kolejnych dniach pod okiem panny Zuzanny kroiła, podawała, zmywała i sprzątała. Co ciekawe, jakoś się dogadywały, a w każdym razie Lea się nie skarżyła. Dzięki temu Tamara mogła przebywać w szpitalu, dopóki stan babci Róży się nie ustabilizował.

— Nie ma sprawy. Po prostu odwdzięczyłam się za gościnę. Przy okazji mogłam się przekonać, że miałaś rację: życie na wsi nie jest takie sielskie, jak opisują w książkach.

— Zależy, w jakich książkach. — Tamara mrugnęła okiem.

— W każdym razie było miło was poznać.

Wysiadła z samochodu i pomachała na pożegnanie.

Tamara odsunęła szybę.

— Może jednak poczekać?

— Nie trzeba. Biorę auto i od razu ruszam w drogę. — Zerknęła w kierunku podwórka. — No, mam nadzieję, że nie sprzedał mojej alfy.

Tamara roześmiała się i włączyła kierunkowskaz. Lea popatrzyła, jak odjeżdża, a potem weszła na podwórko.

– Dzień dobry! – krzyknęła w kierunku balkonu, na którym już nikogo nie było.

– Proszę za mną. – Usłyszała zza pleców.

– Czy tutaj wszyscy mężczyźni wyskakują znienacka i straszą kobiety? – zapytała, odwracając się.

– Nic mi o tym nie wiadomo.

Rozmowny to on nie jest – pomyślała i poszła posłusznie za Grzegorzem. W drodze do garażu miała okazję podziwiać jego muskularne plecy, bo nie raczył ani na nią poczekać, ani powiedzieć czegokolwiek.

– Zaraz wyprowadzę samochód – poinformował i zniknął za bocznymi drzwiami budynku.

Po chwili brama garażowa uniosła się i z mroku pomieszczenia wyjechała jej ukochana czerwona alfa romeo. Kierowca zatrzymał auto tuż przy niej i wysiadł, nie wyłączając silnika.

– Brzmi bez zarzutu – stwierdziła Lea. – To moja ulubiona muzyka w podróży. Cieszę się, że mogę znowu ją usłyszeć.

Mechanik spojrzał na nią ze zdziwieniem, ale natychmiast przywołał na twarz poprzednią obojętność.

– Dziękuję za naprawę. Ile jestem panu winna?

Wyciągnął z kieszeni dżinsów kilka kartek i podał kobiecie.

– Dowód zakupu i gwarancja. Na paragonie jest cena.

– A robocizna?

Wzruszył ramionami.

– Pierwszy raz widzę mechanika, który pracuje charytatywnie. – Lea nie wiedziała, co o tym myśleć.

– Nie jestem mechanikiem.

– Jak to? Przecież Łukasz mówił, że pan się najlepiej na tym zna.

– Bo się znam.

– Wygląda na to, że tak. Ale zbyt miły to pan nie jest.

– A pani chciała naprawić samochód czy szukała towarzystwa do babskich plotek?

– No wie pan! Próbuję po prostu normalnie porozmawiać...

– To proszę próbować gdzie indziej.

– Z przyjemnością. Żegnam!

– Nie tak szybko. – Zatrzymał ją gestem. – Najpierw niech pani mi odda za pompę. Nie zamierzam dokładać do pani kaprysów.

– Kaprysów?

– Jak kobieta kupuje klasyka, to co to jest, jak nie kaprys? Takie samochody powinno się kochać, a nie brać dla lansu.

– Och, co za długa wypowiedź! – Zrobiła zdziwioną minę. Denerwował ją ten facet. Jakim prawem w ogóle ją oceniał? Sam zachowywał się jak ostatni gbur, a jej śmiał robić uwagi! Sięgnęła do torebki i wyjęła portfel, a z niego trzy banknoty. – Proszę. Reszty nie trzeba. Nie chcę, żeby pan musiał dokładać do moich kaprysów.

Odwróciła się na pięcie i otworzyła drzwiczki auta. Miała zamiar nie zaszczycić mężczyzny nawet jednym

73

spojrzeniem, ale kiedy już siedziała za kierownicą, kobieca natura wzięła górę.

— Może i nie znam się na mechanice, ale ten samochód kocham jak nikogo na świecie!

— W takim razie niech pani poczeka z naciskaniem gazu, aż otworzę bramę. — Uśmiechnął się ironicznie.

Co za złośliwy facet! — pomyślała i kiedy tylko drewniane skrzydła wystarczająco się rozchyliły, ruszyła z piskiem opon.

Zostawiła za sobą Jagodno i po kilku minutach była już na siódemce. Czuła słońce na twarzy i wiatr we włosach. To lubię — pomyślała.

Po jakimś czasie przypomniała sobie o prezencie, który miała w torebce.

— Masz tam babeczki. Piekła je pani Zofia, przyjaciółka babci Róży — powiedziała przed wyjazdem Tamara, wręczając jej paczuszkę. — To jej specjalność. Kiedy się dowiedziała, że nam pomogłaś, przygotowała je dla ciebie. Na drogę.

Teraz Lea sięgnęła do torebki i wymacała pakunek. Wyciągnęła ciasteczko i ugryzła spory kęs. Ze zdumieniem stwierdziła, że zna ten smak.

— Takie same... — powiedziała na głos i z niedowierzaniem pokręciła głową.

— Mamo, może jednak ja cię podwiozę? — Kasia stała w drzwiach kuchni i patrzyła, jak Zofia wkłada buty.

– Przecież mówiłam ci, że Tamara i tak jedzie, więc mnie zabierze. Po co dwa samochody mają benzynę palić. Zresztą ty już zorganizowałaś sobie dzień i nie widzę powodu, żebyś z planów rezygnowała.

– Z niczego nie muszę rezygnować. Co najwyżej przesunę o dwie godziny.

– Nie ma potrzeby. I tak mam wyrzuty sumienia, że będziesz musiała Nikolkę brać. Pojechalibyście sobie razem z Tomkiem odpocząć, należy wam się po całym tygodniu pracy. – Zofia wyprostowała się z westchnieniem. – Starość nie radość. – Uśmiechnęła się.

– Mamo, przecież my jedziemy właśnie po to, żeby Nikolka się pobawiła. A ty mi tu coś sugerujesz!

– Nic nie sugeruję, córciu, tylko sobie głośno myślę.

– To niech mama nie myśli, ja bardzo proszę.

– Mogę nie myśleć, ale co to zmieni.

Bardzo się ucieszyła, kiedy Kasia powiedziała, że wybierają się w niedzielę z Tomkiem na wycieczkę. Niedaleko, to prawda, ale za to na pół dnia. Podobno on to Kasi zaproponował. I bardzo dobrze – pomyślała Zofia. – Bo gołym okiem widać, że sympatyzują ze sobą. Jakby jej nie lubił, toby nie chciał, żeby mu firmę prowadziła.

– Mamo, niech mama zrozumie, że my jedziemy, żeby dziecku to oceanarium pokazać. Wstyd, że atrakcje mamy pod nosem, a nigdy tam nie była. Poza tym chłopcy mają wakacje, więc małej też się coś należy.

– Przecież już nic nie mówię. – Zofia podniosła dłonie. – Pokażcie dziecku te ryby czy co tam jest, ale sobie jakąś przyjemność zafundujcie. Trzeba korzystać z życia, póki młodość jest, bo potem... — Machnęła ręką. — To ja idę. Na drogę wyjdę i poczekam, pewnie Tamarka zaraz będzie. Podaj mi tę siatkę, dziecko. — Wskazała na reklamówkę leżącą na kuchennym stole. — Rosołu Róży nagotowałam i kompot wzięłam.

Kiedy za matką zamknęły się drzwi, Kasia podniosła głowę i krzyknęła:

— Nikola! Zbieraj się! Pora jechać!

Natychmiast usłyszała tupot małych nóżek. Dziewczynka była bardzo podekscytowana czekającą ją wycieczką, a zwłaszcza rekinami, które najbardziej chciała zobaczyć.

Tomek zaproponował wyjazd do Polaniki kilka dni temu.

— Byłaś tam już? — zapytał.

A kiedy powiedziała, że nie, od razu zdecydował:

— To podjedziesz z Nikolą pod zakład, a stamtąd już moim. Tylko musimy być jak najwcześniej, bo potem może brakować wolnych miejsc do parkowania. Obejrzymy oceanarium, potem minizoo i park miniatur. A po tym wszystkim zapraszam na obiad. I lody dla Nikoli.

— Coś mi się wydaje, że ty to wszystko wcześniej zaplanowałeś. — Pogroziła mu palcem. — Bo skąd tak dobrze wiesz, co tam jest?

— Plakat widziałem. — Tomek zrobił minę niewiniątka.

— Tak, i na nim pisało, że miejsc na parkingu brakuje. I że są dobre lody. Oj, kłamać to ty nie umiesz. — Kasia roześmiała się.

Trochę się obawiała, czy Nikola zaakceptuje obecność Tomka, ale okazało się, że niepotrzebnie się martwiła.

— Wujku, a rekin może zjeść człowieka? — pytała, stojąc przed ogromnym akwarium, w którym pływały te groźne ryby

— Może. Ale te nic ci nie zrobią — zapewniał Tomek.

— Bo się ciebie boją?

— Oczywiście.

Kasia patrzyła na swoją córeczkę, która z ufnością przyjmowała wszystkie odpowiedzi mężczyzny. Z jednej strony cieszyła się, że tak szybko znaleźli wspólny język, ale z drugiej czuła w sercu ukłucie smutku. Bo czy zamiast obcego w końcu człowieka nie powinien tu stać ojciec dziewczynki? Było jej przykro, że Jarka w ogóle nie obchodzi los córki. Nawet kiedy dzwonił, pytał tylko o chłopców. Nikola na razie tego nie rozumiała, ale kiedyś pewnie zapyta. I co jej powiem? — zastanawiała się Kasia.

Kiedy już mieli za sobą oglądanie niezwykłego podwodnego świata i znanych budowli w miniaturze, przyszedł czas na jedzenie.

— Wujku, a mogę zjeść tylko frytki?

— To zależy od mamy. — Tomek spojrzał pytająco.

— Wujek nas zaprosił, więc dzisiaj on może zdecydować.

— W takim razie dla Nikoli podwójne frytki — powiedział Tomek do kelnerki, a mała aż pisnęła z radości.

Po obiedzie dziewczynka pobiegła na plac, gdzie przebrany za klauna animator puszczał ogromne bańki mydlane. Kasia z Tomkiem siedzieli przy stoliku pod parasolem i pili poobiednią kawę.

— Dziękuję za tę wycieczkę — powiedziała, patrząc na podskakującą z radości córeczkę. — Nikola jest zachwycona.

— A ty trochę mniej? — Popatrzył na nią uważnie. — Nie zaprzeczaj, widzę przecież, że jesteś smutna.

— Jest bardzo miło. Ale widzisz, kiedy pomyślę, że Jarek nigdy nie wpadł na pomysł takiego wspólnego wyjazdu...

— Rozumiem. — Pokiwał głową. — Tylko tak to się już czasami w życiu układa. Ja na przykład nie mogę swoich synów zabrać na wycieczkę. Robi to ktoś inny. I chociaż wolałbym, żeby było inaczej, to w takich chwilach staram się myśleć, że najważniejsze, żeby byli szczęśliwi.

— A to się da tak całkiem o tym nie myśleć?

— Całkiem się nie da. Serca w kamień nie zamienisz. Ale popatrz na nią. — Wskazał na Nikolę. — Wygląda na zadowoloną.

Kasia pokiwała głową. Dobrze było wiedzieć, że Tomek ją rozumie.

❦

— Różo, kochana, jak dobrze cię widzieć! — Zofia stanęła przy szpitalnym łóżku. — Aleś mi strachu napędziła! Wstydź się!

Starsza pani uśmiechnęła się na widok przyjaciółki i próbowała usiąść, ale nie dała rady i opadła z powrotem na poduszkę.

– Widzisz, Zofio, co to się porobiło. Całkiem siły straciłam.

– Poczekaj, pomogę – zaofiarowała się Zofia. Podłożyła rękę pod głowę Róży, a drugą zwinęła poduszkę i umieściła ją pod plecami staruszki. – O, widzisz, teraz masz podparcie i możesz sobie posiedzieć. – Sama przysiadła na szpitalnym taborecie i sięgnęła do stojącej przy szafce reklamówki. – Przyniosłam coś domowego. Rosół na wzmocnienie. Z makaronem własnej roboty.

– Niepotrzebnie, Zofio. Wszystko mam, Ewa z Tamarą o mnie dbają. A ty jeszcze ten makaron...

– Żadna sprawa, kilka chwil i gotowe. Zresztą ja swojej winy makaronem nie odkupię. – Machnęła ręką.

– Jakiej winy? O czym ty mówisz?

– Różo, ja trzy noce ze zgryzoty nie spałam. Martwiłam się o ciebie. I wyrzuty sumienia mnie gniotły. Jak mi pani Ewa powiedziała, że to od przepracowania, wiesz, że przy tych sokach się za bardzo sforsowałaś...

– Zofio, żadna w tym twoja wina. – Róża pokręciła głową. – Sama chciałam.

– Ale że ja ci pozwoliłam, to niedobrze.

– A co ty miałaś do pozwalania? Chciałam, to zrobiłam. Zresztą tak po prawdzie, przecież pomogłaś. Więc może życie ci zawdzięczam, bo jakbym tak wszystko sama przetworzyła, to mogłabyś mnie dziś na cmentarzu odwiedzać.

– Wypluj te słowa! – Zofia się zatrwożyła. – Co ci też do głowy przychodzi!

— No to nie rozmawiajmy o tym więcej. Lepiej mi powiedz, jak ty tu przyjechałaś. Kasia cię podwiozła?

— A nie, Tamara z Łukaszem. Zaraz będą, tylko poszli jeszcze pomarańcze kupić. Mówili, że lubisz.

— Gdzie tam, nie przepadam. — Róża machnęła ręką. — Tak mówię, żeby Tamarze przykrości nie robić. A jak idzie, to oddaję sąsiadce zza parawanu. — Wskazała na sąsiednie łóżko.

Zofia zachichotała cicho.

— A co wam tak wesoło? — Tamara właśnie weszła do sali. — Mam nadzieję, że nie planujecie robienia kolejnych przetworów?

— Coś w tym rodzaju. — Róża uśmiechnęła się. — Tylko tym razem ty będziesz robić, a my nadzorować.

— Byłby to całkiem dobry pomysł — odezwał się Łukasz zza pleców Tamary — gdyby nie to, że ona ostatnio do pracy się nie bardzo nadaje. I my właśnie w tej sprawie...

— To ja pójdę do łazienki. — Zofia podniosła się z taboretu. Czuła, że młodzi chcieliby zostać sami z babcią Różą. — Umyję kubek, żeby do kompotu czysty był.

I tak szybko, na ile pozwalały jej obolałe nogi, wyszła na korytarz.

— Tak mi się właśnie wydawało, że coś się musiało stać. Bo jakoś cię tu do tej pory nie widziałam. — Babcia Róża spojrzała na Łukasza z lekkim rozbawieniem.

— Jakoś mnie do szpitalnych murów nie ciągnie. — Uciekł spojrzeniem.

— Minę masz jak uczeń na dywaniku u dyrektora. No, mów, coś tam znowu nabroił?

— Właściwie to nie bardzo wiem, jak to powiedzieć...

— Jak zawsze. Wprost i konkretnie. I najlepiej od razu, bo zaczynam się denerwować. Coś w domu?

— Nie, nie, w domu wszystko w porządku — pospieszyła z zapewnieniem Tamara.

— A gdzie nie?

— Co: nie? — nie zrozumiała Tamara.

— Gdzie nie w porządku?

— Wszędzie w porządku.

— Czy tylko ja mam wrażenie, że ta rozmowa zaczyna być dziwna? — Babcia Róża spojrzała pytająco na młodych.

Ci wymienili spojrzenia.

— Ja mówię czy ty? — zapytał Łukasz.

— Umawialiśmy się, że ty.

— Moi kochani, czy ja się wreszcie dowiem, o co chodzi? Bo już czuję, że mi się ciśnienie podnosi. — Staruszka patrzyła na nich wyczekująco.

— Dobra, ktoś tu musi być mężczyzną — zdecydował Łukasz. — Najprościej rzecz ujmując: Tamara jest w ciąży. Ze mną.

— Co za wiadomość! — Babcia Róża klasnęła w ręce. — Dzieci kochane, jak ja się cieszę! Taka niespodzianka! Takie szczęście!

— Tylko niech się babcia za bardzo nie wzrusza, bo lekarz mówił, że to niewskazane. Jeszcze babci zaszkodzi — zatroskała się Tamara.

— Jak się mam nie wzruszać? Mało mi serce z piersi nie wyskoczy. Mama wie? — zwróciła się do kobiety.

– Jeszcze nie. Chcieliśmy, żeby babcia pierwsza się dowiedziała.

– Nic lepszego mnie spotkać nie mogło, dzieci moje! Muszę szybko wracać do domu, bo przecież trzeba wszystko na przyjście dzidziusia przygotowywać.

– Najpierw musi babcia sił nabrać – powiedziała Tamara.

– No to idźcie do sklepiku na dół i kupcie mi coś zdrowego. Może owoce jakieś?

– Przynieśliśmy pomarańcze...

– To może pomidorka mi jeszcze dokupcie. Będę miała na kolację.

– Dobrze – zgodziła się nieco zdezorientowana Tamara. – Chodź. – Pociągnęła za rękaw Łukasza, który patrzył na babcię tak, jakby wiedział, co staruszka myśli.

W drzwiach minęli się z wracającą Zofią.

– Słyszałaś? – zapytała Róża, gdy przyjaciółka zbliżyła się do łóżka.

– Co?

– Tamara w ciąży.

– A to ci niespodziankę sprawili! – zawołała ucieszona Zofia.

– Jaką tam niespodziankę – mruknęła Róża. – Od dawna się domyślałam. Jak się mieszka pod jednym dachem, to trudno ukryć poranne nudności. Chyba nawet wcześniej na to wpadłam niż Tamara.

– Ale udawałaś zaskoczoną, żeby...

– ...im przykrości nie robić – dokończyły równocześnie i tym razem obie zachichotały.

Małgorzata zbierała talerze ze stołu na tarasie. Zawsze kiedy pozwalała na to pogoda, jedli na zewnątrz.

W tym roku lato postanowiło nam pokazać, że jeszcze potrafi być gorące — pomyślała. — Nie trzeba szukać słońca na dalekim południu, swojego mamy pod dostatkiem.

Włożyła naczynia do zmywarki i wróciła do ogrodu. Miała zamiar pójść z Amelką na spacer, ale dziecka nie było. W pierwszej chwili poczuła ukłucie niepokoju. Chyba nie wyszła poza ogrodzenie — pomyślała. — Miała na mnie czekać.

Już zaczęła wyrzucać sobie w myślach brak odpowiedzialności, kiedy usłyszała zza krzewów dziecięcy śmiech. Ruszyła szybkim krokiem w tamtym kierunku.

— Amelko — zaczęła, starając się, żeby w jej głosie nie słychać było zdenerwowania. — Mówiłam ci, że nie wolno się oddalać, bo...

Umilkła w połowie zdania, bo to, co zobaczyła, zupełnie ją zaskoczyło.

Na środku wypielęgnowanego trawnika, który był dumą wójta, stała Amelka i zaśmiewała się w głos. Obok niej klęczał Kacper i pompował sporej wielkości basen. Nadymał śmiesznie policzki i udawał, że bardzo się trudzi. Tymczasem pompka leżała porzucona na brzegu rabaty.

— Już? — pytał mężczyzna.

– Jeszcze, jeszcze! – pokrzykiwała dziewczynka.

Małgorzata wycofała się cichutko i zza przystrzyżonej tui obserwowała zabawę.

– Nie mam siły! – Kacper udawał wyczerpanego.

– Jeszcze! Trzeba dmuchać! – komenderowała Amelka.

– A może nie będziemy się kąpać?

– Będziemy! Obiecałeś!

– W takim razie ty musisz dmuchać.

– Nie! Dziewczyny nie dmuchają. – Mała pokręciła głową.

– To co robią dziewczyny?

– Dziewczyny się kąpią – stwierdziło stanowczo dziecko.

– O! A to historia! – wykrzyknął z rozbawieniem mężczyzna. – Nie wiem, czy to sprawiedliwe. Ja muszę się męczyć, a ty będziesz miała przyjemność.

Amelka zastanawiała się przez chwilę.

– Weź to. – Pokazała pompkę. – To się mniej zmęczysz, wujku.

Małgorzata nie wytrzymała.

– Chyba pokonała cię kobieca mądrość – powiedziała ze śmiechem, wychodząc zza tui.

– Na to wygląda. – Kacper podniósł się z kolan. – Ale mężczyzna jest gotów nawet zrobić z siebie głupka, byle kobieta była szczęśliwa. I jaka za to wdzięczność? Wszystkie jesteście takie same!

– Miałam się kąpać – przypomniała dziewczynka, ciągnąc Kacpra za nogawkę spodenek.

– Jeśli chcesz się kąpać, to trzeba zdjąć sukienkę – powiedziała Małgorzata. – I musimy posmarować się kremem, żeby cię słońce nie poparzyło.

– W takim razie ja w tym czasie nadmucham to mniej męczącą metodą – powiedział Kacper.

Kobieta zaprowadziła Amelkę na taras i rozebrała.

– Ale dziewczyny mają takie coś – powiedziała mała.

– Jakie coś?

– No stanik. – Popatrzyła na Małgorzatę z politowaniem. – Nie wiesz? Przecież jesteś dziewczyną. Mama taki ma, Tereska też. Wszystkie dziewczyny. Ja też chcę.

Ojej, tego nie przewidziałam – zdziwiła się w myślach kobieta. – No, ale przynajmniej nie zapytała, skąd się biorą dzieci.

– Poczekaj, zaraz będziesz miała ten swój... stanik. – Uśmiechnęła się do małej.

Przyniosła z garderoby apaszkę w kolorowe motyle i zawiązała dziewczynce powyżej brzucha.

– Zapraszam na kąpiel. – Usłyszały głos Kacpra.

Mała pobiegła z piskiem, a Małgorzata za nią.

– Kacper, ostrożnie! – krzyknęła. – Mam nadzieję, że nie nalałeś wody prosto z węża. Nie może być lodowata!

– Spokojnie. – Mąż podszedł do niej z uśmiechem. – Nie jestem idiotą, przyniosłem z garażu w wiaderkach, w miarę ciepłą.

Odetchnęła z ulgą. Teraz mogła ze spokojem patrzeć, jak mała pluska się, piszcząc z radości.

– Skąd wziąłeś ten basenik?

– Byłem w Kielcach i widziałem taki na reklamie przy drodze. To wracając, wstąpiłem do OBI i wziąłem. – Wzruszył ramionami.

– Chłopaki też się mogą kąpać! – krzyknęła Amelka.

– Naprawdę? – odkrzyknął Kacper. – W takim razie skorzystam. – Podszedł do baseniku. – Tylko może nie wiesz, ale chłopaki kąpią się inaczej niż dziewczyny.

– A jak?

– Zaraz ci pokażę. – Mężczyzna kucnął, nabrał wody w dłoń i ochlapał dziewczynkę. – A tak!

– Ja też tak umiem!

– Na pewno nie!

– Na pewno tak!

Małgorzata patrzyła na zabawę i uśmiechała się. Widok dorosłego mężczyzny i małej dziewczynki bawiących się wspólnie był naprawdę rozczulający.

Nie spodziewałam się, że Kacper tak się zaangażuje – pomyślała. – Odnosiłam wrażenie, że zgodził się na pobyt Amelki dla świętego spokoju i żebym nie miała do niego pretensji. A tymczasem pomyślał o kupnie fotelika, a teraz ten basen...

Zostawiła ich samych i wróciła na taras. Nalała sobie soku i położyła się na leżaku. Zamknęła oczy i wsłuchiwała się w głosy dobiegające z ogródka. O czymś takim zawsze marzyła. Z jedną małą różnicą – chciałaby, aby dziewczynka w baseniku była ich dzieckiem.

– Cześć! – Uśmiechnięta twarz chłopaka pojawiła się na wyświetlaczu, kiedy tylko dotknęła palcem kółeczka z zieloną słuchawką.

– Cześć! – odpowiedziała i wygodniej oparła się o ścianę.

– Co u ciebie?

– Jakoś leci.

– Coś się stało? – Kamil przybliżył się do ekranu, jakby chciał zajrzeć głębiej i zobaczyć, co robi Marysia.

– Nic, po prostu jestem zmęczona.

– Pracowałaś dzisiaj, tak?

– Codziennie pracuję – przypomniała mu. – Przecież ci mówiłam. Dzisiaj miałam poranną zmianę, więc wcześniej skończyłam.

– Może zrezygnuj, jeżeli nie dajesz rady.

– Daję! – zaprotestowała. – Poza tym chcę zarobić. Fajnie jest mieć własne pieniądze.

– Ale nie musisz...

– A ty musisz? – Nie wytrzymała. – Przecież też nikt cię nie zmuszał, żebyś pojechał do tej Norwegii.

– Pewnie, że nie. Ale mnie się tu bardzo podoba. I lubię to, co robię. Dużo się już nauczyłem, nie mówiąc o tym, że mój angielski wiele zyskał. No i ludzie cudowni!

– Tak, wiem. – Westchnęła.

– Nie masz pojęcia, jakie numery tu robimy wieczorami! Miejscowi są w porządku, ale nasza polska ekipa bije wszystkich na głowę. Aga wczoraj zorganizowała nam nocny maraton filmowy. I wymyśliła, żeby zaprosić

Norwegów. A wszystkie filmy po polsku! Mówię ci, istny szał! Ona ma takie pomysły, że nikt jej nie przebije!

Marysia zacisnęła palce na telefonie. Znowu to samo. Kolejna opowieść o wspaniałej Adze, która jest we wszystkim najlepsza. I jeszcze szalona, wspaniała, niezrównana. Tyle pamiętała, ale padło dużo więcej podobnych określeń.

– Nie tęsknisz za domem? – zapytała, chcąc jakoś zmienić temat.

– Rzadko mam czas na odpoczynek, a co dopiero mówić o tęsknocie – odparł Kamil. Jednak na widok miny Marysi natychmiast dodał: – Oczywiście już nie mogę się doczekać, kiedy cię zobaczę. Tak na żywo, nie przez kamerę. Hej, uśmiechnij się do mnie!

Wykrzywiła twarz w sztucznym grymasie, który chłopak wziął za dobrą monetę.

– No, już lepiej. Pomyśl, jeszcze dziesięć dni i będę w Polsce. A potem jak najszybciej wyjeżdżamy. Nad morze! Słyszysz?! Nie cieszysz się?

– Cieszę, ale...

– No i bardzo dobrze! – Nie dał jej dojść do głosu. – Wiesz, coś ci powiem. To miała być niespodzianka, ale taka dzisiaj jesteś nie w humorze, że zdradzę ci ten sekret. Zaraz ci się nastrój poprawi. Chcesz?

– Chcę. – Spojrzała w kamerkę z nadzieją.

– Zaprosiłem na nasz wyjazd całą ekipę. Nie wszyscy mogą, ale kilka osób podchwyciło ten pomysł. Myślę, że w sumie zbierze się co najmniej siedmioro. Silna grupa, zaprawiona w bojach. Morze będzie nasze!

Nie mogła uwierzyć w to, co usłyszała.

– Aga też pojedzie? – zapytała z westchnieniem.

– No właśnie tak! I to jest najlepsze. Już sobie wyobrażam, jak będziemy się świetnie bawić. Poznasz wszystkich, już im o tobie mówiłem i nie mają nic przeciwko. Aga nie może się doczekać, żeby cię poznać.

Czy on słyszy, co mówi? – zastanawiała się Marysia, patrząc na radosną twarz swojego chłopaka. – Zaprasza swoich znajomych na NASZE wakacje i dodaje, że oni nie mają nic przeciwko mojej obecności?

– Marysia! Halo, tu Ziemia! Jesteś tam?

– Jestem.

– Zaskoczyłem cię, co?

– Nawet bardzo.

– Wiedziałem, że tak będzie. Ale zobaczysz, że takich ludzi nigdy wcześniej nie spotkałaś. Namierzyliśmy już nawet w necie kilka fajnych miejsc, do których warto pójść.

Szkoda, że mnie nie zapytałeś o zdanie – pomyślała ze smutkiem dziewczyna. Tymczasem Kamil gadał jak najęty:

– Może nawet uda się zrobić mały trip wzdłuż wybrzeża. W końcu trochę tu zarobię, więc będziemy mieli za co poszaleć. Nastaw się więc na dużo zmian i jeszcze więcej szaleństwa. Taki spontan, wiesz? Aga robiła coś podobnego w górach i mówi, że było wyrąbiście. Będziemy mieli co wspominać.

– Chyba wy – udało jej się wreszcie coś powiedzieć.

– Jak to: wy?

– Bo ja nie wiem, czy pojadę.

– Co ty mówisz?

– To, co słyszysz. Przecież wiesz, że babcia Róża jest chora. Kiedy wróci ze szpitala, trzeba będzie jej pomagać.

– Rozumiem. – Kamil pokiwał głową. – Ale akurat ty będziesz to robiła?

– A kto?

– Jest przecież twoja mama, babcia Ewa, na pewno też inni pomogą...

– Ale to moja babcia. Chciałabym jej pomóc.

– Jasne, przecież nic nie mówię. Tylko szkoda, gdybyś nie pojechała. Planowaliśmy to przecież od roku...

Ale trochę inaczej – pomyślała z rozdrażnieniem.

– Nie wszystko da się zaplanować – powiedziała. – Czasem plany się zmieniają i nie masz na to wpływu.

– Niby tak. – Kamil wzruszył ramionami. – Ale pomyśl, może jakoś się uda. Szkoda, gdybyś nie poznała naszej ekipy. Bez ciebie ten wyjazd nie będzie taki, jak myślałem... Postaraj się pojechać, co? Pomyślisz, jak to zorganizować?

– Pomyślę – obiecała, ale bez przekonania.

– To super! Fajnie cię było zobaczyć, ale teraz muszę lecieć. Zadzwonię jutro, okej?

– Jasne.

– To buziaki! Kocham cię, pamiętaj!

Pomachał do kamerki i rozłączył się.

Marysia odłożyła telefon. Nie wiedziała, co ma o tym wszystkim myśleć. Z jednej strony powiedział, że ją kocha. I że wyjazd bez niej nie będzie taki sam. Więc chyba nadal mu zależy. Ale z drugiej strony wyobrażała sobie, że jeśli ona nie pojedzie, on też zrezygnuje. I będzie wolał odwiedzać ją w Borowej. Tak przecież powinno być, skoro za nią tęsknił. Już tak długo się nie widzieli... A na dodatek ci znajomi. I wspaniała Aga. Wcale się to Marysi nie podobało.

— A jak ty myślisz? — zwróciła się do Barnaby, który leżał wyciągnięty przy jej nogach.

Niestety, kot nie zamierzał zajmować się rozterkami Marysi.

❦

Od tygodnia Ewa każdego dnia spędzała wiele godzin w szpitalu. Przez pierwsze trzy doby, dopóki nie uznała, że stan Róży jest stabilny, nie odstępowała od jej łóżka prawie w ogóle.

— Jedź, Ewuniu, do domu. Odpocznij — prosiła staruszka.

— Przyjadę po ciebie. Powinnaś się chociaż wyspać — namawiał przez telefon Adam.

Jednak Ewa konsekwentnie odmawiała.

— Jestem przyzwyczajona. Pół życia spędziłam w szpitalnych murach — odpowiadała. — Chcę mieć na wszystko oko.

Obserwowała Różę nieustannie, rejestrowała każdy nierówny oddech czy drgnięcie ręki. Wreszcie babcia nie wytrzymała.

— Masz jechać do domu i koniec — powiedziała na tyle stanowczo, na ile pozwalał jej stan. — Kiedy patrzę, jak tu koczujesz na tym twardym taborecie, to mam wyrzuty sumienia i od razu gorzej się czuję. Jeśli naprawdę ci zależy, żebym wyzdrowiała, to przestań stać nade mną i daj mi spokojnie odpocząć. Przecież ja się boję głośniej westchnąć, bo od razu skaczesz na równe nogi.

No i Ewa posłuchała. Jednak każdego dnia spędzała u Róży kilka godzin. Pomagała jej się umyć, przynosiła jedzenie, kontrolowała kartę wiszącą w nogach łóżka.

— Nie masz innych zajęć? — pytała babcia.

— Mam, ale teraz potrafię odpowiednio ustawić priorytety — odpowiadała. — Zbyt długo tego nie umiałam.

— To nie znaczy, że teraz masz się przy mnie zamęczać. Wydaje mi się, że ludzie, którzy tu pracują, też skończyli medycynę.

— Mam nadzieję — skwitowała Ewa. — Ale zamierzam patrzeć im na ręce.

— Od dziecka byłaś uparta i nic się nie zmieniło. — Roża pokręciła głową.

— W takim razie nie powinnaś się dziwić.

Mimo że sprawa budowy musiała zejść na dalszy plan, to Ewa ani myślała zrezygnować z patrzenia na ręce także budowlańcom. Dlatego też co drugi dzień Tamara zabierała ją prosto ze szpitala i zawoziła do Borowej.

Te wspólne jazdy, choć trwały tylko niespełna pół godziny, stały się dla matki i córki okazją do częstszych rozmów. I chociaż nie poruszały żadnych poważniejszych tematów, to jednak nawet wymiana informacji o bieżących sprawach dawała obu poczucie większej bliskości.

— Jak myślisz — zapytała Tamara, sięgając po leżącą między siedzeniami butelkę z wodą mineralną — kiedy wypiszą babcię do domu?

— Jeszcze nie wiem. Ale będę optować za tym, żeby zlecili kilka dodatkowych badań — odpowiedziała Ewa.

— Podejrzewasz, że coś nie jest w porządku?

— Lekarze nie podejrzewają, od tego jest policja — skwitowała doktor Ewa. — Ja po prostu chcę zobaczyć wyniki badań. Wiesz dobrze, że babcia od lat nie była u lekarza. Nie mam nic przeciwko ziołowym naparom, ale one nie zastąpią porządnej diagnostyki. Róża właśnie miała okazję się o tym przekonać. Niestety. I chciałabym zrobić wszystko, żeby nie było kolejnych podobnych sytuacji.

— Czyli taki przegląd?

— Niech ci będzie — odparła z westchnieniem Ewa. — Ale to określenie też nie bardzo mi odpowiada.

— Mamo, rozluźnij się trochę — poprosiła Tamara. — Kiedy mowa o medycynie, zaraz stajesz się taka zasadnicza. Powiedziałabym nawet, że zbyt zasadnicza.

— Może masz rację — przyznała niechętnie kobieta. — Ale naprawdę zamierzam zadbać wreszcie o zdrowie Róży.

— A ona o tym wie?

— Nie do końca — mruknęła Ewa. — No, ale znasz ją i wiesz, że gdyby wiedziała, że nie wszystkie te badania są niezbędne, to natychmiast wypisałaby się na własne żądanie.

— Pewnie tak. — Tamara roześmiała się. — Kiedy tylko u niej jestem, ciągle wypytuje o dom, ogród i Barnabę.

— I właśnie o tym chciałam z tobą porozmawiać. Co prawda planowałam w nieco innej scenerii i na spokojnie, ale skoro już się tak zgadało, to może być i teraz. — Splotła palce niczym wykładowca podczas prelekcji. — Po powrocie do domu Róża będzie wymagała opieki. Jej serce naprawdę nie jest w dobrym stanie, a mówiąc wprost, to raczej w kiepskim. W takiej sytuacji wysiłek należy mocno kontrolować, a na początku ograniczyć do minimum. Obawiam się jednak, że Róża nie zechce stosować się do lekarskich zaleceń, więc potrzebny będzie ktoś, kto tego dopilnuje. — Spojrzała na córkę. — Rozumiesz, co mam na myśli?

Tamara pokiwała głową i ponownie sięgnęła po butelkę z wodą.

— Bardzo się cieszę, że wiesz, o czym mówię. Do tego trzeba będzie też przypilnować, żeby brała wszystkie lekarstwa, pomagać jej w codziennych czynnościach i robić wszystko, co ona robiła do tej pory. Oczywiście w sprytny sposób. Niech nadzoruje, radzi, wydaje polecenia, ale sama musi się oszczędzać.

— Rozumiem.

— Nie ukrywam, że liczę na ciebie. — Ewa podniosła w górę palec. — Mieszkacie razem, więc jesteś najbliżej, a poza tym... — Spojrzała na córkę, która znowu podniosła butelkę do ust. – Czy ty musisz pić, kiedy prowadzisz? Przecież to niebezpieczne!

– Właśnie muszę – odpowiedziała Tamara.

– A to z jakiego powodu?

– Z tego samego, dla którego nie jestem najlepszą osobą do zapewnienia pomocy babci Róży. Bo chociaż bardzo ją kocham, to niedługo będę musiała całą uwagę poświęcić komuś innemu.

– A komu, jeśli mogę wiedzieć?

– Oczywiście, że możesz. A nawet powinnaś. Twojemu nowemu wnukowi. Albo wnuczce, bo jeszcze nie znam płci dziecka.

Ewa zamilkła. Siedziała dłuższą chwilę wyprostowana i wpatrzona w przednią szybę samochodu. Wreszcie przemówiła:

– Czy możesz się zatrzymać?

Głos miała jakiś dziwny i Tamara trochę się wystraszyła. Skręciła więc w pierwszy napotkany wjazd do lasu i zatrzymała samochód przed zielonym szlabanem.

– Źle się czujesz, mamo? – zapytała, spoglądając z niepokojem na Ewę.

– Źle? Jak mogłabym czuć się źle, słysząc coś tak wspaniałego! Po prostu chciałam cię uściskać, ale pomyślałam, że w czasie jazdy to bardziej niebezpieczne niż picie wody.

– Jesteś niemożliwa! – Tamara parsknęła śmiechem. W tej samej chwili poczuła ramiona matki obejmujące ją i ściskające z całych sił. – Udusisz mnie! – wyjąkała zaskoczona tą nieoczekiwaną czułością.

– Nie martw się, w razie czego masz pod ręką specjalistkę od reanimacji – wychlipała Ewa.

– Mamo, ty płaczesz?

– A co ty myślałaś? Że jestem z kamienia? Tak, płaczę. Ze szczęścia płaczę. – Sięgnęła do torebki i wyciągnęła z niej chusteczki. Otarła oczy i nos. – Przyjmuję, że to Łukasz jest ojcem?

– Mamo!

– Pytam dla porządku. – Ewa uśmiechnęła się. – Wiesz, że jestem rzeczowa i lubię znać fakty.

Najwyraźniej zaczęła wracać do równowagi – pomyślała Tamara, widząc, że matka poprawia włosy i wygładza żakiet.

– Adam już wie?

– Przypuszczam, że właśnie się dowiaduje. Łukasz miał się z nim spotkać.

– I bardzo dobrze. A swoją drogą, czy to nie dziwne, że będziemy mieli wspólnego wnuka, chociaż nie mamy wspólnych dzieci?

– Z większością dziadków tak jest – zauważyła Tamara. – Rodzice ojca i rodzice matki zwykle nie mają wspólnych dzieci.

– Ale ci dziadkowie zwykle nie są parą, nieprawdaż? – Ewa poprawiła się na siedzeniu. – A teraz napij się wody i ruszaj. Bo do wieczora nie dojedziemy, a mnie mieli dzisiaj glazurę w kuchni skończyć i muszę dopilnować, żeby nie było niedoróbek.

Tamara pokręciła z niedowierzaniem głową i przekręciła kluczyk w stacyjce.

⚘

Męskie rozmowy bywają czasem dużo łatwiejsze niż ko-
biece.

Łukasz po prostu podszedł do ojca, który stał
w drzwiach z kubkiem kawy w ręku.

– Witaj, synu! – przywitał go Adam.

– Cześć, tato!

– Masz jakąś sprawę? Mogę ci w czymś pomóc? Bo
zrozumiałem, że to coś ważnego.

– Owszem, ważnego. Przyszedłem ci powiedzieć, że
zostaniesz dziadkiem.

Adam odstawił kubek na schodek, wyprostował się
i położył synowi ręce na ramionach.

– A więc będziesz ojcem?

– Na to wygląda.

– Boisz się?

– Nie powiem, że nie. – Łukasz uśmiechnął się lekko.

– I bardzo dobrze. Bo przed tobą wielkie wyzwanie.
– Spojrzał synowi prosto w oczy. – Ale mogę ci powie-
dzieć, że ja nie boję się wcale. Wierzę, że dasz sobie radę.
Gratuluję, synu!

Mężczyźni uścisnęli się, Adam poklepał syna po plecach, a potem schylił się po swój kubek.

– Zerkniesz na glazurę w kuchni? Bo robotnicy zaraz
kończą, a Ewy jeszcze nie ma. Jeśli odbiorę ich robotę
i coś będzie nie tak, to ona gotowa mi urwać głowę.

Łukasz potaknął ze zrozumieniem.

– Jasne, zobaczę.

I ramię w ramię, ojciec z synem, weszli do środka.

– Hej! Hej! Jest tu ktoś?

Marzena stała w chłodnym hallu i rozglądała się dookoła. W dworku panowała taka cisza, jakby w ogóle nikt w nim nie mieszkał.

Gdzie się podziali? – myślała.

– I czego tak krzyczy? – Kuchenne drzwi otworzyły się i stanęła w nich panna Zuzanna. – Umarłego by obudziła. A przecież nikt tu głuchy nie jest.

– Jak miło panią widzieć! – Marzena zrobiła kilka szybkich kroków, lekko się pochyliła i ucałowała staruszkę w pomarszczone policzki. – Dzień dobry!

– Dla jednych dobry, a dla innych pracowity – odpowiedziała Zuzanna i ostentacyjnie obtarła twarz wyciągniętą z kieszeni fartucha chusteczką. – Ale są tacy, co się do roboty nie garną...

– Trzeba w czymś pomóc? – zainteresowała się przybyła.

– A skąd! Przecież starsza kobieta da sobie radę sama z obiadem na dwanaście osób – odpowiedziała ironicznie Zuzanna. – Raz, dwa i będzie gotowe. A, prawda. – Spojrzała na Marzenę znacząco. – Na trzynaście. A może i na czternaście?

– Nie, nie, sama jestem, panno Zuzanno. – Rudowłosa roześmiała się. – Janeczek dzisiaj umówił się z moim tatą na zakupy. Będą koszule wybierać, bo tatko schudł trochę i potrzebuje kilku nowych.

– No to mi się udało – mruknęła hrabianka.

– Ale ja naprawdę chętnie pomogę – zadeklarowała Marzena.

– Pewnie, już drzwi do kuchni szeroko otwieram. – Zuzanna pokiwała głową. – Niech sobie daruje takie pomysły. Jeszcze coś przypali albo przesoli, a ja się potem przed gośćmi będę wstydzić.

Marzena roześmiała się głośno.

– Nawet pani nie wie, jak za panią tęskniłam!

– I wcale mnie to nie ciekawi – ucięła staruszka. – A po co przyjechała?

– Właściwie to chciałam zobaczyć, co u was słychać. Mamą zajęła się pani Janina, mężczyźni wyszli, więc skorzystałam z okazji. Tamary nie ma?

– Widzi przecież, że nie ma. Ale zaraz powinna przyjechać. Niech idzie do altany i tam poczeka. Bo ja na pogawędki nie mam czasu. Obiad się sam nie ugotuje. – Hrabianka zmierzyła Marzenkę uważnym spojrzeniem – Trafi przecież sama?

– Trafi, trafi. – Kobieta nie przestawała się uśmiechać.

Naprawdę tęskniła za dworkiem. Nigdzie indziej nie czuła się tak dobrze, a panna Zuzanna też była jedyna w swoim rodzaju. Marzena kochała ten stary dom i była dumna, że mogła uczestniczyć w jego odnowie. To najlepszy projekt, jaki realizowałam – pomyślała. – Bo oprócz ścian i dachu zbudowaliśmy tu wszyscy mocne więzi, trwalsze niż jakiekolwiek mury.

Wyszła na zewnątrz i popatrzyła na dziedziniec. Rośliny na klombie rozrosły się i choć teraz wyglądały na nieco zmęczone południowym upałem, to i tak pięknie się prezentowały. Podeszła do samochodu i wyjęła z bagażnika butelkę soku. Kiedy zamykała klapę, usłyszała warkot nadjeżdżającego auta. Od razu rozpoznała yariskę Tamary.

– Marzenka! – Koleżanka po chwili już trzymała ją w ramionach. – Jak dobrze, że nas odwiedziłaś! Nie odzywasz się i nawet wczoraj myślałam, czy coś się u ciebie złego nie stało.

– O, matko! Spokojnie! – Kobieta odsunęła się, nieco zaskoczona tym emocjonalnym powitaniem. – Przecież dzwoniłam w zeszłym tygodniu...

– Naprawdę? A wydawało mi się, że jakoś dłużej. Chyba w tym całym zamieszaniu zaczynam tracić poczucie czasu. – Tamara wyglądała na zaskoczoną. – Ale nie stójmy tak, chodź do Różanego Kącika, pogadamy. Może się czegoś napijesz?

– Mam to. – Podniosła w górę butelkę. – A w kuchni jest panna Zuzanna w bojowym nastroju, więc lepiej tam nie wchodzić.

– Okej, w takim razie lepiej trzymać się z daleka – zgodziła się z nią Tamara. – Przed wyjazdem obrałam chyba worek ziemniaków i pokroiłam tonę marchewki, więc na razie mam dość.

— A gdzie ty tak jeździsz od rana? — zapytała Marzena, kiedy już usadowiły się na białych fotelikach. — Wpadłaś na jakiś nowy pomysł? Bo zrozumiałam, że gości macie, więc chyba nie jest źle?

— Tak, nie mogę narzekać. Są dwie rodziny, posiedzą jeszcze tydzień. A potem mam już rezerwację dla kolejnej. I jeszcze przyjedzie starsze małżeństwo ze Śląska. Chcą pooddychać świeżym powietrzem. W sumie do końca sierpnia przewiduję prawie pełne obłożenie.

— Jak na pierwszy sezon idzie całkiem dobrze. A jeśli będą zadowoleni, na pewno powiedzą o dworku znajomym... Marketing szeptany jest najlepszą metodą promocji. Zresztą, komu ja to mówię! — Roześmiała się.

— Na to właśnie liczę — potwierdziła Tamara. — Chociaż w obecnej sytuacji nie bardzo sobie wyobrażam, jak dam radę.

— Łukasz ci chyba pomaga?

— Oczywiście. Stara się bardzo, ostatnio nawet wymyśla atrakcje dla najmłodszych i pokazuje gościom różne dzikie leśne zakątki.

— Jak na niego to naprawdę duże poświęcenie — parsknęła Marzena. — A skoro tak, to widzę, że naprawdę się zaangażował, więc z pewnością dacie radę.

— Normalnie tak, ale wkrótce dojdą nowe obowiązki. Najpierw trzeba będzie zaopiekować się babcią Różą, bo pewnie niedługo wyjdzie ze szpitala...

— Babcia Róża jest w szpitalu? Nic o tym nie wiem!

— Racja, przecież rozmawiałyśmy, zanim to się stało — przypomniała sobie Tamara.

Opowiedziała koleżance o całej sytuacji

— Tak, to rzeczywiście macie problem. Wiem, co znaczy chora osoba w domu. — Marzena pokiwała głową ze zrozumieniem. — Mogę wam jakoś pomóc?

— Daj spokój, przecież masz mnóstwo swoich spraw do załatwienia. Ja ci tu o moich kłopotach mówię i nawet nie zapytałam, jak idą przygotowania do ślubu. Rodzice pewnie szczęśliwi?

— Bardzo — potwierdziła Marzena. — Wiesz, mama, kiedy jej powiedziałam, to aż się rozpłakała. A od tamtej pory zaczęła ćwiczyć i ostatnio nawet zupełnie sama zjadła cały talerz zupy. Pani Janina ją motywuje, bo ciągle opowiada o weselu. Mówię ci, kiedy patrzę, jak coraz lepiej sobie radzi, to myślę, że dla samego tego warto było się zgodzić na ślub.

— No chyba Janeczek też był ważnym argumentem przemawiającym za podjęciem tej decyzji. — Tamara mrugnęła okiem.

— Nie powiem, że nie. A teraz wybieramy się do niego. Takie oficjalne powiadomienie rodziców, a potem dwa tygodnie podróży przedślubnej. — Zrobiła figlarną minę.

— Żebyś tylko nie zapomniała wrócić.

— Wrócę, wrócę, nie licz, że ci się świadkowanie upiecze.

— Z tym może być pewien problem... — zaczęła niepewnie Tamara

— Chyba nie próbujesz mi powiedzieć, że chcesz zrezygnować?! — Marzena aż podskoczyła na foteliku. — Nie wyobrażam sobie innego świadka!

— A wyobrażasz sobie świadka z siedmiomiesięcznym brzuchem?

Marzena zamrugała oczami. Potrzebowała chwili, żeby w pełni zrozumieć sens usłyszanej wiadomości.

— Jesteś w ciąży! — krzyknęła.

Tamara pokiwała głowa.

— No to będzie jeden gość na weselu więcej! — skwitowała ze śmiechem Marzena. — Kobieto, co za niespodzianka! Jestem w szoku! Taki numer wykręcić!

— Ciszej — poprosiła Tamara, kładąc palec na ustach. — Hrabianki jeszcze nie wiedzą...

— Tak, nie wiedzą — mruknęła panna Zuzanna, zerkając znad filiżanki w stronę otwartego okna. — Bo hrabianki głupie są.

A panna Julia tylko się uśmiechnęła.

Przyjaciółki spędziły jeszcze trzy kwadranse na miłej rozmowie. Marzena opowiadała o ojcu, który coraz lepiej radzi sobie z domowymi obowiązkami, i o swoich obawach związanych ze ślubem.

— Nie wiem, jak wyobrażają to sobie rodzice Janeczka, ale ja chciałabym kameralną uroczystość. Mam tylko nadzieję, że obejdzie się bez ekscesów typu oczepiny. No bo sama powiedz: wyobrażasz sobie mnie w takiej akcji?

Tamara sobie tego nie wyobrażała.

— A z drugiej strony, nie wiem, jak wyglądają wesela arystokratów. Może trzeba tak się kłaniać jak u królowej angielskiej na audiencji?

Wizja Marzenki z niepokorną rudą grzywką, ubranej w wiktoriańską suknię balową i przyklękającej w dworskim dygnięciu, rozbawiła je obie.

– Ale tobie też nie zazdroszczę. – Marzena spojrzała na przyjaciółkę z troską. – Tutaj rozkręcasz projekt, babcia Róża na pewno tak łatwo się nie podda, a jeszcze dziecko w drodze.

– I Marysia w maturalnej klasie. A mama kończy budowę i układa sobie życie z dziadkiem dzidziusia – dodała z westchnieniem Tamara. – Teraz masz już pełen obraz sytuacji.

– Bardzo barwny, nie powiem.

– Mnie się jawi raczej w szarej tonacji, z dużymi akcentami mocnej czerwieni jako symbolu szaleństwa.

– Aż tak źle chyba nie jest. Ale rzeczywiście, masz o czym myśleć.

– No więc myślę. Tyle że na razie nic sensownego nie przychodzi mi do głowy – stwierdziła Tamara z nutką rezygnacji w głosie.

– Najlepsze rozwiązania pojawiają się nieoczekiwanie, więc... – zaczęła Marzena, ale przerwała w połowie zdania. – A to co?

Tamara podążyła za spojrzeniem koleżanki i zobaczyła zatrzymujący się na dziedzińcu samochód.

– Mercedes.

– To widzę. Ale zobacz jaki!

Rzeczywiście, stopiętnastka wyglądała imponująco. Czarny lakier i chromowane wykończenia podkreślały szlachetną linię klasyka. Auto przyciągało uwagę, nawet gdy umilkł głęboki i miarowy odgłos silnika.

— Ale cudo! Tu masz dopiero czerwień jako symbol szaleństwa — pisnęła Marzena, a Tamara przez chwilę zastanawiała się, czy koleżanka ma na myśli auto, czy mężczyznę, który z niego wysiadł, i czy mówiąc o kolorze, oceniła tapicerkę w aucie, czy T-shirt opinający szerokie ramiona.

Tymczasem kierowca podszedł do siedzących w altanie kobiet.

— Dzień dobry. — Ledwie dostrzegalnie skinął głową.

— Dzień dobry — odpowiedziała Tamara. — Zapraszamy. — Wskazała na wolne krzesło.

— Spieszę się — odmówił bez ceregieli. — Czy zastałem Łukasza?

— Prawdę mówiąc, nie wiem. — Gospodyni rozłożyła ręce w przepraszającym geście. — Wybierał się do lasu po kijki na kiełbaski. Wieczorem robimy ognisko, wtedy będzie na pewno. Może pan wpadnie?

— Raczej nie.

— W takim razie proszę jeszcze sprawdzić za domem. Może gdzieś tam siedzi i struga te gałęzie.

Mężczyzna kiwnął głową i odszedł.

— Kto to jest? — wyszeptała zaintrygowana Marzenka, kiedy tylko niespodziewany gość zniknął za rogiem.

— Mechanik samochodowy z Jagodna. Naprawiał auto Lei.

— A kto to jest Lea? I dlaczego ja nic o tym nie wiem? — Marzena zrobiła obrażoną minę.

— Już ci mówię.

— Czy ty masz jakieś namiary na tę właścicielkę alfy, w której robiłem pompę? — Grzegorz od razu przeszedł do rzeczy.

Łukasz nie zmienił wyrazu twarzy, chociaż nieco zaskoczyło go pytanie, nie mówiąc już o samym przyjeździe znajomego. Rozpoznał go z daleka, ale nie przyspieszył kroku. Spokojnie doszedł do dworku i oparł przyniesione gałęzie o ścianę budynku. Potem wytarł ręce o spodnie i wyciągnął dłoń do mężczyzny.

— Cześć — powiedział. — Ja nie mam, ale Tamara na pewno zapisała. Zapytać ją?

— Może przy okazji. W sumie to nic pilnego.

— Okej, dowiem się i do ciebie zadzwonię.

— A pomyśleli, czy kobieta chce, żeby ją niepokoić? — Panna Zuzanna jak zwykle pojawiła się nieoczekiwanie. Z Kronosem przy nodze, w swoim czarnym przeciwsłonecznym kapeluszu i z nieodłączną hebanową laską wyglądała naprawdę niecodziennie.

Na Grzegorzu jednak nie zrobiła żadnego wrażenia, a przynajmniej nie dał tego po sobie poznać.

— Ogłuchli czy po prostu im głupio? — Hrabianka nie dawała za wygraną. — Dziewczyna trzy dni tu siedziała, to trzeba było pytać. A może pytał, tylko nie podała? — Wyciągnęła laskę w kierunku gościa. — A teraz podstępem chce wyciągnąć, co?

— Panno Zuzanno... — Łukasz pokręcił głową z dezaprobatą.

– Co tak głową kręci? – oburzyła się hrabianka. – Niech się lepiej zastanowi, czy ten numer dać. Bo nigdy nic nie wiadomo. Jakby chciała, toby sama podała i nie musiałby teraz kręcić. Weźmie numer i zacznie się w czyjeś życie wtrącać, ot co!

– Na razie to pani wtrąca się w moje. I tak sobie myślę, że zanim się zacznie kogoś pouczać, to warto na siebie popatrzeć. – Ton głosu Grzegorza był spokojny, ale stanowczy. – Będę czekał na informację – zwrócił się do Łukasza, a potem z powrotem skierował wzrok na staruszkę. – Żegnam panią.

– Patrzcie go, jaki hardy! – Panna Zuzanna pokręciła głową, patrząc na odchodzącego mężczyznę.

Łukasz sięgnął po gałęzie, żeby ukryć uśmiech.

Kasia wróciła do domu wcześniej niż zwykle. Musiała odwołać dwie ostatnie klientki, ale nie to najbardziej ją zdenerwowało.

– Mamo! – zawołała od progu.

Zofia natychmiast stanęła w kuchennych drzwiach.

– Cichutko, Kasiu – powiedziała szeptem. – Pawełek przed chwilą zasnął. W salonie, na kanapie. Przykryłam go kocykiem i zostawiłam, bo nie miałam sumienia malucha budzić – tłumaczyła. – Taki obolały i smutny był.

– Biedne dziecko. – Kasia westchnęła głęboko. – Co mówił?

– Niewiele. Tylko się tak do mnie mocno przytulił. – Zofia miała łzy w oczach. – Pytałam, co by zjadł, i nawet o racuchy poprosił, ale zanim ciasto zdążyłam zrobić, to już spał. – Zofia cofnęła się o krok, robiąc przejście dla córki. – Chodź, ty chociaż zjedz. A jemu nasmażę, jak wstanie.

– Zaraz, mamo. – Kasia wsunęła stopy w czerwone kapcie. – A Krzysio gdzie?

– U siebie, na górze. – Matka podniosła wzrok.

– To najpierw do niego pójdę.

– Dobrze, córciu, dobrze. A to się porobiło!

Katarzyna w połowie schodów natknęła się na przytuloną do poręczy Nikolę.

– A ty co tutaj robisz?

– Babcia gotuje, Pawełek śpi, a Krzysio jest zły i nie chce się ze mną bawić – poskarżyła się dziewczynka.

– To zajmij się lalkami, dobrze? Ja porozmawiam z Krzysiem, potem zjemy, a po obiedzie ci poczytam.

– O królewnie?

– Może być o królewnie. A teraz zmykaj do siebie.

Odprowadziła wzrokiem córkę i gdy mała zniknęła w swoim królestwie, uchyliła drzwi pokoju starszego syna. Leżał, ale nie spał. Podeszła i usiadła na brzegu tapczanika.

– Dzień dobry, Krzysiu – powiedziała. – Stęskniłam się za wami.

Nie odpowiedział.

Kasia zastanawiała się, o co go zapytać. Kiedy przed niespełna godziną usłyszała w słuchawce głos matki, w pierwszej chwili zamarła. Zofia nigdy do niej nie dzwoniła, nie chciała przeszkadzać córce w pracy.

— Coś się stało?

— Nie denerwuj się, Kasiu. Wszystko dobrze. Chciałam ci tylko powiedzieć, że chłopcy wrócili.

— Jak to: wrócili? Mieli być dopiero za pięć dni.

— A, bo Pawełek złamał rękę i...

— Złamał rękę? Kiedy? Gdzie?

— Ja nic nie wiem, Kasiu. Jarek ich tylko podwiózł, nawet z samochodu nie wysiadał. Ale się nie martw, ja wszystko zrobię. Nakarmię ich i pranie wstawię... Chciałam tylko, żebyś wiedziała, że są.

— Dobrze, mamo. Postaram się być jak najszybciej.

Teraz patrzyła na starszego syna i widziała, że coś jest nie w porządku. Złamanie złamaniem, ale jeśli Krzysio nie siadł od razu do komputera, to musiało być coś nie tak.

— Dlaczego już wróciliście? – zapytała po prostu.

Chłopak wzruszył ramionami.

— Dziecko, powiedz coś – poprosiła. – Jak to się stało, że Pawełek złamał rękę?

— Normalnie. Potknął się na ścieżce. Kamienie tam takie wystawały, on nie widział, bo się mazał, no i wyrżnął jak długi. Chciał się ręką podeprzeć i chyba wtedy. Ale się nie przyznał.

— A dlaczego się mazał?

— Bo nie nadążał. Tata za szybko szedł. Mówiłem mu, ale nie słuchał. Ja ledwie dawałem radę, a Paweł to już w ogóle. Zmęczony był, bo za dużo tych wycieczek. Ale tata powiedział, że to męskie wyprawy, a jak pochodzimy, to potem będziemy spać.

– Rozumiem. – Pokiwała głowa.

– A ja nie rozumiem – zezłościł się chłopak. – Mówiliśmy, że nie chcemy, ale tata o wszystko się denerwował. Dlatego Paweł o tej ręce nie chciał powiedzieć. Dopiero wieczorem się wydało, jak się popłakał. Mówił, że go bardzo boli.

– I co było dalej? – Kasia czuła, jak ściska jej się serce na myśl o cierpiącym dziecku.

– A co miało być? Pojechaliśmy do szpitala. Długo trzeba było czekać, a tata się wkurzał, bo miał z panią Bożenką na dyskotekę iść.

– Z kim?

– Z panią Bożenką. Ona z nami była. Nie wiedziałaś? – domyślił się Krzysio, widząc zdziwienie matki. – Ona jest przyjaciółką taty.

Kasia pokiwała głową na znak, że rozumie. Starała się wyglądać na spokojną, ale w środku złość w niej aż kipiała.

– Tata wolał, żebyśmy zostali do końca, bo za pokoje już zapłacił, ale Paweł się uparł, że chce do domu. Tak ryczał, aż tata się wściekł, spakował rzeczy i nas odwiózł. I bardzo dobrze – zakończył chłopak ze złością.

– Ja też uważam, że dobrze. – Kasia pogłaskała syna po policzku. – Cieszę się, że już jesteście ze mną. A teraz wstawaj, zejdziemy do kuchni. Babcia smaży racuchy. Zjemy razem, co?

Krzysio pokiwał głową i pociągnął nosem.

– To ja idę zawołać Nikolę, a ty zaraz przyjdziesz, prawda? – Domyśliła się, że syn potrzebuje chwili, żeby zapanować nad emocjami.

Ona też po wyjściu z pokoju musiała kilka razy głęboko odetchnąć. Niech się cieszy, że go tutaj nie ma – pomyślała z wściekłością o byłym mężu. – Bo mam ochotę wydrapać mu oczy! Co za drań!

❧

Marysia bez pośpiechu krzątała się po kuchni. Tego dnia miała dopiero wieczorną zmianę. Dzięki temu mogła dłużej pospać, a teraz, jeszcze w piżamie, przygotowywała sobie coś do zjedzenia.

– Barnaba, nie kręć się pod nogami, bo ci na ogon nadepnę – upomniała kota, który dreptał w okolicach kuchenki w oczekiwaniu na jakiś smaczny kąsek.

Myśli dziewczyny cały czas krążyły wokół Kamila i sprawy wyjazdu. Od czasu kiedy zasugerowała, że może nie pojechać, rozmawiała z chłopakiem kilkakrotnie i za każdym razem pytał, czy już wszystko ustaliła. Nie odpowiadała nic konkretnego, cały czas trzymała go w niepewności. Owszem, robiła to trochę na złość, chciała, żeby się martwił, ale tak naprawdę sama nie była już taka pewna, czy chce jechać. Gdyby wyjazd wyglądał tak, jak wcześniej planowali, to spakowałaby się natychmiast, ale wizja grupy nieznanych ludzi mocno studziła jej zapał.

Krojąc plasterki suchej kiełbasy, zastanawiała się, co powinna zrobić.

– To ty jesteś w domu? – zdziwiła się Tamara, wchodząc do kuchni. – I na dodatek jeszcze nieubrana?

— Mam dopiero na szesnastą.

— Nie wiedziałam. — Kobieta postawiła na stole siatkę z zakupami. — Zrobisz mi herbatę? Byłam na większych zakupach, bo w dworku kończą się zapasy, a tutaj też już lodówka świeci pustkami. W Lewiatanie taki tłok, że udusić się można. Czy ci ludzie nie wyjeżdżają na wakacje? — Usiadła na krześle i wyciągnęła przed siebie nogi.

— Wyjeżdżają. Do Jagodna. — Marysia uśmiechnęła się. — Wiem coś o tym.

— A właśnie! Skoro już wróciłyśmy do tematu twojej pracy, to dlaczego nie powiedziałaś, że masz na popołudnie? Mogłabym cię zawieźć w odwiedziny do babci Róży.

— A jak miałam powiedzieć, skoro wracasz, kiedy już śpię? Jak chcesz, to mogę ci zostawiać karteczki.

Tamarze zrobiło się głupio. Córka miała rację. Ostatnio rzadko się widywały, a przecież mieszkały w jednym domu. A nawet spały na jednym materacu.

— Przepraszam cię, Marysiu — powiedziała ze skruchą. — Masz prawo być zła.

— Nie jestem zła — zaprzeczyła nastolatka, stawiając przed matką kubek z herbatą. — Po prostu stwierdzam fakt.

— Wiem, że powinnam znaleźć dla ciebie więcej czasu, ale mam ostatnio urwanie głowy...

— Jasne, rozumiem. A do babci bardzo chciałabym pojechać. Tylko nie wiedziałam, czy można. — Odłożyła nóż i oparła się plecami o kuchenną szafkę. — A jak ona się czuje? Kiedy wraca?

— Na szczęście jest już w lepszej formie. Ale jak to ty mówisz, szału nie ma. — Kobieta posłodziła herbatę i odsunęła cukierniczkę na środek stołu. — Babcia Ewa nalega, żeby zrobić przy okazji wszystkie możliwe badania i wcześniej niż za tydzień na pewno nie pozwoli wypuścić jej do domu.

— A co potem?

— Też zadaję sobie to pytanie. Musimy pamiętać, że babcia Róża jest coraz słabsza i...

— Nawet nie chcę tego słyszeć!

— Ja też nie. I dlatego będzie trzeba bardzo o nią dbać — westchnęła Tamara.

— No jasne. — Dziewczyna pokiwała głową ze zrozumieniem.

— Jasne, ale nie takie proste...

Marysia usiadła naprzeciwko mamy i wyciągnęła w jej kierunku talerzyk z kanapkami. — Chcesz jedną?

Kobieta zerknęła na jedzenie i odwróciła wzrok.

— Kiełbasa? Nie, dziękuję.

— Spróbuj — zachęcała dziewczyna. — Swojska, od tego pana, co babci Róży zawsze przynosi. Tak się fajnie ususzyła, mówię ci! A ten zapach...

— Właśnie ten zapach... — Tamara skrzywiła się.

— Ale marudzisz! Od kiedy ty taka wrażliwa jesteś? Jakbyś była w ciąży.

Tamara oparła ręce na blacie i popatrzyła na córkę.

— Bo jestem.

Dziewczyna znieruchomiała i szeroko otworzyła oczy. Przez chwilę wpatrywała się w matkę w milczeniu.

— Chyba sobie ze mnie jaja robisz — wydusiła wreszcie.

— Żarty mi teraz nie w głowie — zaprzeczyła Tamara. — Będziesz miała rodzeństwo, mniej więcej pod koniec zimy.

— To śmieszne! — Nastolatka zerwała się z krzesła. — Jak to: rodzeństwo? Przecież ty masz czterdzieści lat!

— I co w związku z tym?

— Jeszcze się pytasz? — Marysia nie potrafiła pohamować emocji. — Przecież to straszny obciach!

— Będziesz musiała się jakoś z tym pogodzić — stwierdziła Tamara z rezygnacją.

— Muszę wyjść — oznajmiła dziewczyna. — Idę do sadu.

— W piżamie?

— Tak, w piżamie.

Trzaśnięcie drzwi było dowodem, że zrobiła tak, jak zapowiedziała. Tamara ukryła twarz w dłoniach. Przeczuwała, że to będzie dla Marysi trudne, ale nie sądziła, że aż tak.

✿

Lea po powrocie do domu od razu przystąpiła do projektowania. Chciała jak najszybciej stworzyć przynajmniej szkice nowych projektów. Wiedziała z doświadczenia, że najlepiej zacząć, gdy wrażenia, pod których wpływem wpadła na jakiś pomysł, były jeszcze świeże.

Przez kilka dni nie wychodziła z domu, żeby inne sprawy niepotrzebnie nie pochłaniały jej uwagi. Taki miała styl tworzenia. Nie lubiła się rozpraszać. Długie godziny spędzała w fotelu, przymykała oczy i pozwalała myślom płynąć swobodnie w przeszłość. Starała się odtworzyć momenty, które poprzedziły narodziny pomysłów, poczuć zapachy, przy których nabrała ochoty na tworzenie, przywołać uczucia, które sprawiły, że przyszła jej do głowy dana koncepcja.

Tym razem koncentrowała się na krzemieniu pasiastym – tworzywie mającym być centralnym punktem nowych projektów. To do niego powinna dobrać odpowiedni metal i formy, w jakie ubierze wybrany kamień. Całość musiała cechować spójność, a docelowo stać się wykładnią jej stylu i charakteru użytych surowców.

Wiedziała, że chętnych na biżuterię z krzemieniem pasiastym nie zabraknie. Zaraz po powrocie wykonała kilka telefonów. Skontaktowała się ze stałymi klientkami i po krótce przedstawiła swoją koncepcję. Tak jak się spodziewała, wyraziły zainteresowanie, a niektóre zareagowały wręcz entuzjastycznie. Nie wszystkie słyszały wcześniej o krzemieniu z Gór Świętokrzyskich, ale gdy dowiedziały się, jak jest unikatowy, jeszcze bardziej zapragnęły go mieć.

Lea doskonale wiedziała, że kobiety lubią rzeczy niepowtarzalne i świadomość, że zostały stworzone z myślą o nich. Nie wszystkie było na to stać, ale te, dla których pracowała, nie miały problemów finansowych. Dlatego Lea stawiała wyłącznie na pojedyncze egzemplarze, bo choć projektowanie zajmowało więcej czasu, to klientki sowicie wynagradzały jej włożony w pracę trud. Taki sposób tworzenia odpowiadał również Lei, bo dzięki temu, że każda broszka, wisior czy bransoleta były inne, nie nudziła się, nie wpadała w rutynę i mogła zrealizować wszystkie swoje pomysły.

Zwykle proces wstępnego szkicowania nie zabierał jej więcej niż tydzień. Potem przystępowała do projektowania konkretnych egzemplarzy, które przedstawiała klientkom, a po ich akceptacji zabierała się do wykonania pomysłu. Planowała, że tym razem będzie tak samo, ale kiedy trzeciego dnia nie powstał ani jeden szkic, zaczęła odczuwać irytację. Wiedziała, że powinna inspirować się miejscami, z których kamień pochodził, ale miała wrażenie, że coś się w niej zablokowało. Próbowała przypomnieć sobie szum sosen, leśne drogi, widok Gór Świętokrzyskich, ale kiedy zamykała oczy, w głowie miała pustkę. Podejmowała kolejne bezskuteczne próby i czasem wydawało się, że już, za moment się uda, ale wystarczył wrzask mewy za oknem czy trzaśnięcie drzwiami na klatce schodowej i wszystko znikało.

Irytacja powoli zmieniała się w złość. Do tego nagle pojawiła się myśl, że tę kolekcję powinna tworzyć tam, na miejscu. Jakby jakiś wewnętrzny głos nakazywał jej powrót do lasu i miejscowości, której w ogóle nie planowała odwiedzać. Już wtedy, gdy widząc na drogowskazie słyszaną tylko kilka razy w dzieciństwie nazwę, zboczyła z wyznaczonej trasy.

To idiotyczne – myślała. – Jeszcze moment, a chwilowa fantazja urośnie w mojej wyobraźni do rozmiarów jakiegoś fatum.

Nigdy nie wierzyła w przeznaczenie i podobne bzdury, uważała się za kowala własnego losu. Myśl, że jakaś siła mogłaby kierować jej życiem, była nie do przyjęcia. A potem znowu powracało przekonanie, że albo tam pojedzie, albo nowa biżuteria nie powstanie. Na domiar złego niemoc twórcza nie przechodziła. Lea chodziła z kąta w kąt, a stupięćdziesięciometrowy apartament wydawał jej się klatką, w której została zamknięta.

A kiedy szukając pilniczka do paznokci, znalazła w torebce zawiniętą w papier wyschniętą babeczkę — rzuciła nią o ścianę, a potem odnalazła w spisie kontaktów odpowiedni numer i postukując palcami o poręcz fotela, czekała na połączenie.

— Słucham? — Usłyszała w słuchawce.

— Cześć, Lea z tej strony — powiedziała.

— O, witaj! Chyba ściągnęłam cię myślami. — Głos Tamary brzmiał tak, jakby naprawdę ucieszyła się z telefonu. — Panna Zuzanna już drugi raz mi przypomina, żebym do ciebie zadzwoniła. Mówi, że podobno bez jej wiedzy dorzuciłaś coś do sosu. To prawda?

— Tak — potwierdziła, nieco zdziwiona. — A coś się stało?

— Według słów panny Zuzanny sos był okropny, ale gościom smakował, więc trudno, ona się dostosuje, byle wiedziała, co to było.

— Mówisz serio?

— Lea, przecież poznałaś Zuzannę, prawda? — Tamara roześmiała się. — Zacytowałam ci, co powiedziała, ale w tłumaczeniu na język zrozumiały dla ludzkości znaczy to tyle, że świetnie doprawiłaś sos i hrabianka chciałaby poznać ten przepis.

I w tym momencie, nie wiadomo skąd, pojawił się w głowie Lei pomysł na wisior. Hrabianka z leśnej głuszy – tak się nazywał. Zobaczyła go oczami wyobraźni: ostry w oprawie, ale z kamieniem gładko szlifowanym. Szlachetny, ale nie przesadnie. Taki, którego nie da się zapomnieć. Poczuła to.

– Tamara, wybacz, oddzwonię za chwilę. Teraz muszę kończyć – powiedziała szybko, bojąc się, że obraz zniknie.

– Jasne, tylko nie zapomnij. Bo wiesz, Zuzanna nie odpuści...

– Tak, tak – obiecała i rozłączyła się.

Natychmiast usiadła przy biurku. Dosłownie w kilka chwil powstał szkic, a potem kilka godzin poświęciła na projekt i dopracowanie szczegółów. Pracowała jak w transie. A kiedy skończyła, popatrzyła na swoje dzieło z pewnej odległości i pokiwała z zadowoleniem głową. Tak, to moja hrabianka – pomyślała. – Dla przyjaciół: panna Zuzanna.

Wtedy zrozumiała, że naprawdę nie ma wyboru. Jeżeli chce zaprojektować kolekcję z krzemieniem pasiastym, musi to zrobić tam. W Jagodnie.

– To znowu ja – powiedziała, gdy Tamara ponownie odebrała telefon od niej. – Czy masz u siebie wolny pokój?

– Niby mam. Ale taki najmniejszy. W zasadzie go nie wynajmujemy. Nazywam go awaryjnym, bo wiesz, ledwie mieści łóżko, szafę i stolik. Nie wiem, czy by ci to odpowiadało...

– Dobrze się składa, bo można powiedzieć, że właśnie o awarię chodzi.

– Skoro tak, to możesz przyjechać nawet jutro.

– I tak właśnie zrobię – zdecydowała Lea. – Powiedz pannie Zuzannie, że razem przyrządzimy ten sos.

– Na pewno się ucieszy. W takim razie czekamy.

Lea wyciągnęła z szafy większą torbę i zaczęła się pakować. Może nie było w niej zbyt wiele entuzjazmu, ale gdzieś na dnie serca czuła radość. Nie potrafiła co prawda sprecyzować, czego mogła dotyczyć. Niech już tak będzie – pomyślała. – W sumie wszystko mi jedno, gdzie projektuję. A i tak musiałabym tam pojechać, żeby kupić kamienie. Po prostu załatwię wszystko za jednym razem i może nawet wyjdzie to nowej kolekcji na dobre, bo lepiej dopasuję krzemienie do projektów.

Położyła się i po raz pierwszy od kilku dni zasnęła szybko i głęboko. A następnego dnia rano wrzuciła torbę na siedzenie pasażera, a sama usiadła za kierownicą.

– Jadę do Jagodna – powiedziała głośno. – Zamieszkam w klitce na polanie, będę grzebała w skalnych okruchach w poszukiwaniu krzemienia pasiastego, a w wolnych chwilach gotowała paskudny sos dla nie swoich gości w towarzystwie złośliwej hrabianki. Ja chyba całkiem zwariowałam.

Kacper Kamiński już drugą godzinę siedział na spotkaniu w starostwie powiatowym i jedyne, o czym myślał, to żeby znaleźć się na leżaku w swoim ogrodzie. Nie chodziło nawet o upał, bo budynek był klimatyzowany, ale po prostu... nudził się.

Doszedł do tego wniosku przy siódmym punkcie porządku spotkania. Wiedział, że i tak nic z tych dyskusji nie wyniknie, bo przepisy są, jakie są, i będą musieli się do nich dostosować. Nawet jeżeli większość samorządowców uważa je za bezsensowne i nieprzystające do rzeczywistości.

Kiedy tak pomyślał, sam był zaskoczony. Jeszcze niedawno włączałby się aktywnie do dyskusji, proponował pisanie postulatów do Warszawy i konsultował z prawnikami możliwości zakwestionowania niewygodnych rozporządzeń. A dzisiaj... nudził się. To było coś nowego.

Przy punkcie dwunastym westchnął cicho. Przy piętnastym stwierdził, że krzesło jest niewygodne, a przy siedemnastym poczuł, że... tęskni. Najpierw zawstydził się, potem zastanowił, a po kolejnych pięciu minutach wstał, bo przecież był człowiekiem czynu.

– Przepraszam panów bardzo, ale niestety muszę was opuścić. Obowiązki wobec wyborców mnie wzywają. – Uśmiechnął się czarująco, co potrafił doskonale, i opuścił zebranych.

Nie ma to jak dobra wymówka – pochwalił w myślach własną pomysłowość. – Obowiązki wobec wyborców zawsze działały, a na dodatek robiły dobre wrażenie.

Kacper o tym wiedział, w końcu od lat był specjalistą od tworzenia swojego wizerunku. I teraz wreszcie poczuł, że skorzystał z tego w dobrym celu.

Zanim wsiadł do samochodu, zdjął marynarkę i rozluźnił krawat. Podwinął rękawy błękitnej koszuli i wyprostował plecy. Wiedział, że powinien jeszcze wrócić do urzędu gminy i przejrzeć kilka dokumentów, ale na samą myśl o tym poczuł się jeszcze bardziej znudzony.

– Pani Halinko, mnie już dzisiaj nie będzie. Proszę położyć mi na biurku to, o co prosiłem, przejrzę jutro z samego rana.

Jeden telefon i załatwione – pomyślał. – Miło jest mieć władzę.

Tak, Kacper Kamiński to lubił. I czasami wykorzystywał do własnych celów. Teraz też miał taki zamiar.

Jechał przez las trochę szybciej, niż pozwalały przepisy, ale nawierzchnia była sucha, a o tej porze właściwie nie jeździły tędy żadne samochody. Wójt znał tę drogę na pamięć, więc czuł się pewnie.

Niestety, jadący z naprzeciwka młody chłopak nie miał tyle doświadczenia. Wracał z kolegami z plaży, a roześmiana grupa i letnia atmosfera sprawiły, że nieco przecenił swoje umiejętności. Docisnął pedał gazu i ostro wszedł w zakręt.

Kacper w ostatniej chwili skręcił kierownicą. Czarne bmw minęło maskę jego samochodu dosłownie o kilka centymetrów. Mężczyzna kątem oka zobaczył przerażoną twarz młodego kierowcy, potem mignęły gałęzie drzew, a kiedy odruchowo nacisnął hamulec, opony zapiszczały, autem szarpnęło, a potem zapanowała cisza.

Po kilku sekundach zrozumiał, że jednak żyje. Otworzył oczy i powoli się rozejrzał. Poruszył rękami, potem stopami. Nigdzie nie widział krwi, nie czuł żadnego bólu. Zdecydował się więc wysiąść z samochodu.

Nie było źle. Co prawda zatrzymał się w rowie, ale niezbyt głębokim. Chyba uda się wyjechać – stwierdził. Auto nie było uszkodzone, przynajmniej na pierwszy rzut oka. Po bmw nie pozostał nawet zapach spalin. Uciekł, gówniarz – zaklął Kacper. – Nawet nie sprawdził, czy żyję.

Ze złością kopnął w oponę. Dopiero wtedy poczuł, że boli go klatka piersiowa. Rozpiął koszulę i pomacał. Znowu zaklął.

– Chyba mam pęknięte żebro – stwierdził. – Dobrze, że chociaż poduszka nie wybuchła.

Wrócił za kierownicę i przekręcił kluczyk. Silnik zaskoczył. Udało mu się wyjechać na drogę. Odetchnął z ulgą i oblizał spierzchnięte usta.

– Mogło się skończyć dużo gorzej – powiedział głośno. – Mogłem nawet zginąć.

To była przerażająca myśl. Tak, Kacper się przestraszył. Chyba pierwszy raz w życiu. I poczuł, że bardzo chciałby być już w domu.

Kiedy zaparkował na podjeździe, odetchnął głęboko. Wygładził koszulę i poprawił włosy. Nie chciał, żeby Małgorzata domyśliła się, że coś było nie tak. Nie zamierzał jej o niczym powiedzieć. Po co ma się denerwować? – zdecydował.

Wszedł do domu, ale tak jak się spodziewał, nie było w nim żony. Otwarte drzwi na taras potwierdziły jego przypuszczenia.

Małgorzata była z Amelką w ogrodzie. Mała siedziała w baseniku i chlapała wodą na wszystkie strony, a kobieta leżała na ogrodowym łóżku i opalała się. Przez chwilę stał i przyglądał się żonie. Jaka ona piękna – pomyślał. – I wygląda na szczęśliwą.

– Widzę cię! – Dziewczynka z radością dała znać, że go dostrzegła.

– Dzień dobry. – Podszedł bliżej. – Co robicie?

– Ciocia się opala, a ja piorę – wyjaśniła Amelka.

– To prawda. – Małgorzata zdjęła okulary przeciwsłoneczne i uniosła się. – Uprała już swoją sukienkę, twój ulubiony ręcznik i haftowany obrus. Dobrze, że się zorientowałam, bo szykowała się do odświeżenia mojej najlepszej garsonki. – Pogroziła małej palcem, ale Kacper widział, że wcale nie jest zła.

– A ty jak się masz? – Pochylił się i pocałował żonę w opalony policzek.

– Doskonale. Zaraz podgrzeję ci obiad.

– Sam sobie podgrzeję. – Zatrzymał ją gestem. – Leż sobie dalej i pilnuj naszej małej praczki.

– Dobrze. – Małgorzata uśmiechnęła się.

– Wiesz, wracałem do domu i przyszło mi do głowy, że moglibyśmy gdzieś razem pojechać.

– We dwoje? Dobra myśl, ale to dopiero...

— We troje — przerwał jej. — Czy ty, Amelko, widziałaś kiedyś bizona?

— A co to jest bizona?

— To mi wystarczy za odpowiedź — stwierdził ze śmiechem Kacper. — W takim razie w sobotę pakujemy piknikowy koszyk i kierunek: Kurozwęki.

— I będzie bizona? — Dziewczynka podniosła na niego pytający wzrok.

— Będzie. Ale teraz idę coś zjeść, bo jestem tak głodny, że chyba schrupię jakąś słodką dziewczynkę.

— Nieeee! — zapiszczała Amelka.

— Zaraz przegonimy tego głodnego potwora. — Małgorzata zerwała się i podbiegła do baseniku. — Chlap mocno! Potwory bardzo boją się wody! Chlap!

Kacper udał przerażenie i wycofał się do domu.

Pomyśleć, że mogłem już nie żyć — przyszło mu do głowy po raz kolejny, gdy podsmażał ziemniaki na patelni.

❦

— Janeczku, musisz ją jakoś przekonać. — Marzena położyła dłoń na kolanie mężczyzny. — Zrób to tak, wiesz, arystokratycznie. Żeby nie mogła odmówić.

— Kiedy tak kładziesz rękę, mam w głowie tylko myśli bardzo mało arystokratyczne. — Janeczek spojrzał wymownie na narzeczoną. — Skłamałbym, mówiąc, że mi się to nie podoba, ale kiedy kierownikuję, wolałbym bardziej się skupić.

– Kieruję – poprawiła odruchowo Marzena.

– Niech będzie – zgodził się. – Ale już prawie zawsze dobrze mówię, czyż nie?

– Czyż tak. – Kobieta zachichotała. – Zresztą mniej ważne jak, ważniejsze co. A przed chwilą powiedziałeś mi coś bardzo miłego.

– Jak mężczyzna czuje coś miłego, to takie samo mówi. – Uśmiechnął się, nie odrywając wzroku od drogi. – Ja cię bardzo przepraszam, ale ciągle mi dziwne to jeżdżenie po drugiej stronie. Muszę uważać.

– To wy w Anglii jeździcie dziwnie – zaprotestowała.

– Jak chcesz, to ja poprowadzę, nie widzę w tym problemu.

– Ale ja widzę. Dla mnie to jeszcze dziwniej, kiedy kobieta wozi mężczyznę. Bardziej niż jeżdżenie po drugiej stronie.

– Męski szowinista! – prychnęła. – A już myślałam, że udało mi się ciebie chociaż trochę wyedukować.

– Jestem wyedukowany, ale chcę wozić moją narzeczoną. I to ma być źle?

Czas na dyskusje o równości płci jednak się skończył, bo dojechali do celu. Tamara już na nich czekała.

– Janek, jak miło cię widzieć! – Ucałowała mężczyznę. – Wieki cię u nas nie było!

Janeczek spojrzał na narzeczoną, a Marzenka powiedziała scenicznym szeptem:

– Uprzedzałam cię. To hormony. Kobiety w ciąży tak mają.

– Powiedziałaś mu!

— Nie mówiłaś, że to jakaś wielka tajemnica. Zresztą przed narzeczonym nie powinno się mieć sekretów.

— Owszem, Marzena poinformowała mnie, że jesteś przy nadziei. I bardzo się cieszę. — Janek skłonił głowę. — A gdzie Łukasz? Chciałbym mu pogratulować.

— Kiedy go ostatnio widziałam, regulował okno w pokoju awaryjnym. Ciężko się je domyka.

— W takim razie pójdę do niego. Może pomogę.

— A mowy nie ma! — zaprotestowała Marzena. — Nie myśl, że uda ci się uciec.

— Wcale nie chciałem uciekać — zaprzeczył Janek.

— Akurat! — Narzeczona wcale mu nie uwierzyła.

— Nie wiem, przed czym chciałeś zwiać, ale mam nadzieję, że nie przede mną — wtrąciła się Tamara. — W każdym razie chodź na ciasto, Łukasz zaraz do nas dołączy. Na pewno słyszał, że nadjeżdżacie.

Usiedli i Tamara nałożyła gościom słodkości na talerzyki.

— Co to takie jest? — zainteresował się Janek — Nigdy nie jadłem. Nowy smak, ale bardzo dobry.

— Co to TAKIEGO jest — poprawiła Marzena.

— Niech mówi, jak chce — skwitowała ich wymianę zdań Tamara. — W końcu jest wśród przyjaciół, a nie na oficjalnym przyjęciu. To ciasto marchewkowe.

— Z marchewki? Warzywo takie? — upewniał się mężczyzna.

— Dokładnie tak. Lea wczoraj upiekła. Panna Zuzanna dopuściła ją do kuchni. Lea jest weganką okresową, tak o sobie mówi, i dlatego zna sporo przepisów.

A goście czasami proszą o coś takiego, więc uczy naszą hrabiankę.

– I panna Zuzanna się na to godzi?

– Oczywiście, że oficjalnie nie. Twierdzi, że bez mięsa to nie jedzenie, ale chętnie popatrzy na te wymysły.

– Nie znam chyba tej Lea, prawda? – zapytał Janek, nakładając sobie drugi kawałek ciasta.

– Lea trafiła tu przypadkiem, ale właśnie wróciła na dłuższy pobyt – wyjaśniła Tamara.

– Trafiona, zatopiona – skwitowała Marzena. – Wcale mnie to nie dziwi. Kto raz pozna magię Stacji Jagodno, musi tu wróci.

– Niektórzy to nawet zostają na zawsze. – Łukasz dołączył do towarzystwa. – Niby marchewka jest dobra dla królików, a nie dla prawdziwych mężczyzn, ale przyznasz, że to ciasto smakuje nie najgorzej? – zwrócił się do Janka.

– Wyborne!

– Już rozwozicie zaproszenia na wesele? – Mrugnął do rudowłosej.

– Nie, my dzisiaj w innej sprawie. – Marzena spoważniała i odstawiła talerzyk.

– Oho, zaczynam się bać! – zażartował Łukasz.

– Coś się stało? – Tamara zareagowała jak typowa kobieta.

– Nic się nie stało. Tylko mamy, a właściwie Janek ma, pewną propozycję. Mów! – Spojrzała na narzeczonego ponaglająco.

– Marzenka mi opowiedziała, że babcia Róża jest chora. Mówiła, że szpital był potrzebny i wiele badań.

Ja się bardzo tym zasmuciłem. I potem Marzenka powiedziała o dziecku, co je będziecie mieć, i o wszystkim reszcie. Właśnie! – Przypomniał sobie i uniósł się na krześle. – Miałem ci pogratulować, Łukasz.

– Dziękuję. – Mężczyzna uścisnął wyciągniętą dłoń.

– Siadaj i wracaj do tematu! – syknęła Marzena.

– Temat jest taki, że trzeba babci znaleźć opiekunkę. Bo wy macie tutaj zajęcie, a potem dziecko przyjdzie. I nie da się wszystkiego samemu zrobić. Dlatego ja wymyśliłem, że znajdziecie taką panią, co babci będzie pomagać, a ja będę płacić koszty.

– Mowy nie ma! – Tamara wyprostowała się gwałtownie. – Absolutnie nie możemy się na to zgodzić! Łukasz, powiedz coś!

– Właściwie to jakieś rozwiązanie... – Mężczyzna był mniej negatywnie nastawiony do pomysłu Janka.

– Tamara, przecież babcia to moja rodzina, krew moja. To chyba nie jest nienormalne, że pomaga się rodzinie. – Janeczek starał się przekonać Tamarę.

– Powiedziałam, że się na to nie zgadzam. – Kobieta wstała. – Po moim trupie!

I po tych słowach rozpłakała się. A następnie uciekła do domu.

– Nie przejmujcie się. – Łukasz machnął ręką. – Ostatnio ma takie wahania nastroju. To chyba ta ciąża.

Zdezorientowany reakcją Tamary Janeczek pokiwał głową.

– Kiedy trochę ochłonie, porozmawiam z nią – obiecał Łukasz.

— Spróbuj ją przekonać – poprosiła Marzena. – Przecież to dobre rozwiązanie.

— Zobaczę, co się da zrobić. Jeżeli nie wymyślimy nic innego, to może być naprawdę dobre wyjście. – Przesunął w stronę Janka paterę z ciastem. – Weź jeszcze kawałek i nie stresuj się tak.

Tamara nie wracała.

— Chyba pójdę zobaczyć, co robi – zdecydowała Marzena.

— Sprawdź na górze, pewnie jest w moim pokoju – podpowiedział Łukasz. – A w takim razie ja zabieram Janka na nasz plac budowy.

— A co budujecie? – zainteresował się Janeczek.

— Na razie to nazwa mocno na wyrost. Zacząłem uprzątać teren po stajni. Tamarze marzyły się kolejne pokoje, ale w tej sytuacji raczej niczego nie zaczniemy. Może w przyszłym roku... W każdym razie coś tam dłubię, żeby jej nie robić przykrości.

Marzena odstawiła filiżankę z kawą i wstała z fotelika.

— To ja idę, a wy sobie grzebcie w ruinach – zdecydowała.

Nie zdążyła jednak dotrzeć na górę, bo już w hallu czekała na nią panna Zuzanna.

— Niech do nas wejdzie – zakomenderowała, zagradzając dojście do schodów czarną laską.

— Z przyjemnością. – Marzena potrząsnęła rudą grzywką. – Nie sposób odmówić takiemu zaproszeniu.

– Ty się nie wymądrzaj – pouczyła hrabianka. – Bo damie nie wypada.

– Teraz to pani jest złośliwa, naprawdę!

– Nie jestem złośliwa, tylko szczera. W moim wieku dama już może pozwolić sobie na szczerość.

– Strasznie to skomplikowane. Nie wiem, czy dam radę zapamiętać wszystkie reguły.

– W to akurat wierzę – mruknęła Zuzanna. – No, niech wchodzi, bo Julia czeka.

Marzena weszła do saloniku hrabianek. Bardzo lubiła to pomieszczenie, w którym czas jakby się zatrzymał. Czasami, gdy myślała o hrabiankach, przychodziło jej do głowy, że wraz z nimi to wszystko się skończy i chociaż była dorosła, to tak po dziecięcemu bardzo chciała wierzyć, że staruszkom udało się ten czas zatrzymać na zawsze.

Panna Julia podjechała do dziewczyny i wyciągnęła w jej kierunku paczuszkę.

– Słyszałyśmy, że wybierasz się do Londynu – powiedziała.

– Tak, to prawda. Wyjeżdżamy z Jankiem w przyszłym tygodniu. Trzeba oficjalnie powiadomić jego rodziców o ślubie. Tak chyba wypada, prawda? – Spojrzała zaczepnie na Zuzannę.

– Skoro tak, proszę, weź to. A teraz usiądź, żebym mogła wszystko ci wyjaśnić.

Marzena wykonała polecenie.

– Pojedziesz z misją. Będziesz naszym posłańcem – nie wytrzymała Zuzanna.

— Nie rozumiem?

— Spokojnie, Zuzanno. Wszystko po kolei. Pozwolisz, że jednak ja powiem. Ty bywasz czasem zbyt... bezpośrednia.

— Szczera – mruknęła Zuzanna.

— Posłuchaj, dziecko. – Panna Julia popatrzyła na Marzenę swoimi jasnobłękitnymi oczami. – Chciałabym, żebyś przekazała ten drobny podarunek rodzicom Janka. To nic cennego, bo wiele nie mamy, ale za to dajemy go z serca.

— Oczywiście, przekażę. Na pewno się ucieszą.

— Poczekaj, dziecko, jeszcze nie skończyłam. Razem z podarunkiem przekaż też nasze przeprosiny i prośbę o wybaczenie. Zajęłyśmy ten dworek bezprawnie, zagarnęłyśmy ich własność, a nawet nazwisko. Za to przepraszamy. Róża już nam dała rozgrzeszenie, ale chcemy wszystko załatwić do końca. A dużo czasu już zapewne nie mamy.

Marzena usiłowała coś powiedzieć, ale Julia uciszyła ją gestem.

— Przekaż, że starałyśmy się dbać o wszystko najlepiej, jak umiałyśmy, i jak najwięcej zachować. I że liczymy na przebaczenie. Tak powiedz, dobrze, dziecko kochane?

— Oczywiście, panno Julio, wszystko dokładnie powtórzę.

— A jak wrócisz, to przywieź nam odpowiedź. Będziemy czekały. – Odwróciła wózek i podjechała do okna. – A teraz już idź.

Marzena wyszła z saloniku ze łzami w oczach. Czuła, że dostała do wykonania bardzo ważne zadanie, i była dumna, że hrabianki tak jej zaufały. Pociągnęła nosem i weszła na schody.

— Prawdziwa dama zawsze ma chusteczkę. — Usłyszała za plecami.

Nie musiała się odwracać, wiedziała, kto do niej mówi.

Tamarę znalazła tam, gdzie sugerował Łukasz. Leżała odwrócona twarzą do ściany.

— Hej, to ja. — Marzena przysiadła na brzegu łóżka. — Pogadaj ze mną, co?

— Nie ma o czym.

— A ja myślę, że jest. Nie masz się o co obrażać. My naprawdę chcemy pomóc. I jeżeli na chwilę odłożysz na bok emocje, to sama przyznasz, że nasza propozycja ma sens.

Tamara odwróciła się w jej stronę.

— Myślisz, że o tym nie wiem? — Spojrzała na nią zaczerwienionymi od płaczu oczami. — Rozumiem wszystko, nawet to, że Janek jest jej rodziną. I to, że babcia Róża nie jest moją prawdziwą babcią. Tylko że ja ją kocham tak, jakby była. I bardzo chciałabym jej pomagać. Tylko boję się, że nie dam rady. — Otarła oczy brzegiem kołdry. — Ale mi z tego powodu źle. Nawet bardzo. Nie jest łatwo udawać, że się czegoś nie czuje. Myślisz, że mam serce z kamienia?

— Wcale tak nie myślę. I wiem, że chcesz pomagać babci. Ale nie musisz robić wszystkiego, w części obowiązków może cię ktoś wyręczyć. Babcia na pewno zrozumie.

– Tak myślisz? – Tamara uśmiechnęła się blado.

– Przecież bym cię nie okłamywała. I przestań płakać, bo ten w środku wszystko czuje. – Wskazała na brzuch koleżanki. – Na pewno wolałby wesołą i zadowoloną mamę.

– Nie szantażuj mnie. – Uśmiech Tamary był już całkiem szczery. – Skąd możesz to wiedzieć. – Pociągnęła nosem.

– W sumie nie mogę – zgodziła się Marzena. – Ale za to wiem na pewno, że prawdziwa dama zawsze ma chusteczkę.

❦

Lea obudziła się, jeszcze zanim zadzwonił budzik. W domu nigdy jej się to nie zdarzało. Przeciwnie, musiała się zmuszać, żeby nie wyłączyć irytującego dzwonka i nie zakopać się z powrotem pod kołdrą.

Może to dlatego, że tutaj chodzę spać z kurami – pomyślała, przeciągając się.

Pierwszego wieczora było niełatwo. Hrabianki zniknęły w swojej części domu, pozostali goście też zamknęli za sobą drzwi, Tamara poszła do pokoju Łukasza i Lea słyszała, że o czymś zawzięcie dyskutują. A ona nie miała co ze sobą zrobić. Normalnie wieczory spędzała ze znajomymi. Jak to w mieście – jakiś pub albo restauracja, w weekendy klub z muzyką, żeby trochę potańczyć. Wracała późno, padała na łóżko i zasypiała. Dlatego z trudem rano wstawała.

A tutaj nie było niczego oprócz lasu. Posiedziała przez chwilę na schodkach i obserwowała, jak z minuty na minutę robi się coraz ciemniej. Ptaki ucichły i słyszała tylko szum wiatru w gałęziach drzew. I od czasu do czasu jakieś trzaski w zaroślach. Domyślała się, że to jakieś leśne stworzenia, ale nie miała ochoty sprawdzać jakie. Ze mnie raczej miejskie zwierzę – pomyślała. – Nie po drodze mi z jeżami, zajączkami albo co gorsza z dzikami.

Już miała wejść do środka, kiedy zupełnie przypadkowo popatrzyła do góry. I zobaczyła niebo. Czegoś takiego nigdy wcześniej nie widziała. Między koronami drzew, które tworzyły niesamowity ornament wokół tego naturalnego obrazka, między tymi gałęziami zobaczyła pasy chmur układające się w nieregularne fale na tle czerniejącego nieba. Zachwyciła się. Leśny wieczór – pomyślała.

Natychmiast pobiegła na górę i wyjęła z torby notes. Przymknęła oczy i prawie nie patrząc na kartkę, wiedziona artystycznym instynktem, odtworzyła sosnowy ornament. Miała kolejny projekt! Odpowiednio dobrany krzemień doskonale odda pasy chmur i będzie sercem broszki – pomyślała.

Potem poszła do łazienki, zmyła makijaż i położyła się w bawełnianej pościeli, która pachniała leśnym powietrzem. W domu spała wyłącznie pod satynowymi poszewkami, inne materiały wydawały jej się drapiące i nieprzyjemnie. Ale tego wieczora dotyk bawełny przywołał jakieś dawne, mgliste wspomnienie. Nie zdążyła go skonkretyzować, bo zasnęła.

Następnego dnia zrezygnowała z pudru i kredki do oczu.

— Chciałabym się trochę opalić — usprawiedliwiała się przed samą sobą, patrząc w lustro.

— No wreszcie się dowiem, jak naprawdę wygląda — powiedziała na jej widok panna Zuzanna, a Lea wcale nie poczuła się urażona. Bardzo polubiła tę staruszkę, bo podobnie jak Lea zdawała się nie przejmować opiniami innych. Ubierała się, jak chciała, i mówiła, co myślała. Prawdziwie niezależna kobieta — oceniła Lea.

Sympatia była chyba wzajemna, chociaż oczywiście panna Zuzanna nigdy by się do tego nie przyznała. Ale Tamara powiedziała:

— Jeżeli zostałaś wpuszczona do kuchni i dostałaś prawo do samodzielnego gotowania, to znaczy, że cię zaakceptowała. Moje gratulacje!

I tak Lea upiekła ciasto marchewkowe, podała przepis na sos, a potem na rybę po grecku bez ryby. To znaczy na seler w sosie greckim.

— Jak chce, to niech jutro zrobi. Zobaczymy, czy to się w ogóle da zjeść — stwierdziła panna Zuzanna.

Za to ciasto smakowało. Wyrazy uznania przekazała artystce Tamara, bo kiedy przyjechali jej znajomi, Lea akurat wyjechała do pierwszego kamieniołomu z listy tych, które mogły mieć krzemień pasiasty jako odpad poprodukcyjny. Okazało się bowiem, że krzemienia pasiastego nikt nie pozyskuje specjalnie. Jest go zbyt mało, żeby było to opłacalne. Można go zdobyć właśnie jako niepotrzebne pozostałości po wydobyciu innego kruszywa. Lea nie mogła tego zrozumieć, ale z faktami się nie dyskutuje. Dla niej było to całkiem dobre rozwiązanie, bo potrzebny jej minerał mogła mieć prawie za darmo. Pozostawał jeszcze problem wstępnej obróbki, ale pomyślała, że wszystko będzie załatwiać po kolei. Tu, w Jagodnie, jakoś mniej jej się spieszyło niż w Gdańsku. I nawet zapomniała o tym, że miała ograniczyć swój pobyt w dworku do niezbędnego minimum.

I również teraz, leżąc w łóżku i wpatrując się w błękitne niebo za oknem, nigdzie się nie spieszyła. Nie musiała. Mogła nie wstawać nawet cały dzień. Po raz pierwszy od wielu lat czuła, że naprawdę odpoczywa, że nigdzie nie biegnie, nie zagłusza samotności muzyką czy mało znaczącymi rozmowami i może wreszcie posłuchać samej siebie.

Na razie jednak postanowiła pomóc pannie Zuzannie przy śniadaniu. Ubrała się i poszła na dół. W hallu spotkała Tamarę.

– Ale z ciebie ranny ptaszek! U nas goście mogą spać, jak długo chcą, czyli do dziesiątej, bo wtedy panna Zuzanna zabiera śniadanie – wyjaśniła z uśmiechem gospodyni.

– Pomyślałam, że jej pomogę. O ile ci to nie przeszkadza.

– Przeszkadza? Absolutnie nie! Tylko szkoda, że nie powiedziałaś wczoraj, nie musiałabym tu przyjeżdżać tak wcześnie. – Tamara roześmiała się.

— To ty nie nocujesz tutaj?

— Nie. Mieszkam z córką u babci Róży, w Borowej.

— Przepraszam, myślałam, że jesteście z Łukaszem parą — zmieszała się Lea

— Bo jesteśmy. Tylko to trochę skomplikowane...

— Daj spokój, nie chciałam być wścibska.

— Żaden problem. Wyjaśnię ci to w wolnej chwili. Skoro już tu gotujesz, to wypada, żebym ci przedstawiła małe „who is who" Stacji Jagodno.

— Chętnie posłucham, bo już to, co wiem, zabrzmiało intrygująco.

— W porządku. Ale musisz mi obiecać, że w ramach rewanżu zdradzisz mi tajniki twojej pracy. Bardzo mnie zaciekawiło to tworzenie biżuterii, a nie mam o tym pojęcia.

— W takim razie jesteśmy umówione.

— To może się przy okazji umówią, która mi chleb pokroi, bo do gadania to obie chętne, a do roboty już nie tak bardzo.

Słysząc te słowa dobiegające zza kuchennych drzwi, obie kobiety wybuchły śmiechem.

— Tak, niech dalej robią tyle hałasu, to gości obudzą i wtedy na pewno nie zdążę ze śniadaniem.

— Ona chyba słyszy przez ściany — szepnęła Lea.

— To która idzie na pożarcie? — zapytała Tamara.

— Lubię ryzyko. Wchodzę.

Marysia oparła się łokciami o ladę i obserwowała plażowiczów, którzy w pośpiechu pakowali dziecięce zabawki, ubrania i plażowe akcesoria do toreb, zwijali koce i nawoływali swoje pociechy. A potem, poganiając najmłodszych, szybkim krokiem odchodzili w kierunku zaparkowanych na trawiastym placu samochodów. Auta odjeżdżały jedno po drugim, a ostatni maruderzy z niepokojem spoglądali w niebo.

— Wiedziałam, że tak będzie — powiedziała Beata. — Moja sąsiadka już wczoraj narzekała, że ją w kościach łamie.

Koleżanka stanęła obok i popatrzyła na zbliżającą się od strony Kielc wielką czarną chmurę.

— Może też powinnyśmy zamknąć? — zastanawiała się Marysia. Nie lubiła grzmotów i trochę bała się błyskawic.

— Spoko, nie ma strachu. Z dużej chmury mały deszcz — pocieszyła ją Beata. — Zresztą tutaj to wszystkie pioruny woda ściągnie. No i drzewa. Nasza budka przetrwa. Jak arka Noego. — Mrugnęła do Marysi.

Głęboki pomruk pierwszego grzmotu sprawił, że Marysia drgnęła.

— Coś ty taka strachliwa? — Koleżanka roześmiała się. — Zobaczysz, przejdzie w kilka chwil. A tutaj przynajmniej nie zmokniesz.

Pierwsze krople spadły na taflę zalewu, tworząc na wodzie mozaikę nieregularnych kółek. Powiew mocnego wiatru pochylił korony sosen, które zaszumiały ostrzegawczo. W jednej chwili chmura zasłoniła popołudniowe słońce, a kolejny grzmot odbił się echem od stromego zbocza przeciwległego brzegu.

Marysia obserwowała z niepokojem ten niesamowity spektakl, który zaserwowała im natura. Czuła, że naprawdę się boi. A co będzie, jeżeli piorun uderzy w przyczepę? – myślała.

Nieoczekiwane pukanie do drzwi sprawiło, że zadrżała.

– Hej, może nas przechowacie? – Usłyszała głos Igora.

Przekręciła zamek i wpuściła znajomych do środka. Pierwsza weszła Majka, za nią Tereska i na końcu chłopak.

– Zdążyliśmy w ostatniej chwili. – Majka potrząsnęła dredami i otarła krople deszczu z ramion. – Zaraz porządnie lunie.

– Przynajmniej dzisiaj będziemy miały mniej roboty. – Beata zawsze znajdowała pozytywne strony każdej sytuacji. – A godzinki lecą. – Roześmiała się.

– Rzeczywiście, dzisiaj zapowiada się spokojny dzień – zgodził się z nią Igor.

Zamilkli i patrzyli na przetaczającą się nad zalewem burzę.

– Przynajmniej przez chwilę będzie trochę chłodniej. – Majka odetchnęła głęboko. – Czujecie, jakie teraz jest wspaniałe powietrze? Nie myślałam, że kiedyś to powiem, ale ostatnio naprawdę miałam już dosyć tego słońca. Jakbym mieszkała w piekarniku.

Okazało się, że Beata miała rację. Burza trwała niespełna kwadrans. Deszcz powoli ustawał, słońce znowu odzyskało władzę nad niebem i tylko mokry piasek przypominał o tym, co działo się przed chwilą.

Wyszli z przyczepy i stanęli nad brzegiem zalewu.

– Mamy jeszcze chwilę, zanim plażowicze wrócą. – Igor przeciągnął się, a potem objął Majkę ramieniem. – Może skorzystamy z okazji i popływamy?

– Czy faceci nie są dziwni? – zwróciła się dziewczyna do Marysi. – Przed chwilą uciekał przed deszczem, a teraz z własnej woli chce się zmoczyć.

– Jak nie chcesz, to ja nie zmuszam. Sam pójdę – zdecydował Igor.

Dziewczyny patrzyły, jak powoli wchodzi do wody, ochlapuje ciało, aż wreszcie daje nurka, żeby wypłynąć kilkanaście metrów dalej.

– Coś nie masz humoru – zagadnęła znowu Majka. – Jakieś problemy?

– A kto ich nie ma?

– Ale coś konkretnego czy po prostu mała deprecha?

– Nie wiem, czy mi wyjazd z chłopakiem wypali. – Marysia wzruszyła ramionami. – I w ogóle wszystko się jakoś poplątało...

– Nie wypali, bo co? Kasy nie masz? Przecież tu pracujesz...

– Nie no, pieniądze mam. Tylko moja babcia zachorowała i trzeba będzie się nią opiekować.

– A to ty musisz?

– Właściwie nie wiem jeszcze. W sumie powinnam pomóc mamie. Słyszałam, że kogoś szuka, ale trochę głupio, żeby obcy ludzie, wiesz...

– Może i tak, ale jak nie można inaczej, to czemu nie – zastanawiała się Majka. – Bo twoja mama nie może?

– Nie bardzo. Jest w ciąży – odpowiedziała Marysia i natychmiast się zawstydziła. – Wiem, że to obciach...

– Co? Że będzie miała dziecko? – zdziwiła się Majka. – Przecież to fajnie mieć rodzeństwo. We dwójkę zawsze raźniej, wiesz, jakby co. – Na chwilę posmutniała, coś jej się przypomniało.

– Sama nie wiem. Przecież dzieci powinno się mieć, jak się jest młodym.

– W jakim ty świecie żyjesz? Dziewczyno! A twoja mama jest stara? Nie przesadzaj. – Majka pokiwała głową z politowaniem. – Teraz kobiety rodzą dzieci nawet przed pięćdziesiątką i nikogo to nie dziwi. – Przyjrzała się Marysi uważnie. – Coś mi się wydaje, że wymyślasz na siłę.

– Sama nie wiem. – Dziewczyna wydęła usta. – Może i masz rację...

Marysia nie chciała przyznać, że słowa koleżanki brzmiały sensownie. Chyba rzeczywiście przesadzała. Poza tym w głębi serca czuła, że myśl o rodzeństwie nie jest taka straszna. I trochę było jej głupio, że tak się zachowała wobec matki.

– No to przestań tworzyć problemy, pakuj się i jedź odpoczywać. – Majka poklepała ją po ramieniu. – Zobaczysz, wszystko się ułoży i będzie dobrze.

Wcale nie jestem taka pewna – pomyślała Marysia.

Stojąca obok Tereska w milczeniu przysłuchiwała się rozmowie starszych dziewczyn. Nikt nie pytał jej o zdanie, ale miała pewien pomysł. Tylko trochę wstydziła się o nim powiedzieć.

❧

Nikomu nie wyjawiła, dokąd jedzie. Doskonale wiedziała, co mogłaby usłyszeć, ale wiedziała swoje. Musiała znaleźć rozwiązanie. Róża nie mogła zostać bez opieki. Jej pierwotny plan okazał się niemożliwy do zrealizowania. Zwykle w takich sytuacjach nie przyjmowała do wiadomości, że jej koncepcja może nie zostać zaakceptowana, i kiedy uznała jakieś rozwiązanie za najlepsze – wprowadzała je w życie. Nawet jeżeli innym się to nie podobało. Miała swoje sposoby i potrafiła skłonić ludzi, żeby zastosowali się do jej woli. Dlatego była pewna, że razem z Tamarą i Łukaszem uda im się zorganizować taki system opieki, który będzie dla Róży najlepszy.

Jednak ciąża córki zmieniła wszystko. Ewa była zaskoczona, ale bardzo szczęśliwa, chociaż radość z niespodziewanej nowiny nie zmieniała faktu, że kobieta musiała coś wymyślić.

– Naprawdę nie wiem, co zrobić – zwierzyła się Adamowi. – Masz może jakiś pomysł?

Jednak jej partner był tak podekscytowany wieściami o wnuku, że trudno było go skłonić do rozsądnego myślenia.

– Ty już masz wprawę, jesteś babcią od siedemnastu lat. Dla mnie to debiut, musisz mnie zrozumieć. Nigdy nie byłem dziadkiem – powiedział, kiedy zwróciła mu uwagę, że od kilku dni nie może z nim poważnie porozmawiać.

– Niezbyt eleganckie to twoje tłumaczenie – odpowiedziała nieco złośliwie.

A mówi się, że mężczyźni są rozsądniejsi i mniej ulegają emocjom – myślała, idąc poboczem. – Nie wiem, kto to wymyślił, ale chyba nie miał zbyt wiele doświadczenia życiowego.

Wreszcie doszła tam, gdzie chciała. Pokonała wysokie schody i przycisnęła guzik dzwonka.

– Pani Ewa! – Zofia ucieszyła się na jej widok, ale zaraz spoważniała. – Coś z Różą?

– Proszę się nie denerwować, wszystko w porządku – wyjaśniła szybko. Nie przewidziała, że może być uznana za posłańca przynoszącego złe wieści.

– No to kamień z serca! – Zofia odetchnęła. – Zapraszam do środka, pani doktor. Przepraszam, że ja tak – wskazała na fartuch – ale ziemniaki obieram. Nie spodziewałam się gości...

– To ja przepraszam, że zjawiam się tak bez zapowiedzi. Jeżeli przeszkadzam, to przyjdę później.

– Ja nie dlatego – tłumaczyła gospodyni. – Niechże pani wejdzie. Gość w dom, Bóg w dom, zapraszam. Zaraz w salonie kawę podam.

– Pani Zofio, proszę sobie nie przeszkadzać. Może po prostu w kuchni siądziemy?

– Ale jak to tak? Nie wypada. Pani doktor...

– Nie przychodzę tu jako doktor, tylko jako znajoma.

– Jak tak, to niech już będzie. – Zofia machnęła ręką. Wskazała gościowi miejsce przy drewnianym stole. Trochę ją deprymowała ta elegancka kobieta. Niby znały się i nie raz siedziały razem u Róży w sadzie czy nawet podczas świąt w dworku, ale jednak nie miała do niej śmiałości. – Nikolko, idź pobawić się ze swoją lalą – poleciła wnuczce.

– Ale ja nie chcę – zaprotestowała dziewczynka.

– Babcia bardzo prosi. Ja tu muszę z panią Ewą porozmawiać.

Mała zrobiła obrażoną minę i wyszła.

– Uparta czasami, ale to dobre dziecko – usprawiedliwiała wnuczkę Zofia. – Zrobić kawki czy herbatki?

– A ma pani może taką prawdziwą kawę, nie rozpuszczalną? Bo jeśli nie, to herbatę poproszę. – Ewa powiesiła torebkę na oparciu krzesła.

– A mam! My na taką „fusiasta" mówimy.

– O, właśnie, o taką mi chodzi. Nie smakuje mi ta w granulkach. Za słaba.

– To może jeszcze w prawdziwej szklance zrobić? – zapytała gospodyni.

– Doskonale!

Zofia przygotowała napój gościowi, a sobie nalała ostudzony napar z mięty. Zdjęła fartuch i usiadła.

– To ja słucham – powiedziała. – Co tam u Róży? Kiedy do domu wraca?

– Właściwie to ja właśnie w tej sprawie. – Ewa upiła łyk gorącej kawy. – Doskonała! – pochwaliła. – Wie pani, że Róża nieprędko wróci do formy. Jeśli w ogóle...

— Ano wiem. Byłam u niej. I widziałam, że bardzo się stara, ale siły za wiele nie ma. Aż smutno patrzeć..

— Właśnie. Jej stan jest zadowalający, biorąc oczywiście pod uwagę wiek i to, że dotychczas za bardzo o siebie nie dbała.

— Aż tak to nie. — Zofia stanęła w obronie przyjaciółki. — Przecież Róża na ziołach się zna i niejeden raz nawet mnie podratowała.

— Tylko że zioła lekarza nie zastąpią — pouczyła Ewa.

— Ale ja nie o tym chciałam rozmawiać. Bo jest, jak jest. I chodzi o to, żeby nie było gorzej. Dlatego do pani przychodzę.

— A co ja niby mogę? — zdziwiła się Zofia. — Na leczeniu się przecież nie znam.

— To proszę zostawić mnie. Miałam na myśli pomoc i opiekę. Róża będzie jej potrzebowała. Z pewnych względów Tamara nie może się tym odpowiednio zająć...

— A to ja wiem, pani Tamarka w ciąży jest. — Zofia uśmiechnęła się. — Róża mi powiedziała.

— No właśnie. Czyli pani rozumie. — Ewa była trochę zaskoczona faktem, że stan córki jest już wszystkim znany. Cóż, w małych miejscowościach wieści szybko się rozchodzą — stwierdziła. — Ale może to i dobrze. — Pomyślałam, że pani mieszkała przecież jakiś czas z Różą, znacie się, lubicie. I dlatego przyszłam z pytaniem, czy pani nie mogłaby nam jakoś pomóc w tej trudnej sytuacji. Oczywiście nie za darmo. — Popatrzyła pytająco na gospodynię.

Zofia przez chwilę milczała i widać było, że się zastanawia. Wreszcie położyła dłoń na sercu i powiedziała:

— Pani Ewo, bardzo bym chciała, ale nie dam rady. Bo siłę może bym i znalazła, ale mam wnuki pod opieką. Córka się rozwiodła, to pani pewnie wie. Dużo pracuje, a na dzieci trzeba mieć oko, rozumie pani? Jeszcze za małe, żeby same się rządziły. A teraz jeszcze z ich ojcem problemy są, nie mogą się dogadać, to dzieciaki serca potrzebują. Gdzie ja ich tak zostawię? No nie mogę, niech się pani nie gniewa!

Ewa westchnęła. Co prawda spodziewała się odmowy, ale miała jeszcze nadzieję, że może Zofia da się namówić.

— Cóż, rozumiem — powiedziała. — Będę musiała poszukać kogoś innego. Tylko martwię się, czy Róża zgodzi się na obcą osobę. Bo jeśli nie, to naprawdę nie wiem...

— Pani Ewo, ja mogę zajrzeć czasami, nie mówię, że nie. Ale tak na stałe to naprawdę...

— Oczywiście. Nie mam zamiaru pani zmuszać. — Ewa wstała i sięgnęła po torebkę. — Dziękuję za kawę.

Zofia odprowadziła gościa do drzwi.

— Ale pani się na mnie nie gniewa? — zapytała.

— Jakżebym mogła? Przecież każdy ma swoje sprawy, swoją rodzinę. Niech sobie pani nie robi wyrzutów. Po prostu musiałam spróbować. Martwię się o Różę... — Odwróciła głowę i głośno przełknęła ślinę. — Do widzenia, pani Zofio.

— Do widzenia. Proszę Różę ode mnie pozdrowić. I powiedzieć, że będę zaglądać.

A jednak nie jest taka, jak chce pokazać – pomyślała Zofia, gdy za gościem zamknęły się drzwi. – Można próbować, ale dobrego serca się nie ukryje. Z najtwardszej skorupy wyjdzie.

🐍

Ciche stukanie do drzwi wyrwało Leę z zamyślenia.

– Proszę – powiedziała.

Zdziwiła się na widok Łukasza.

– Przeszkodziłem w czymś?

– Nie, tak sobie stanęłam i podziwiam widok. – Wskazała na okno.

– U was, nad morzem, też chyba sporo sosen – zauważył.

– Niby tak, ale są jakieś inne. Nawet szumią inaczej. Może to głupie, ale te jakby grały jakąś melodię. A tam po prostu wieje wiatr i tyle.

– Ciekawe – stwierdził mężczyzna. – Nigdy się nad tym nie zastanawiałem. Chociaż coś w tym jest. Ja, chociaż urodziłem się daleko stąd, też dopiero gdy zamieszkałem w Borowej, zacząłem zauważać wiele rzeczy. Jakby wszystko tam nie było moje, a tutaj znalazłem się na właściwym miejscu. No, tylko że moja rodzina stąd pochodzi, więc może to kwestia korzeni. – Potarł ręką policzek. – Ale ja nie na pogaduszki przyszedłem, tylko pytanie mam.

– Tak?

– Pamiętasz Grzegorza?

Pokiwała głową.

– Był tu, kiedy wyjechałaś, i pytał o twój numer. Nie miałem, obiecałem zapytać Tamarę, ale zupełnie wyleciało mi z głowy.

– I bardzo dobrze – stwierdziła Lea.

– Jak uważasz. W każdym razie przed chwilą dzwonił i znowu pytał, więc powiedziałem, że jesteś na miejscu.

– A czego on może ode mnie chcieć? Przecież mu zapłaciłam – zdenerwowała się Lea.

– Nie wnikam. – Łukasz wzruszył ramionami. – Tylko przekazuję, że chodzi o samochód i żebyś podjechała.

– Ani mi się śni! Jeszcze czego!

– Rób, co chcesz. – Mężczyzna podszedł do drzwi. Jednak zanim je za sobą zamknął, odwrócił się jeszcze i dodał: – Nie wiem, czy to ważne, ale powiedział dokładnie tak: „Jeśli go tak kocha, jak mówiła, to niech przyjedzie".

Lea została z dziwnym poczuciem, że oto stała się ofiarą szantażu. Jak ten gbur może wątpić w moje słowa – pomyślała. – Przecież jasno dał do zrozumienia, że nie wierzy w to, co powiedziałam. Że alfa to... jak on powiedział? Kaprys dla lansu? A teraz sądzi, że będę mu coś udowadniać? Jeszcze czego!

Postanowiła zlekceważyć wiadomość od mechanika--niemechanika. Niech myśli, co chce, co ją to mogło obchodzić. Jednak po chwili pojawiły się w jej głowie wątpliwości. A jeżeli to coś ważnego? Może zapomniał jej o czymś powiedzieć? W końcu ich rozmowa była krótka i nie należała do miłych. Co, jeśli w aucie jest jakaś usterka?

Naprawdę bardzo lubiła swój samochód. Długo szukała odpowiedniego modelu. Zanim znalazła ten, miała kilka innych, ale wszystkie traktowała po prostu jako rzeczy czysto użytkowe. W każdym było coś, co nie do końca jej odpowiadało.

Alfę zobaczyła przypadkiem, kiedy jeden ze znajomych w niedzielne przedpołudnie namówił ją na udział w zlocie klasyków. Pojechała bez entuzjazmu, ale kiedy pośród wielu prezentowanych aut zobaczyła ten czerwony kabriolet, od razu zrozumiała, że wreszcie znalazła to, czego pragnęła. Pierwszy raz w życiu poczuła, że samochód idealnie do niej pasuje, że nawet jeśli to nieco dziwne, mają taki sam charakter.

Prezentujący alfę mężczyzna za nic nie chciał się zgodzić na sprzedaż. Ale najwyraźniej to auto było jej przeznaczone, bo kiedy już prawie pogodziła się z tym, że się nie uda, córka poprzedniego właściciela postanowiła wyjść za mąż. Wesele, wiadomo, kosztuje. A szczęście córki dla większości ojców jest najważniejsze. I tak dzięki miłości – ojca do dziecka, córki do narzeczonego i jej do samochodu – od dwóch lat jeździła tym cudownym autem.

Dbała o nie i sporo zainwestowała, żeby w pełni odzyskało dawny blask. Miała nadzieję, że będą razem jeszcze wiele lat. To był najdłuższy związek w jej życiu i nie chciała tego zmieniać.

A jeżeli zauważył coś poważnego? – rozmyślała. – Może jednak warto sprawdzić. Żebym potem nie miała wyrzutów sumienia.

Biła się z myślami kilka godzin, ale po obiedzie nie wytrzymała.

Bez trudu odnalazła posesję, z której niedawno odbierała samochód. Weszła na podwórze i od razu skierowała się do gospodarza, który właśnie wyszedł z garażu. Spotkali się w połowie drogi.

– Jestem – powiedziała, poprawiając okulary. – I co teraz?

– Teraz coś pani pokażę. – Zostawił ją na środku podwórka, zniknął za jakimiś drzwiami, by po chwili wrócić, trzymając coś w dłoni. – Wie pani, co to jest?

– Lampa.

– Nie lampa, tylko reflektor. Konkretnie przedni lewy. A jeszcze konkretniej – oryginalny. Jest pani zainteresowana?

– Nie sądzę. Mam przedni lewy oryginalny reflektor. – Podkreśliła kolejno cztery ostatnie słowa. – To wszystko?

– Tak. Z jedną małą uwagą. Ma pani, ale nie oryginalny. Jeśli więc naprawdę zależy pani...

– Proszę pana – przerwała mu, zła, że po raz kolejny chce podważyć jej stosunek do auta. – Nie muszę się panu tłumaczyć, ale powiem i niech pan to sobie raz na zawsze zapamięta. Zależy mi i może być pan pewien, że moja alfa ma wszystko, co trzeba. Jest pod opieką doskonałego fachowca, który na pewno powiedziałby mi, gdyby z tą... tym reflektorem było coś nie tak. Więc jeżeli się panu wydaje, że uda się panu mnie naciągnąć, bo jestem kobietą, to muszę pana rozczarować. – Dmuchnęła, żeby odgarnąć z twarzy kosmyk włosów. – Żegnam pana.

Zmierzyła pogardliwym spojrzeniem mężczyznę i odwróciła się na pięcie.

Co za palant! – pomyślała. – Wydawało mu się pewnie, że wyciągnie ze mnie kilka stówek. Nie dosyć, że mruk, to w dodatku krętacz. I jeszcze jaki mądrala. Nie lampa, tylko reflektor – przedrzeźniała w myślach. – To sobie ten reflektor w tyłek teraz wsadź!

Zofia nie mogła znaleźć sobie miejsca. Ciągle myślała o wizycie Ewy i o tym, co tamta jej powiedziała. Szczególnie mocno utkwiły jej w głowie słowa, że Róża ją lubi, i przypomnienie, że mieszkała w białym domku.

Wiedziała, że Ewa nie miała zamiaru niczego jej wypominać. Po prostu wspomniała o tym, żeby powiedzieć o zaufaniu, jakie ma do niej Róża, ale ta świadomość jeszcze bardziej ją zasmucała. Czuła, że ma wobec Róży dług wdzięczności. Przecież ledwie się znały, a jednak przyjęła Zofię pod swój dach. Nie zawahała się pomóc, podzieliła się wszystkim, chociaż sama nie miała zbyt wiele, i pozwoliła mieszkać tak długo, jak Zofia chciała.

A teraz sama potrzebowała pomocy.

Nieładnie z mojej strony, że odmówiłam – myślała. – To tak jakbym się od niej odwróciła, jakbym była niewdzięcznicą jakąś.

Ta myśl ciągle do niej wracała. Ale patrzyła na wnuki – na małą Nikolę, Pawełka z ręką w gipsie i Krzysia, który starał się pomagać w codziennych obowiązkach. Jak mogła zostawić ich bez opieki? Przecież jej potrzebowali.

Zofia naprawdę nie wiedziała, co robić. Nie chciała rozmawiać o tym z Kasią, ale czuła, że jeśli nie podzieli się z kimś swoimi odczuciami, to nie da sobie rady.

Dlatego w sobotnie popołudnie, kiedy skończyła zmywać po obiedzie, powiedziała do córki:

– Idę w odwiedziny do dworku.

Kasia odłożyła do szafki ostatni wytarty talerz.

– To kawał drogi, podwiozę cię.

– Nie trzeba. Mam ochotę na spacer.

– Ale twoje nogi... – zaprotestowała córka.

– Czasami od nóg ważniejsza jest głowa.

Kasia milcząco zaakceptowała decyzję matki.

Dojście do dworku zajęło Zofii sporo czasu i nogi rzeczywiście bolały, ale nie żałowała swojej decyzji. Tak dawno nie była w lesie. Szła powoli, krok za krokiem, ale przecież nie musiała się spieszyć. Miło było przystanąć, żeby popatrzeć na mrówki ciągnące sosnowe igły albo posłuchać ćwierkania ptaków między gałęziami.

– Pani Zofio, a co panią do nas sprowadza? – Tamara rozpoznała ją z daleka. Właśnie zbierała z rozwieszonych między drzewami sznurków wyschniętą pościel.

Złożyła ostatnią poszwę, podniosła kosz z praniem i wyszła gościowi naprzeciw.

— Tamarko, ty nie powinnaś chyba takich ciężarów dźwigać! W twoim stanie...

— Widzę, że babcia Róża już się wygadała — zauważyła kobieta ze śmiechem. — Ale proszę się nie martwić, to nie jest ciężkie. W tym słońcu wyschło na wiór.

— Jak tam uważasz, ale czy nie ma jakiegoś mężczyzny, żeby to zrobił?

— Jakiś mężczyzna wiesza hamaki za dworkiem, więc chwilowo jest zajęty. A pani dlaczego w taki upał piechotą idzie? Trzeba było zadzwonić, wyjechałabym po panią. Hrabianki pewnie się ucieszą z odwiedzin.

— Ja bardziej do ciebie przyszłam — wyznała nieśmiało Zofia.

— Do mnie?

— Ano tak.

— W takim razie zapraszam, niech pani usiądzie w saloniku. Ja to tylko odniosę i przyjdę.

Wróciła z dzbankiem wody, w której pływały plasterki cytryny i kostki lodu.

— Trzeba się nawadniać — powiedziała, nalewając napój do szklanek.

— Racja — przyznała Zofia.

— To w czym mogę pani pomóc?

— Tak po prawdzie, przyszłam się wytłumaczyć.

Tamara spojrzała pytająco.

— Bo ja wiem, że ty nie możesz się babcią cały czas zajmować. I że powinnam się zgodzić, jak twoja mama przyjechała. Ale naprawdę nie mogę wnuków zostawić. Dręczy mnie to bardzo, dlatego przyszłam. Żebyś nie myślała, że ja wszystko, co wy dla mnie zrobiliście, zapomniałam i że żadnej wdzięczności nie czuję.

– Moja mama u pani była? Nic o tym nie wiem.

– Oj, to ja chyba znowu źle zrobiłam. – Zofia położyła dłoń na ustach.

– Bardzo dobrze pani zrobiła.

– Właśnie nie wiem. Bo teraz widzę, że pani Ewa chciała sama wszystko załatwić. Nie pomyślałam, że to tak...

– Pani Zofio, bardzo panią przepraszam. Mama nie powinna była... Porozmawiam z nią. Przecież pani nie jest nam nic winna. Gdyby się babcia Róża o tym dowiedziała, to ja nie wiem, co by było – zdenerwowała się Tamara. – Przecież ona nigdy za swoje dobre serce niczego nie chciała.

– Nie, Tamarko, nic mamie nie mów. Chciała dobrze. Tylko ja nie zrozumiałam, że ona to wszystko z miłości. Do ciebie, Tamarko, i do Róży. Dlatego ja żadnych pretensji nie mam. W ogóle nigdy nie miałam. Chciałam tylko, żebyś wiedziała, że gdybym tylko mogła... Ale nie mogę, naprawdę nie mogę.

– Pani Zofio, proszę przestać się tłumaczyć. Bo jeśli pani moją mamę usprawiedliwia, to siebie samej też pani nie powinna winić. No przecież dokładnie to samo pani robi, prawda? Wszystko z miłości i dla rodziny.

– Też racja – potwierdziła kobieta i jakoś lżej się jej na sercu zrobiło. – Jak to dobrze czasami z kimś porozmawiać. Ale mamie nie powiesz, że byłam?

– Nie powiem.

– To dobrze. A jak tu u was idzie? Chyba goście dopisują? – Zofia najwyraźniej odzyskała humor i zainteresowanie światem. – Taki ładny samochód przed domem stoi. To z zagranicy? Bo taki bez dachu, jak z filmu...

– Samochód włoski, ale gość krajowy – wyjaśniła Tamara. – Lea przyjechała tutaj aż z Gdańska. Szukać natchnienia. Projektuje biżuterię i mówi, że u nas jej dobre pomysły do głowy przychodzą.

– Lea? A co to za imię? – zdziwiła się starsza pani.

– Właściwie nie wiem. Tak się przedstawiła. Pewnie zdrobnienie od czegoś. Może od Leokadii?

– A może od Leonii? – powiedziała Zofia i nagle spoważniała.

– Może. Chociaż ja nigdy takiego imienia nie słyszałam.

– A ja słyszałam. – Podniosła się z krzesła z westchnieniem. – Powinnam już wracać, bo zanim się do domu doczłapię, to wieczór będzie.

– Mowy nie ma, żeby pani szła z powrotem! Lecę po kluczyki, a pani niech wsiada do samochodu. Podwiozę pod samą furtkę.

❦

– Jeżeli krzywo zszyjesz, to musisz wypruć i zrobić jeszcze raz. Przeszywanie po raz drugi nie pomoże. Będzie się marszczyło i tyle. – Odłożyła letnią bluzkę na taboret. – Nic się na to nie poradzi. Szycie wymaga cierpliwości.

Tereska westchnęła.

– Wiem, pani Zofio. Tylko czasami brakuje mi cierpliwości. Chciałabym skończyć, bo w głowie mam następny pomysł.

– Albo się coś robi dobrze, albo lepiej się nie brać za to wcale. Ja tak myślę.

– Dobrze, spruję i zrobię jeszcze raz.

– A z tym co? – Zofia sięgnęła po następną z przyniesionych przez dziewczynę rzeczy.

Tereska nie zdążyła odpowiedzieć, bo od strony salonu dobiegł podniesiony głos Kasi.

– Ile razy mam ci powtarzać, że lepiej poczekać!

Chwila ciszy i usłyszały dalszy ciąg dialogu.

– Nie, nie będziesz mi już rozkazywał.

Chcąc nie chcąc, stały się świadkami rozmowy.

– Jasne! Masz prawo. Tak, wiem, sąd dał ci to na piśmie. Ja też mogę ci to dać na piśmie! ... A czy ja mówię, że mam zamiar ci coś utrudniać? ... Człowieku! Pawełek na samo wspomnienie tych nieszczęsnych wakacji ma łzy w oczach! ... Krzysiek powiedział, że sam nigdzie nie pójdzie! To co mam zrobić?! Zmusić go?! Jak to sobie wyobrażasz?! ... Nie rozśmieszaj mnie! Przecież to jakieś bzdury! ... Naprawdę? Chcesz się spotykać z dziećmi? To może powinieneś sobie przypomnieć, że oprócz synów masz jeszcze córkę?! Jak dorośnie, to już zapomni, że w ogóle ma ojca. Chociaż może to i lepiej!

Zofia ukryła twarz w dłoniach. Tereska milczała.

– Nie strasz mnie policją! Jak przyjadą, to im powiem, że ojciec, zamiast zajmować się dziećmi, zostawiał je w pokoju bez opieki, a sam zabawiał się ze swoją nową panią! ... Mylisz się, nie interesuje mnie twoje nowe życie! Chodzi mi tylko o dobro chłopców! ... – Ja – zazdrosna?! Nie bądź bezczelny! Tak nie zamierzam z tobą rozmawiać!

Kasia z impetem wpadła do kuchni.

– Jemu się wydaje, że jestem zazdrosna o tę babę! Wyobrażasz sobie, mamo? – Dopiero teraz dostrzegła znieruchomiałą Tereskę. – Nie wiedziałam, że jesteś... – Była zaskoczona widokiem gościa.

– Przepraszam, już idę. – Dziewczyna odzyskała zdolność ruchu i zaczęła w pośpiechu zbierać swoje fatałaszki.

– Nie, to ja przepraszam, że musiałaś tego słuchać. – Kasia oparła czoło o framugę. Zimny metal ostudził rozgrzaną skórę i emocje. – Pójdę do sypialni, muszę się położyć – powiedziała dużo ciszej. – Rozbolała mnie głowa.

– Siadaj, Teresko – powiedziała Zofia, kiedy córka wyszła. – Co się stało, to się nie odstanie. Słyszałaś i tyle. To teraz możesz zostać, dokończymy, co zaczęłyśmy.

– Ja nikomu nie powiem, pani Zofio. Niech pani nie płacze. – Dziewczynie zrobiło się przykro na widok łez kobiety.

– Wiem, dziecko. I nie dlatego płaczę. Tylko córki mi żal, że za drania wyszła. Taka prawda. A teraz jeszcze się uwolnić od niego nie może.

Tereska pokiwała głową. Wiedziała dużo o życiu, a o złych mężczyznach jeszcze więcej. Ale przypomniała sobie, że wie też coś o dobrych.

– Moja mama w końcu spotkała pana Romka – powiedziała, bo chciała jakoś pocieszyć panią Zofię.

– Wiem, dziecko, wiem. I może Kasia też w końcu trafi na swoje szczęście. A na razie muszę ją wspierać. I wnuki też. Takie to życie jest, moje dziecko... Zresztą niepotrzebnie ci to wszystko mówię... Tylko czasami człowiekowi smutno, że nawet najbliższym trudno pomóc.

– Przecież pani wszystkim pomaga – zaprotestowała Tereska. – Mnie na przykład.

– Dobre z ciebie dziecko, Teresko. – Pani Zofia otarła łzy. – Próbujesz pocieszać. Choć ja tam swoje wiem. Ale tyle ci powiem, że jak można pomóc, to trzeba to robić. Ty do kogoś wyciągniesz rękę w potrzebie, a potem tobie ktoś inny pomoże. Jak się dobrem podzielisz, to będzie go coraz więcej na świecie. Pamiętaj!

Tereska pokiwała głową. I o czymś sobie przypomniała. Już chyba wiedziała, jak to dobro na świecie rozmnożyć.

– Dzisiaj pojedziemy do dworku.

– Tego, gdzie mieszkają hrabianki?

– Tak, do tego. Skąd wiesz?

– Mama opowiadała. Mówiła, że tam jest bardzo miło.

– Miała rację.

– To ja chcę ładną sukienkę.

– Proponuję raczej spodenki i koszulkę.

– Ale jak są hrabianki, to ja muszę wyglądać jak księżniczka.

Małgorzata roześmiała się. Dziewczynka chwilami była naprawdę rozbrajająca.

– Księżniczką można być bez względu na ubranie. A spodenki są lepsze, bo będziesz się bawiła z Nikolą. Znasz ją, prawda?

Mała pokiwała głową.

– Znam z przedszkola.

– No to ubieramy się i jedziemy.

Właściwie nie planowała tego wyjazdu, ale poprzedniego dnia zadzwoniła Tamara.

– Już całkiem przepadłaś czy co? – zapytała. – Byłam dzisiaj w Jagodnie, chciałam do ciebie zajrzeć, a tam kartka, że zamknięte. Na urlopie jesteście?

– W pewnym sensie. Siedzę z Amelką w domu, zapomniałaś?

– Racja! Wiesz, że całkiem mi to z głowy wyleciało? Ciągle coś się dzieje... No ale chyba dziecko to nie przeszkoda, żeby odwiedzić koleżankę?

– Jasne, że nie. Tylko nie wiem, czy uda mi się ją z baseniku wyciągnąć. Oszalała na jego punkcie.

– U nas basenu nie ma, ale są hamaki. Łukasz założył. A, mam jeszcze lepszy pomysł! Zadzwonię do Kasi, wiesz, Koceli. Ona ma córkę w wieku Amelki. Fajne dziecko, pani Zofia z nią czasem przychodziła do babci

Róży. Może ją weźmie i przyjadą. Dzieci będą się bawić, a my sobie pogadamy.

– Brzmi nieźle.

– W takim razie dzwonię. Jutro o siedemnastej może być?

– Nie ma sprawy.

I w ten właśnie sposób spotkały się w Różanym Kąciku.

– Powiem wam, że łatwo nie było. – Kasia wachlowała się wyjętą z torebki gazetą. – Musiałam zwolnić się z kursu, ale pomyślałam, że też mam prawo do odpoczynku.

– A jaki kurs robisz? – zainteresowała się Małgorzata.

– Księgowość. Ale czasami mi się wydaje, że porwałam się z motyką na słońce. Nie wiem, czy sobie poradzę.

– Popatrz na nas. – Małgorzata wskazała siebie i Tamarę. – Każda z nas zaryzykowała i zrobiła coś, co wydawało się niemożliwe. A jednak się udało. To niby dlaczego z tobą ma być inaczej?

– Może i racja. Tylko że ja mam trójkę dzieci w ramach bonusu.

– Ale masz panią Zofię – powiedziała Tamara.

– Tak, bez mamy bym sobie nie poradziła. Zresztą sama niedługo się przekonasz, że jak jest dziecko, to przestaje się być panią własnego życia.

– Tamara? – Małgorzata spojrzała pytająco na koleżankę.

– No tak, to prawda – przyznała gospodyni. – Spodziewam się dziecka. Taka niespodzianka na czterdziestkę – próbowała żartować.

Nie mówiła Małgorzacie o ciąży, bo nie chciała sprawiać jej przykrości. Wiedziała, że żona wójta bardzo chciałaby mieć dziecko. Dlaczego się nie zdecydowali – nie wiedziała i nie dopytywała. Ale miała świadomość, że dla koleżanki może to być trudny temat.

Cóż, w końcu i tak będzie widać – pomyślała.

– Cieszę się razem z tobą – powiedziała Małgorzata, ale Tamara widziała, że jej oczy mówią coś innego.

Zapadło niezręczne milczenie. Kasia też poczuła, że atmosfera się zmieniła, ale nie rozumiała, o co chodzi. Na szczęście w tym momencie pojawiła się Lea.

– Witam panie! Czy mogę dołączyć do towarzystwa?

– Oczywiście – zaprosiła ją Tamara. – Małgorzatę już miałaś okazję poznać, a to jest Kasia.

Lea wyciągnęła zza pleców salaterkę.

– Jak się wpraszać, to nie z pustymi rękami – powiedziała. – Sałatka owocowa. Doskonała na upały i centymetrów nie przybywa. – Mrugnęła porozumiewawczo.

– Nie wiem jak wy, ale ja chętnie spróbuję. – Tamara od razu zajrzała do naczynia.

– To może poczekaj, aż przyniosę talerzyki i łyżeczki, co? Czy rękami będziesz jadła?

Nastrój od razu się poprawił. Owocowa sałatka miała jakąś ożywczą moc, bo po chwili rozmawiały, jakby znały się od dawna.

– Jak ci się podoba w Jagodnie? – zapytała Kasia. – W porównaniu z Gdańskiem to pewnie straszna dziura.

– Wiadomo, duże miasto jest inne – odpowiedziała Lea. – Nie da się tak porównywać. Ale mogę powiedzieć, że tutaj poczułam się jak w domu. I mówię to całkiem serio.

Kasia przyglądała się nowej znajomej. Od razu widać było, że przyjechała z innego świata. Niby miała na sobie proste spodnie i lekką bluzkę, ale Kasię zawsze interesowały modowe nowinki i teraz rozpoznała, że to ciuchy znanych marek.

Nawet metek nie musi być widać – pomyślała. – Wystarczy popatrzeć na materiał. I wszystko tak dobrze się układa. Gdybym miała takie rzeczy, to zakładałabym je na specjalne okazje, a ona używa ich na co dzień.

– Zazdroszczę ci trochę tego miasta – westchnęła. – Na pewno łatwiej się tam żyje. I ludzie zupełnie inni...

– A myślisz, że lepsi? – parsknęła Lea. – To ci powiem, że takiej życzliwości jak w Jagodnie nigdzie nie spotkałam.

– Niech ci będzie. – Kasia machnęła ręką. – Ale ja swoje wiem. – Nabiła na widelec kawałek arbuza. – A jak ty tutaj w ogóle trafiłaś? Przecież to kawał drogi.

– Nie uwierzysz! – wtrąciła Małgorzata. – Wracała ze Świętej Katarzyny do domu i samochód jej się zepsuł akurat przed Kolorowym Szalikiem.

– Ale to chyba jakoś nie w trasie na Gdańsk?

Logika Kasi była niepodważalna. Tamara i Małgorzata spojrzały pytająco na Leę. Ta wzruszyła ramionami.

– To prawda, trochę zjechałam. Taki skok w bok. Spontan, chwilowa decyzja, tyle.

Czuła, że przyjęły to, co powiedziała, ale nie uwierzyły. Sama bym sobie nie uwierzyła – pomyślała.

– No dobra, niech będzie, powiem. Naprawdę tego nie planowałam, ale zobaczyłam drogowskaz i przypomniało mi się, że kiedyś słyszałam tę nazwę. Daleka rodzina chyba pochodzi z tych okolic. – Nieco nagięła prawdę, ale to już brzmiało wiarygodniej. – Pomyślałam, że przy okazji zobaczę, jak tutaj jest, bo pewnie drugi raz nieprędko będę w tych stronach.

– A tymczasem wróciłaś po tygodniu – zauważyła Tamara.

– Jak widać.

– To ty jednak jesteś nasza. – Kasia się ucieszyła.

– Sama widzisz, że nie ma między nami różnicy.

– Oprócz jakichś piętnastu kilogramów – stwierdziła Kasia.

Roześmiały się wszystkie cztery.

Ewa już przez dłuższą chwilę stała przed drzwiami szpitalnej sali. Miała świadomość, co usłyszy, gdy tylko stanie przy łóżku Róży. Od kilku dni starała się zmieniać temat, ale i tak wiedziała, że w końcu będzie musiała o tym porozmawiać.

Nigdy nie bała się trudnych rozmów. Nie uciekała od nich, załatwiała nawet najgorsze sprawy szybko i ze spokojem. Nie raz mówiła ludziom o śmierci najbliższych, a przecież trudniejszej sytuacji chyba nie można sobie wyobrazić. A teraz stała i czuła, że się boi.

Moje czekanie niczego nie zmieni – pomyślała. – Po prostu muszę to zrobić.

W myślach przeanalizowała już chyba wszystkie możliwie scenariusze i przygotowała wiele argumentów, ale miała przeczucie, że i tak na nic się to nie przyda. Trudno, co ma być, to będzie – stwierdziła w końcu. Nabrała powietrza i pchnęła białe drzwi.

– Ewuniu, kiedy mnie wreszcie stąd wypuszczą? – Właśnie takie pytanie słyszała każdego dnia.

– Już niedługo, Różo. – Usiadła przy łóżku. – Dzisiaj rozmawiałam z lekarzem. Powoli kończą badania, potem wszystko podsumujemy i będziemy wdrażać odpowiednie leczenie.

– Ty do mnie nie przemawiaj jak medyk, tylko normalnie mi powiedz co i jak. – Babcia Róża wyciągnęła rękę i ścisnęła dłoń Ewy. – Czy znaleźliście coś poważnego? Mogę w każdej chwili umrzeć? Tylko mów mi prawdę, bo wiesz, że kłamstwo rozpoznam natychmiast.

– Umrzeć może każdy i zawsze.

– Nie kręć! – Głos staruszki był poważny.

– Różo, prawda jest taka, że z twoim zdrowiem jest źle. Oprócz serca doszły jeszcze: cukrzyca, zapewne nigdy nieleczona, skoki ciśnienia, no i zaawansowana osteoporoza.

– W moim wieku to chyba nic dziwnego.

— Właśnie dlatego, że jesteś w swoim, jak sama powiedziałaś, wieku, trzeba szczególnie uważać. To dodatkowe obciążenie, a nie usprawiedliwienie.

— Obiecuję, że będę uważała. Tylko niech mnie już wypuszczą. Nie mogę powiedzieć, wszyscy tu są dla mnie mili, ale tęsknię za domem.

— I właśnie o tym musimy porozmawiać.

Babcia Róża poprawiła się na poduszce.

— Czuję, że coś wymyśliłaś i że mi się to nie spodoba.

Ewa westchnęła.

— Owszem, mam ci coś do powiedzenia. Tylko proszę, nie przerywaj, dopóki nie skończę. Powiem wprost: nie możesz być sama. W tym stanie to wykluczone.

— Przecież mieszka ze mną Tamara...

— Miałaś nie przerywać — upomniała ją Ewa. — Doskonale wiesz, że Tamara jest w ciąży i zajmuje się dworkiem. A ty potrzebujesz stałej opieki. Musisz to zrozumieć. Ktoś powinien być przy tobie właściwie cały czas. Bo co będzie, jeśli spadnie ci poziom cukru? Albo nagle podniesie się ciśnienie? A jeśli zasłabniesz?

Róża patrzyła na Ewę z takim smutkiem, że tej zachciało się płakać. Mówiła jednak dalej:

— Myślałam o opiekunce, ale nie mamy nikogo sprawdzonego, a obcej osobie nie zaufam. Dlatego jest tylko jedno rozwiązanie. Nasz dom będzie gotowy za jakieś dwa miesiące. Do tej pory zamieszkasz ze mną w Kielcach, a potem razem przeprowadzimy się do Borowej. Będziesz miała swój pokój, a ja ciebie na oku. Wrócisz, tyle że kilkaset metrów dalej. To jedyne rozsądne wyjście. – Zamilkła i spojrzała na staruszkę.

Chora siedziała z przymkniętymi oczami. Po chwili podniosła powieki i popatrzyła na Ewę tak, że ta poczuła, jak cierpnie jej skóra. Nigdy nie widziała u Róży takiego spojrzenia.

– Widzę, że zdecydowałaś za mnie. I sądzisz, że ja się z tym pogodzę, prawda? Posłuchaj więc, chociaż to, co powiem, nie będzie dla ciebie miłe. Bardzo dziękuję za propozycję gościny, ale z niej nie skorzystam. Odmawiam, słyszysz? Wiem, że przez całe życie wszyscy ci ulegali. Jesteś uparta i nie uznajesz sprzeciwu. A jednak ten jedyny raz będziesz musiała. Oświadczam ci, że nie opuszczę swojego domu i kiedy stąd wyjdę, wrócę do niego. Jedyne miejsce przeprowadzki, które przewiduję, to cmentarz. To moje ostatnie słowo i liczę, że je zapamiętasz.

Ewa spodziewała się różnych odpowiedzi, ale słowa, które usłyszała, nie mogły pomieścić jej się w głowie. A konkretniej to, jak Róża do niej mówiła. Ten ton! Jakby rozmawiała z kimś obcym, z wrogiem! Ta ostatnia myśl była jak nóż wbijający się w serce.

– Różo! Jak możesz mnie tak traktować?! – Nie wytrzymała wielodniowego napięcia i wybuchła. – Przecież ja chcę dla ciebie jak najlepiej! Jak możesz tego nie widzieć? – I rozpłakała się. Schowała twarz w dłoniach i szlochała.

– Chodź do mnie, Ewuniu. – Usłyszała cichy głos. Teraz mówiła do niej Róża, którą znała. Ta dobra, czuła i opiekuńcza. – Chodź, dziecko, niech cię przytulę.

Usiadła więc na brzegu łóżka i wtuliła się w ciepłe ramiona staruszki.

– Ewuniu, musisz mnie zrozumieć. – Słowa docierały do jej uszu nieco stłumione przez flanelę koszuli nocnej, ale słyszała wszystko. – Nie chcę żyć nigdzie indziej. Już kiedyś ci to tłumaczyłam i nic się od tamtego czasu nie zmieniło. No, może rzeczywiście zdrowie mam gorsze. Trudno, to naturalne. Sama powiedziałaś, że każdy może umrzeć. I umrze. Ja też, przecież o tym wiem. I ty wiesz. Jesteś uparta, ale nie masz takiej siły, żeby zatrzymać śmierć. – Poczuła, że pomarszczona dłoń gładzi ją po głowie. – Jeszcze raz ci powiem: chcę odejść na własnych warunkach. Kocham cię, doceniam twoją troskę, ale nie ustąpię. Mogę ci obiecać, że będę brała lekarstwa, że postaram się oszczędzać, ale to wszystko. Nie oddam mojego życia przed śmiercią. Nie możesz mnie do tego zmuszać.

– Różo...

– Nic nie mów, ja wiem...

I teraz płakały obie. Wtulone w siebie, na szpitalnej pościeli.

– Coś się stało? – zaniepokoiła się pacjentka z sąsiedniego łóżka, która właśnie wróciła ze sklepiku. – Mogę jakoś pomóc?

– Wszystko w porządku. – Babcia Róża podniosła rękę w uspokajającym geście.

***

— Mama! Mama!

— Amelka! — Jadwiga kucnęła i rozłożyła ramiona, a mała z impetem wpadła w jej objęcia. — Tak się za tobą stęskniłam!

Małgorzata wyszła zza rzędu iglaków i podeszła do Jadwigi.

— Już jesteście? Spodziewałam się was dopiero wieczorem.

— Faktycznie, mieliśmy pokój do dwunastej, ale ja już od rana zadręczałam Romka, że chcę jechać. Wytrzymał do śniadania, a potem wpakował torby do bagażnika i ruszyliśmy w drogę.

— A co? Nie podobało ci się?

— Oj, przeciwnie! Bardzo mi się podobało. — Jadwiga pogłaskała córkę po głowie i wstała. — Mówię ci, jak tam cudownie! Nie wiedziałam, że może być tyle restauracji na jednej ulicy. A na plaży stały takie kosze z wikliny do siedzenia i Roman wynajął jeden specjalnie dla mnie. Wyglądałam jak królowa!

— Tak, szczególnie kiedy uparłaś się, żeby spróbować wody — wtrącił się Roman, który właśnie do nich dołączył. — Chciała sprawdzić, czy na pewno słona. Gdybyś widziała jej minę...

— Może siądziemy i wszystko mi opowiecie? — zaproponowała Małgorzata. — Przyniosę kawę, coś na ząb... Pewnie jesteście głodni po podróży.

— Nie rób sobie kłopotu. — Jadwiga zerknęła na Romana. — Dzwoniłam do domu, Tereska czeka z obiadem. Coś tam specjalnego na powitanie upichciła.

– Jak chcecie. – Małgorzata nie nalegała, ale czuła, że zaczyna jej drżeć broda.

– A ja bym się szybkiej kawy napił. – Roman zauważył minę gospodyni i domyślił się jej przyczyny. – Ta droga trochę mi dała w kość, a w domu pewnie szybko nie odpoczniemy, bo dzieciakom trzeba będzie relację zdać.

Małgosia odetchnęła z ulgą.

– W takim razie siadajcie, a ja włączę ekspres.

– Amelko, a jak ty się bawiłaś? – Jadwiga posadziła sobie córkę na kolanach. – Też miałaś takie udane wakacje jak my?

– Tak! – Dziewczynka klasnęła w ręce. – Byłam tam, gdzie mieszkają bizona, chodziłam z ciocią na spacery, łaskotałyśmy się po piętach i Okruszek ze mną spał – wyliczała ze skupioną miną. – A wujek kupił mi basen, wiesz?

– Naprawdę? – Jadwiga udała zdziwienie.

– Jak nie wierzysz, to mogę ci pokazać. Chodź. – Zeskoczyła z matczynych kolan i pociągnęła Jadwigę za rękę. – No chodź!

Małgorzata, stojąc w kuchni, słyszała całą tę rozmowę. Cieszyło ją, że dziewczynka tak dobrze wspomina pobyt u nich, ale myśl o jej rychłym odjeździe kłuła jak niewidzialna szpilka wbijana w serce.

– Romku, zabierz ten basen – powiedziała, wynosząc na taras tacę z filiżankami. – Amelka bardzo go lubi, a tu już do niczego się nie przyda. My moglibyśmy najwyżej nogi w nim moczyć – próbowała żartować, ale nie było jej do śmiechu.

— Mama przywiozła mi kamyki znad morza. — Mała przybiegła od strony ogrodu. — Zostawię ci jednego, ciociu, bo cię kocham. — Wyciągnęła w stronę Małgorzaty rączkę, w której ściskała biały kamyczek.

Wójtowej zwilgotniały oczy.

— I co miałaś jeszcze powiedzieć? — upomniała ją Jadwiga.

— Że dziękuję cioci za wspaniałe wakacje.

— Nie ma za co, Amelko. — Schyliła się i pocałowała dziecko w czoło. — Zawsze możesz mnie odwiedzić. Oczywiście jeśli mama pozwoli.

— Pozwolisz? — Dziewczynka podniosła oczy na matkę.

— Tak, pozwolę. — Jadwiga uśmiechnęła się. — I jak tam? Wypiłeś już kawę? — Spojrzała na Romana. — Nie gniewaj się, że tak ponaglam, ale w domu czekają z obiadem — wyjaśniła przepraszająco.

— Rozumiem, oczywiście.

— Romku, zabierzesz rzeczy Amelki?

— I Okruszka — przypomniała mała.

— O Okruszku nie można zapomnieć. — Roman roześmiał się.

— Wszystko przygotowałam w hallu — wtrąciła Małgorzata.

Jadwiga podeszła do żony wójta i podała jej małą torebkę.

— Dziękuję ci, że zajęłaś się Amelką. A to taki drobiazg dla ciebie. Magnes na lodówkę. Z bursztynem, podobno prawdziwy...

— Jadziu, nie trzeba było...

— To z serca. Bo dzięki tobie byłam spokojniejsza. — Odwróciła się do córki. — Pożegnaj się z ciocią, Amelko.

— Do widzenia, ciociu Małgosiu!

— Pa, słoneczko!

— Gotowe? — Roman pojawił się z basenikiem pod pachą. — Bo Okruszek już siedzi w samochodzie.

Małgorzata pomachała im, stojąc przy ogrodzeniu. A potem weszła do domu i zamknęła drzwi na taras.

Kiedy Kacper wrócił do domu, zastał żonę siedzącą na kanapie w salonie. Zdjął marynarkę i usiadł obok niej.

— Ale cisza — powiedział. — Aż w uszach dzwoni.

Objął Małgorzatę ramieniem i siedzieli tak w milczeniu, a kobieta ściskała w dłoni biały kamyk.

🐝

Lea szła leśną ścieżką i zastanawiała się, co naprawdę czuje. Owszem, miewała wahania nastroju, czasami gorsze dni, jak chyba każdy. Ale nigdy nie było tak, że w jednej chwili czuła się szczęśliwa, a za moment miała poczucie, że traci czas na tej wsi i powinna wracać tam, gdzie jej miejsce.

Przecież ta cała Stacja Jagodno to zupełnie nie moja bajka — myślała. — Wolę miejskie życie, takie tętniące energią, mocne, pełne wrażeń. Ile można siedzieć w lesie?

A jednak siedziała i chociaż już kilka razy zaczynała pakować rzeczy, za każdym razem rezygnowała z wyjazdu.

Tylko dlatego, że muszę dokończyć projekty – tłumaczyła samej sobie. – Skoro tu przychodzą mi do głowy całkiem niezłe pomysły, to byłoby głupotą odcinać się od źródła inspiracji.

W teczce ze szkicami przybyło jeszcze kilka nowych rysunków. „Pola po burzy", „Źródełko wśród mchów" czy „Krople wieczornej rosy" powstały pod wpływem impulsu, rodziły się w jednej chwili, ale miały w sobie coś takiego, że Lea była pewna ich powodzenia.

I wyłącznie z tego powodu zostanę w dworku jeszcze jakiś czas – myślała.

Jednak mimo przekonywania samej siebie o intencjach, które zatrzymywały ją w Jagodnie, wciąż miała uczucie, że jest coś jeszcze. Próbowała tego nie analizować, starała się zepchnąć natrętną myśl na dno świadomości, ale ona uparcie powracała. Jakbym na coś czekała – rozmyślała, obserwując motyla o bursztynowych skrzydłach, który przysiadał na gałązkach jałowca. – Co on tu robi? Wygląda, jakby się zgubił i nie mógł znaleźć powrotnej drogi na łąkę. Przecież w tej głuszy nie ma żadnych kwiatów.

Kolorowe skrzydła zupełnie nie pasowały do otoczenia. Pająk, mrówka czy żuk to były istoty, które spodziewałaby się spotkać w głębi lasu. Znajdowałyby się na swoim miejscu, mogłyby żyć i nikogo nie zdziwiłby ich widok. Ale on? Zbyt barwny, zbyt delikatny, od razu widać, że znalazł się przypadkiem w cieniu wysokich drzew – pomyślała.

I naraz, nieoczekiwanie, przypomniały jej się słowa Kasi: „To ty jednak jesteś nasza!".

Akurat! – Pokręciła głową i podążyła wzrokiem za kolorowym owadem. – Właśnie widzę.

Motyl przeleciał między paprociami i przysiadł na żółtym kwiatuszku, gdzie rozłożył skrzydełka, pokazując w pełni swoją urodę. Pozostał tak i wyglądało na to, że nie zamierza lecieć dalej.

– A jednak znalazłeś to, czego szukałeś – powiedziała Lea. – Kto by pomyślał?

Po powrocie usiadła przed białą kartką i po kilku godzinach „Zagubiony motyl" był gotowy.

– Na frytki trzeba będzie chwilę poczekać. – Marysia otarła kropelkę potu, która spłynęła spod czapeczki. – Olej musi się rozgrzać.

Mężczyzna w kwiecistych szortach, znad których wylewał się pokaźny brzuch, skinął głową na znak, że rozumie.

– Proszę usiąść pod parasolem, zawołam pana, kiedy będą gotowe.

– A czy mnie pani zawoła, kiedy będzie pani miała jakąś przerwę?

A ten znowu tutaj – zezłościła się dziewczyna na widok ciemnowłosego chłopaka w pomarańczowej koszulce.

– Nie mam przerwy – rzuciła krótko.

— A co na to przepisy BHP? Nie przewidują kilku minut na rozmowę ze znajomym?

— Ze znajomym? Przecież nawet nie wiem, jak masz na imię. — Wzruszyła ramionami i zwróciła się do kolejnego klienta: — Słucham pana?

— Chipsy paprykowe i litrową pepsi poproszę.

Podała towar i przyjęła pieniądze.

— Podwójne frytki. — Młody ratownik nie dał się tak łatwo zbyć. — Teraz jestem klientem i nie możesz być dla mnie niemiła. — Błysnął białymi zębami.

— Wygrałeś. — Nie mogła powstrzymać uśmiechu. — Ale uparty to ty jesteś!

— Nie, mylisz się. Jestem Bartek.

I inteligentny — dodała w myślach.

— A ja Beata. — Koleżanka skorzystała z okazji i wyciągnęła do chłopaka rękę. — Co za zbieg okoliczności, prawda? Też na „B".

— Rzeczywiście — przyznał chłopak. — To ciekawe. Chyba tu pracują tylko osoby z imieniem na „B", prawda?

— Właśnie, że nie. Marysia — wskazała na dziewczynę — jest na „M". Więc tylko my mamy imiona na tę samą literę.

Chłopak uśmiechnął się znowu.

— Widzisz, mówiłem, że dowiem się, jak masz na imię — powiedział do Marysi.

Musiała przyznać, że jest sprytny.

— Ej, podpuściłeś mnie! — zorientowała się Beata. — Za karę będziesz musiał dać mi lekcję pływania.

Widać było, że nowy znajomy jej się podoba i chce wykorzystać okazję.

– Nie ma sprawy, to moja praca, więc nie odmówię. Trzeba być miłym dla klienta – znowu zwrócił się do Marysi.

– Beata jest bardzo miła – odpowiedziała.

– Staram się. – Koleżanka nie zamierzała rezygnować. – Prywatnie też potrafię być czarująca.

– To zupełnie inaczej niż ja. Prywatnie jestem niemiły i trudno ze mną wytrzymać.

– Lubię wyzwania – prowokowała Beata.

– Twoje frytki. – Marysia podała chłopakowi tekturową tackę. – Dziękujemy i życzymy smacznego.

– I zapraszamy ponownie. – Beata posłała Bartkowi kokieteryjny uśmiech.

– Panie w pracy czy na wakacjach? – Mocno opalona kobieta przerwała im rozmowę. – Ile można czekać?

– To ja spadam – scenicznym szeptem powiedział Bartek. – Ale wrócę. – Mrugnął do Marysi.

Beata zajęła się robieniem hamburgera dla niecierpliwej klientki, a Marysia wzięła ściereczkę i wyszła, żeby przetrzeć stoliki ustawione przed przyczepą.

– Naprawdę nie masz żadnej przerwy?

Tereska stała tuż za drzwiami przyczepy.

– A, to ty! Wystraszyłaś mnie. – Marysia była zaskoczona widokiem siostry Igora.

– Przepraszam, ale nie chciałam ci przeszkadzać, to czekałam.

– Trzeba było się pokazać. – Podniosła rękę, w której trzymała ścierkę. – Muszę teraz posprzątać. Ale za moment postaram się wyjść, okej?

Tereska pokiwała głową.

Marysia pozbierała zostawione przez klientów tacki, starła stoliki i wymieniła worek w pojemniku na śmieci.

– Za trzy minuty wrócę, co? – Podeszła do lady, za którą stała Beata. – Mam sprawę do załatwienia.

– Z tym ratownikiem? – Koleżanka zrobiła obrażoną minę.

– On mnie nie interesuje.

– Spoko. – Beata natychmiast się rozchmurzyła. – Tylko szybko, bo ludzi coraz więcej i zaraz będzie młyn.

Marysia wróciła do czekającej na nią Tereski.

– No co tam? – zapytała. – Igor cię przysłał? Zrobić im coś do zjedzenia, tak? – Wskazała głową na stanowisko ratowników.

– Nie, ja sama przyszłam.

– To trzeba było podejść i zamówić. Zrobiłabym ci bez kolejki.

– Ale ja nie po jedzenie – zaprotestowała Tereska. – Chciałabym pomóc.

– Tutaj? – zdziwiła się Marysia. – A, jasne, też chcesz sobie dorobić! Tylko z tym to nie do mnie. Musisz porozmawiać z szefem. Przyjeżdża zawsze wieczorem – poinformowała dziewczynę. – Najlepiej przyjdź około dwudziestej. Ludzi już wtedy mniej i będzie miał czas, żeby pogadać.

– Ale nie o to mi chodzi. – Tereska była zakłopotana. Zagryzła nerwowo dolną wargę i wbiła wzrok w ziemię. – Bo ja mam taki pomysł i nie wiem, czy dobry. Tylko tak na szybko to się chyba nie da powiedzieć... No bo ja... – zawahała się, ale dokończyła dzielnie – ...chciała-bym pomóc tobie, twojej mamie i pani Róży.

Marysia spojrzała na Tereskę ze zdziwieniem, które po kilku sekundach zmieniło się w zaciekawienie, a po-tem w nadzieję.

– Rzeczywiście, trzeba pogadać na spokojnie – po-wiedziała. – Możesz przyjść o osiemnastej? Wtedy koń-czę pracę – wyjaśniła.

– Dobrze, będę.

Wiśnie były wszędzie. Koszyki z owocami stały na bla-tach kuchennych szafek, na krzesłach, parapecie, a nawet na podłodze. Kasia postawiła ostatni tuż przy drzwiach i wyprostowała się, rozmasowując obolałe plecy.

– Zaraz mi krzyż pęknie – jęknęła. – Ileż tego jest!

– O tak, wiśnie nam w tym roku obrodziły – po-twierdziła Zofia. – Będzie zapas na całą zimę. Zrobi się sok, kompot, dżem – wyliczała z radością w głosie. – A, jeszcze galaretkę przygotuję, to będzie do babeczek, jak znalazł.

– No i z czego się mama tak cieszy? – Kasia nie podzielała entuzjazmu matki. – Przecież to roboty na kilka dni.

– Nic się nie martw, córeczko. Pomożesz mi tylko wydrylować, a resztę to ja sama zrobię.

– Tak, jasne – mruknęła kobieta. – Już sobie wyobrażam, jak to będzie. Czy mama pomyślała, że ja się nie mogę z fioletowymi rękami klientkom pokazać? Przecież moje dłonie to reklama mojej pracy.

– To włożysz rękawiczki. – Zofia natychmiast znalazła rozwiązanie. – A teraz nie marudź, tylko siadaj i bierzemy się do roboty.

– Teraz? Pół dnia na drzewie przesiedziałam – zaprotestowała Kasia. – Przecież to nienormalne! W przyszłym roku weźmiemy kogoś do zbioru.

W poprzednich latach Jarek przywoził jednego albo dwóch swoich pracowników i mężczyźni w kilka godzin załatwiali sprawę. Dostawali obiad, jakąś butelkę i wszyscy byli zadowoleni. Teraz Jarka nie było, a ona po prostu nie pomyślała o tym i musiały same zebrać owoce. A konkretnie to ona, bo wiadomo, że matka na drabinę nie wejdzie. Krzysio i Pawełek trochę pomogli, ale i tak głównie ona pracowała od wczesnego poranka.

– Pamiętaj, że jeszcze jabłka będą. I śliwki. Ale to mniej, ledwie po trzy drzewa. Same poradzimy – planowała Zofia.

– Niech mi mama na razie o tym nawet nie wspomina. Zastanowię się później, jak to zorganizować. Bo teraz muszę odpocząć, kawy się napić...

– Kawę to sobie postaw na stole, będziesz popijać przy robocie. To wszystko nie może leżeć, bo pognije.

Kasia chciała zaprotestować, ale wiedziała, że w pewnych sytuacjach dyskusja z matką nie ma sensu. Jeżeli ona nie pomoże, wówczas Zofia i tak to zrobi. A na to przecież nie mogła pozwolić. Jeszcze raz omiotła spojrzeniem koszyki wypełnione ciemnoczerwonymi, błyszczącymi owocami i podrapała się po głowie.

– Dobrze, będziemy drylować – stwierdziła. – Ale jak mi mama obieca, że trochę odłoży na nalewkę.

Zofia aż klasnęła w ręce.

– A ty wiesz, że całkiem o nalewce zapomniałam! Oczywiście, że zrobię. Jak mróz chwyci, to będziemy sobie dolewać wieczorem do herbatki.

Kasia postawiła kubek z kawą na stole, usiadła naprzeciwko matki i wzięła do ręki drylownicę.

– Co za szczęście, że kupiłam nową w zeszłym roku – powiedziała. – Mniej się człowiek umęczy.

– Ja tam wolę po swojemu. – Zofia pokręciła głową. – Może to i dobry wynalazek, ale i tak mnie szybciej idzie.

Matka, odkąd Kasia pamiętała, zawsze używała do drylowania metalowej spinki do włosów. Jednym sprytnym ruchem usuwała pestkę z owocu, a wieloletnie doświadczenie sprawiało, że robiła to błyskawicznie i Kasia nie znała nikogo, kto mógłby z nią w tym konkurować.

Przez dłuższą chwilę pracowały w milczeniu. Ciszę przerywał jedynie miarowy odgłos kolejnych wiśni wpadających do stojącego na środku stołu ogromnego garnka.

– Będą mi się te kulki śniły w nocy. – Córka sięgnęła po kolejny owoc.

– Nie narzekaj, Kasiu. Trzeba dziękować, że natura nas tak hojnie obdarowała. Własne przetwory to samo zdrowie.

– Tak, zwłaszcza ten cukier, który trzeba będzie do nich wsypać. Milion kalorii gwarantowane.

– A w tych kupnych to nie ma cukru? I jeszcze jakieś środki chemiczne do tego. A tu przynajmniej wiesz, że z własnego drzewa.

– Dobrze, mamo, niech będzie. – Kasia nie miała siły na dalsze dyskusje. – I pomyśleć, że kilka dni temu siedziałam sobie przy dworku w altanie i odpoczywałam – westchnęła na wspomnienie niedawnego spotkania.

– Jest czas na odpoczynek, ale musi być i na pracę.

– A czy ja nie pracuję? Niech mama sama powie. Przecież od rana do nocy mam pełne ręce. Jak nie klientki, to papiery. I jeszcze się uczę, a to chyba też łatwe nie jest, prawda?

– Przecież ja ci nic nie mówię. – Zofia wytarła palce z wiśniowego soku. – Widzę, dziecko, że ci ciężko. Ale taki już człowieczy los, że więcej czasu się męczysz, niż odpoczywasz. Wiesz przecież, jak mówią: bez pracy nie ma kołaczy. I to jest święta prawda.

– Chyba nie do końca. – Kasia nie zgodziła się z matką. – Niektórzy ludzie wiodą łatwiejsze życie. Tylko trzeba jakiś talent mieć.

– Ja tam nie znam takich, co by ich sam talent wykarmił.

– A widzisz! Ja znam. Chociażby ta Lea, która teraz przyjechała do dworku. Wspominałam ci o niej?

Zofia pokręciła przecząco głowa.

– Mówiłam, że była. Na pewno. Tylko nie pamiętasz. – Kasia upiła łyk kawy, zostawiając na kubku czerwone odciski palców. – Ona robi biżuterię. Tylko wiesz, taką prawdziwą, nie byle co. A do tego artystyczną, czyli takie niepowtarzalne rzeczy, że w sklepie nie kupisz, a drugiego takiego samego egzemplarza nie ma.

– I ona z tego żyje?

– I to jak! Mieszka nad morzem, ma kabriolet i ciuchy za dużą kasę. Mówię ci, jak ją zobaczyłam, to byłam zdziwiona, że taka osoba do dworku w gości przyjechała. Przecież ona mogłaby do drogiego hotelu pojechać, za granicę.

Zofia zerknęła na córkę znad koszyka, ale nic nie powiedziała.

– W ogóle to niesamowita historia – kontynuowała Kasia. – Jej się u nas pod Lewiatanem zepsuł samochód i trafiła do Małgorzaty, wiesz, żony wójta. No to ona zadzwoniła do Łukasza, żeby mechanika znalazł. Okazało się, że na naprawę trzeba czekać, więc musiała nocować. I tak trafiła do dworku. Potem wyjechała, ale wróciła. Podobno natchnienie tu ma, wiesz? Ale najlepsze jest coś innego... – zawiesiła głos, czekając na reakcję matki.

– A co niby? – padło oczekiwane pytanie.

– A to, że dopiero ja zauważyłam, że przecież Jagodno nie po drodze nad morze. A, bo nie mówiłam, że ona

w Świętej Katarzynie była, a to przecież w drugą stronę
od siódemki. Mamo, czy ty mnie słuchasz?

– Tak, córciu. – Zofia nie przerywała drylowania.

– No, to dobrze. Więc ja to zauważyłam i zapytałam.
I wiesz, co się okazało? Że ona tu podobno jakąś daleką
rodzinę miała. Chciała tylko zobaczyć, tak przejazdem.
I akurat tu jej auto padło. Patrz, jakie to czasami przypadki się zdarzają! Prawda, mamo?

– Tak, przed przeznaczeniem nie uciekniesz – powiedziała cicho Zofia.

Lea przechadzała się powoli między sklepowymi półka-
mi. Szukała produktów, które wcześniej spisała jej panna
Zuzanna. Miała zamiar dołożyć jeszcze coś od siebie, bo
chciała przed wyjazdem pokazać jeszcze hrabiance swój
humus w kilku wariantach i zupę krem z pomidorów na
zimno – popisowe danie, którym w czasach studenckich
raczyła pół akademika, szczególnie dlatego że było smacz-
ne, a jednocześnie tanie. Pomyślała, że coś takiego może
okazać się strzałem w dziesiątkę w upały, a niskie koszty
z pewnością są zaletą przy prowadzeniu takiego biznesu
jak Stacja Jagodno.

Co prawda słowo „biznes" jakoś nie pasowało jej do
tego, co widziała, ale upierała się przy tym określeniu.
Dopóki tak patrzyła na dworek, mogła też uznawać się
za gościa i nie czuć w żaden sposób zobowiązana. Pozwalało jej to też na traktowanie życzliwości gospodarzy jako

elementu profesjonalnego podejścia do pracy, a możliwość gospodarowania w kuchni z panną Zuzanną jako coś w rodzaju dodatkowej atrakcji umilającej pobyt.

I zapewne mam rację – myślała, wkładając do sklepowego wózka kolejne produkty. – Bo przecież nikt rozsądny nie żyje w przeświadczeniu, że stworzy jakąś oazę dobrej energii i przyjacielskich relacji, a pieniądze same spadną mu z nieba. Taka opcja w ogóle do Lei nie przemawiała.

Za to doskonale rozumiała potrzebę utrzymywania z gośćmi czegoś na kształt bliższej znajomości. Sama robiła podobnie. Dzwoniła do swoich klientek nie tylko wtedy, gdy miała nowe projekty, czasami zapraszała którąś z nich na lunch albo proponowała wspólne wyjście do teatru czy na koncert. Takie zachowania pomagają potem, bo przedstawiona oferta traktowana jest bardziej jak koleżeńska propozycja, a nie zwyczajny biznes. I to miało sens. W przeciwieństwie do utopijnej idei przyjacielskiej wspólnoty, która była może dobra jako wabik reklamowy, ale na pewno nie sposób na dostatnie życie.

– Przepraszam, chciałbym kupić cukier przed północą. – Usłyszała za plecami męski głos.

– A czy ja panu bronię? – odpowiedziała, nawet się nie odwracając.

– Stanęła pani z tym wózkiem i przejść nie można! – perorował coraz bardziej podniesionym głosem nieznajomy. – Te baby to chyba mają za dużo czasu. Człowiek się spieszy do roboty, a ta przyszła sobie spacerować!

Sytuacja zaczęła wzbudzać zainteresowanie innych klientów. Przystawali i patrzyli na nich, oczekując na rozwój wydarzeń.

– Bierz, chamie, ten cukier i zjeżdżaj – syknęła do mężczyzny, jednocześnie uśmiechając się szeroko i z wdziękiem, żeby zaciekawieni widzowie odnieśli wrażenie, że próbuje załagodzić sytuację.

– Masz, babo, tupet! – parsknął krzykacz, ale potem zamilkł, zdjął z półki białą torebkę i odszedł.

Lea, zadowolona, podniosła głowę i wtedy zobaczyła po drugiej stronie regału znajomą twarz. Grzegorz patrzył na nią, ironicznie mrużąc oczy, a gdy ich spojrzenia się spotkały, uniósł brew, dając jej do zrozumienia, że słyszał, co powiedziała. Prychnęła lekceważąco, odwróciła głowę i poszła w kierunku lodówki z nabiałem.

Po raz drugi natknęła się na niego, kiedy już wyszła ze sklepu. Zajęta poprawianiem paska od torebki, prawie na niego wpadła.

– Przepraszam – powiedziała odruchowo.

– A nie każe mi pani zjeżdżać?

– Mogę kazać, jak pan ma ochotę.

– Zawsze pani tak traktuje ludzi?

– Chamów tak – potwierdziła.

– No to już sama pani musi zdecydować, co do mnie powiedzieć.

Zmierzyła go spojrzeniem.

– Trochę już o panu wiem. – Po raz kolejny poprawiła torebkę. – A teraz mogę jeszcze dodać, że dżentelmenem to pan na pewno nie jest – odpowiedziała ironicznie. – Kobieta z siatami zasuwa, a pan ma to gdzieś, więc...

– Nie sądziłem, że zawzięte feministki oczekują takich gestów. – Włożył ręce do kieszeni i spojrzał zaczepnie.

– A skąd pan wie, że jestem zawzięta? Ma pan typowo męską tendencję do oceniania innych na podstawie swoich wyobrażeń.

– Doprawdy? – Zatrzymał się. – I pani to mówi?

– A dlaczego nie? Trzeba najpierw poznać fakty, a potem wydawać sądy, nie uważa pan?

Mężczyzna podszedł, wyjął siatki z zakupami z rąk Lei i ruszył w stronę zaparkowanego nieopodal mercedesa.

– Co pan robi? – zaprotestowała.

– Pozna pani kilka faktów. Proszę iść za mną.

Zdezorientowana i zaskoczona Lea poszła za Grzegorzem.

– To pana auto? – zapytała, gdy z bliska zobaczyła czarnego klasyka.

– Proszę wsiadać – zakomenderował i włożył zakupy do bagażnika.

Lea wykonała polecenie. Co ja robię? – pomyślała. – Przecież ja go prawie nie znam. Gdzie on mnie wiezie?

– Dokąd jedziemy? – zapytała, ale nie uzyskała odpowiedzi.

Na szczęście podróż nie trwała długo i po chwili samochód zatrzymał się na znanym jej podwórku.

Mężczyzna wysiadł i otworzył jej drzwi. A potem stanął przed garażem i wyciągnął niewielkiego pilota. Obie bramy zaczęły się podnosić, a z mroku wnętrza powoli wyłaniały się sylwetki aut.

Lea nie znała się aż tak dobrze na samochodach, żeby dokładnie określić model czy rocznik, ale oba wozy — jaguara i citroëna — z pewnością można było zaliczyć do klasyków. Ale jakich! Nie trzeba fachowca, żeby stwierdzić, że starannie je odnowiono, nie pomijając najmniejszego szczegółu. Karoserie błyszczały, chrom został wypolerowany i Lea, patrząc na nie, czuła, że dokładnie tak samo dopieszczono każdą część pod maskami.

Stała jak zamurowana, chłonąc piękno starych aut, którym nadano nowy blask.

— Wspaniałe! — powiedziała ze szczerym zachwytem. — To twoje? Sam robiłeś?

— A to wszystko dzięki naciąganiu kobiet na niepotrzebne części. — Usłyszała.

Odwróciła się, żeby coś powiedzieć, ale Grzegorz nie patrzył na nią. Jedynie gestem wskazał jej, żeby wróciła do mercedesa.

Wracali w całkowitym milczeniu. Zatrzymał się w tym samym miejscu, z którego ją zabrał.

— Teraz znasz fakty. Możesz więc oceniać. Do widzenia — powiedział tylko.

Lea patrzyła, jak odjeżdża, i czuła się naprawdę głupio.

❦

Tamara lubiła wieczory w dworku. Kiedy już posprzątała po kolacji, a goście siedzieli przy ognisku albo powoli szykowali się do snu, ona wreszcie miała chwilę dla siebie. Tak naprawdę i tylko dla siebie.

Przez cały dzień musiała być do dyspozycji gości. Często potrzebowali informacji o okolicy albo po prostu chcieli zamienić z kimś kilka słów. Godziny mijały jej na gospodarskich obowiązkach, odmierzała czas posiłkami – po śniadaniu, przed obiadem, po obiedzie, przed kolacją – a między nimi zawsze było coś do zrobienia.

Z wielu rzeczy nie zdawała sobie sprawy, ale teraz uznawała, że dobrze się stało, bo gdyby wiedziała o tysiącu drobnych, ale niezbędnych zadań, pewnie zrezygnowałaby z pomysłu na gościnne pokoje. Na początku, tak dla zabawy, liczyła, ile razy coś robi, ale już dawno straciła rachubę. Liczba zebranych do uprania ręczników, śmietniczek pełnych piasku z plaży, pokrojonych kromek czy wyprasowanych obrusów była tak duża, że wolała nawet nie wiedzieć dokładnie.

Owszem, zdarzały się spokojniejsze chwile, ale wtedy siadała z laptopem i nadrabiała zaległości w rozsyłaniu ofert i planowaniu jesiennych imprez. Herbatę najczęściej piła zimną, bo kiedy sobie o niej przypominała, napój już dawno zdążył wystygnąć.

Nie narzekała, bo wiedziała, że dzięki gościom gromadzi kapitał na trudniejszy, jesienno-zimowy czas. Poza tym nadal nie zrezygnowała z planu odbudowy dawnej stajni. A do jego realizacji potrzebne były pieniądze. Pamiętała o założonym wspólnie z przyjaciółkami stowarzyszeniu, ale na razie pisanie projektów musiało zejść na dalszy plan. Ona nie miała czasu, a Marzenie nie chciała zawracać głowy, bo zdawała sobie sprawę, że koleżanka ma teraz zupełnie inne sprawy do załatwienia.

Coraz częściej też zastanawiała się nad przyszłością. Ciąża zupełnie ją zaskoczyła. Jasne, że wiedziała, skąd się biorą dzieci, ale naprawdę nie planowała już macierzyństwa. Nawet gdy zdała sobie sprawę, że trochę się z Łukaszem zapomnieli, miała nadzieję, że w jej wieku zapłodnienie nie jest tak łatwą sprawą jak u dwudziestolatki. Cóż, los jednak sprawił jej niespodziankę i w gruncie rzeczy nie uważała tego za coś niedobrego. Przeciwnie, cieszyła się na myśl o dziecku i nawet wyobrażała je sobie czasami, a wtedy czuła ogromne wzruszenie.

Oprócz radości była też niestety druga strona tej niespodzianki. Ciąża i dziecko, które miało się urodzić, wymuszały wiele zmian. Wiedziała, że niedługo powinna zwolnić tempo. Już teraz częściej i mocniej odczuwała zmęczenie, a wiedziała, że wraz z powiększaniem się brzucha niedogodności będzie więcej. A do tego jeszcze babcia Róża – myślała. – Przecież nie możemy jej zawieść. Gdyby nie ona, nie poznałabym Łukasza, nie byłoby Stacji Jagodno, a ja wciąż żyłabym tak jak kiedyś.

Aż wzdrygnęła się na myśl o tej alternatywnej rzeczywistości. Brrr!

— Co ci jest? — W spojrzeniu Łukasza zobaczyła troskę.

— Nic. — Uspokoiła go. — Po prostu przypomniałam sobie swoje życie bez babci Róży. Było naprawdę beznadziejne.

— To jasne. Przecież mnie w nim nie było. — Przytulił ją mocniej.

— Rzeczywiście! Zupełnie o tym zapomniałam — zażartowała i wtuliła się w jego bok.

Leżeli na sosnowym łóżku i patrzyli na gwiazdy. W kwadracie dachowego okna niebo wyglądało jak granatowa kartka, którą ktoś posypał brokatem.

— Chciałabym, żeby tak było zawsze — powiedziała rozmarzona.

— Nie wytrzymałabyś — stwierdził Łukasz. — Nie jesteś w stanie żyć bez działania. Musisz coś robić, inaczej cię roznosi.

— Trochę tak, ale ostatnio naprawdę mam za dużo na głowie. Jestem zmęczona, marzę o jednym wolnym dniu.

— Nie widzę problemu, możemy sobie go zrobić.

— Łatwo ci mówić. A jak sobie to wyobrażasz? Pokoje zarezerwowane do końca wakacji, nie mogę przecież zostawić panny Zuzanny samej, bo chociaż twierdzi, że z mojej pomocy więcej szkody niż pożytku, wiadomo, że to tylko takie gadanie. Ma swoje lata i nie mogę pozwolić, żeby obsługiwała kilkanaście osób. — Podniosła się i podparła łokciem. Popatrzyła na swojego mężczyznę i westchnęła. — Wiesz, najbardziej jednak martwi mnie coś innego.

— Chyba się domyślam.

— No właśnie. Skoro tutaj ledwie wyrabiam, to co będzie, kiedy babcia Róża wróci do domu? Przecież się nie rozdwoję...

— Słuchaj, Tamara. — Łukasz też zmienił pozycję. Usiadł na łóżku po turecku i popatrzył kobiecie prosto w oczy. — Nie wściekaj się, ale muszę ci powiedzieć, co o tym myślę. Zamartwiasz się od dwóch tygodni i wszystko widzisz w czarnych barwach. Ja wiem, że ciąża, hormony i tak dalej, ale proszę cię, postaraj się spojrzeć na tę sprawę obiektywnie.

— Przecież patrzę — zaprotestowała. — Nawet próbowałam sobie rozpisać układ dnia, żeby wszystko uporządkować i zaplanować, ale po prostu się nie da. Rozumiesz? Brakuje mi godzin w dobie, więc jak mam się nie martwić?

— Tobie brakuje? Hej, pomyśl chwilę. Dlaczego ubzdurałaś sobie, że powinnaś to wszystko robić właśnie ty?

— A kto? Przecież każdy ma jakieś swoje sprawy i nie mogę wymagać...

— A ty nie masz swoich spraw? — przerwał jej w pół zdania. — I dlaczego nie możesz wymagać? Właśnie możesz i nawet powinnaś. Przypomnę ci tylko, że oprócz ciebie jestem tutaj ja, twoja matka, mój ojciec. To już czwórka. Czyli cztery razy mniej obowiązków.

— Tak, już cię widzę, jak wieszasz pościel albo podajesz gościom zupę. — Pokiwała z politowaniem głową.

— Jeżeli będzie trzeba, naprawdę nie widzę w tym problemu. Mogę to robić. Moja kobieta jest w ciąży, więc uwierz, że jestem gotów robić znacznie więcej, niż rozdawać talerze. O ile oczywiście zechcesz mnie wreszcie zauważyć i uwzględnić w swoich planach.

Tamara się zawstydziła. Łukasz miał rację – uznała, że wszystko powinna zrobić sama, ale to wcale nie świadczyło o jej bohaterstwie. Raczej o głupocie.

– Poza tym mogłabyś naprawdę rozważyć propozycję Janka – dodał mężczyzna. – Wiem, że to ostatnie rozwiązanie, jakie bierzesz pod uwagę, ale warto o nim pamiętać. Może dopiero kiedy urodzisz, ale jednak...

– Może i masz rację. – Opadła na poduszkę. – Muszę to wszystko jeszcze raz przemyśleć.

– Wiedziałem, że jesteś rozsądna. – Wziął ją za rękę i pocałował w dłoń. – Tylko teraz w tym planie dnia zrób podział na cztery. A jutro przyjedź później, ja pójdę po pieczywo. Przy śniadaniu i tak pomaga Lea, więc możesz dłużej pospać.

– Raczej poświęcę ten czas Marysi – westchnęła. – Ostatnio prawie nie rozmawiamy.

– Pogodziła się już z myślą o rodzeństwie? – Łukasz wiedział o reakcji dziewczyny, ale uważał, że po prostu potrzebuje czasu na oswojenie się z nową sytuacją.

– Właściwie nie wiem. Nie wróciłyśmy nigdy do tematu, zachowuje się jak zawsze – odparła po zastanowieniu Tamara. – Może jutro uda nam się o tym porozmawiać.

– Tylko pamiętaj, że nie powinnaś się denerwować. Bo ja potem nie będę całe noce nosił wrzeszczącego dzidziusia.

— Pięknie! Jeszcze się nie urodziło, a ty już chcesz się wymigać od obowiązków! — wykrzyknęła ze śmiechem Tamara. — Poczekaj, aż zobaczysz zawartość pieluchy!

— Już się boję! Co noc mi się śni. — Zrobił przerażoną minę.

Tamara wybuchła śmiechem.

„Brama do sekretnego świata" — to było naprawdę dobre. Kiedy tylko Lea skończyła rysować, od razu wybrała numer do swojej najlepszej klientki.

— Przepraszam, że tak późno, mam nadzieję, że cię nie obudziłam — powiedziała kurtuazyjnie, choć tak naprawdę niewiele ją to obchodziło.

— Nie spałam, jeszcze siedzę nad nową strategią sprzedażową. — Jej rozmówczyni była prezeską ogromnej formy handlowej.

— Zajmę ci tylko chwilę. Mam pomysł na coś cudownego. Od razu pomyślałam o tobie. Oczywiście nic na siłę. Jeżeli nie chcesz, to Grażyna już dawno mi mówiła, że chce coś wyjątkowego... — Uśmiechnęła się z satysfakcją. — Jasne, zaraz ci przyślę zdjęcie projektu. Tak, jak zawsze, za jakiś miesiąc. Okej, już wysyłam.

Pstryknęła fotkę i przesłała ją klientce. Nie minęła nawet minuta, a już przyszła odpowiedź.

„Biorę".

No i fajnie — pomyślała Lea.

Tamara próbowała wygodnie usadowić się na krześle. Bez skutku. Żadna pozycja nie była na tyle dobra, żeby nie czuła bólu pleców.

To chyba trochę za wcześnie — myślała zirytowana.

— Ja wiem, że w ciąży trudno wygodnie usiąść, ale to raczej dopiero w trzecim trymestrze. Przynajmniej ja tak miałam, gdy nosiłam Marysię.

Wspomnienie córki sprawiło, że westchnęła. Przypomniała sobie poranną rozmowę.

— Cześć, mamo, ty jeszcze nie wyjechałaś? — Zatrzymała się w drzwiach kuchni, przecierając oczy.

— Dzisiaj posiedzę trochę w domu.

— Źle się czujesz? — Uważne spojrzenie nastolatki zlustrowało matkę.

— Nie. Skąd ten pomysł?

— No... — zawahała się — kobiety w ciąży czasami tak chyba mają.

— Na szczęście ja nie.

— Nie kłamiesz? — Stała w tej swojej za dużej piżamie i chociaż była już prawie dorosła, to Tamara widziała w niej małą Marysię, zaspaną córeczkę, którą budziła rano i zaprowadzała do przedszkola.

— Może troszkę. — Uśmiechnęła się przepraszająco. — Prawdę mówiąc, trochę mi dokucza ból pleców i czasami mdłości, ale ogólnie rzecz biorąc, nie jest źle.

— A nie powinnaś z tym iść do lekarza? Tak na wszelki wypadek?

Wzruszyła ją ta troska. Wyglądało na to, że Marysia zaakceptowała jej stan.

— Pójdę w wyznaczonym terminie — powiedziała. — A teraz zrobię ci śniadanie. Chcesz?

— Jasne. — Usiadła przy stole i ziewnęła szeroko.

— Bo ci mucha do buzi wleci. — Tamara pogroziła jej palcem.

— Tak, wiem, mówiłaś mi to setki razy. — Córka pokiwała głową. — Tak mi to utkwiło w pamięci, że nawet jak cię nie ma, za każdym razem, gdy ziewam, słyszę twój głos w głowie.

— A jednak nie byłam skuteczna, bo nadal nie zakrywasz buzi dłonią. — Rozłożyła ręce, udając bezradność. — Widać kiepska ze mnie matka.

Marysia wstała i przydeptując niestarannie włożone kapcie, podeszła do Tamary i przytuliła się do jej pleców.

— Jesteś najlepszą mamą. — Wtuliła głowę pod jej ramię.

— Naprawdę tak myślisz? — wyszeptała ze ściśniętym ze wzruszenia gardłem.

— Mhhhmmm — wymruczała nastolatka twierdząco.

— A ty jesteś najlepszą córką. — Odwróciła się i podniosła głowę Marysi tak, żeby dziewczyna musiała spojrzeć jej prosto w oczy. — I będziesz najlepszą siostrą, jestem tego pewna.

Marysia zmarszczyła czoło.

— Dziwnie to brzmi — powiedziała. — Nigdy nie myślałam, że można będzie mnie tak nazwać.

— Ja też nie. — Tamara uśmiechnęła się. — Chcesz herbatę czy kakao?

– Kakao. Skorzystam, póki mogę. Niedługo pojawi się konkurencja i nie będzie już szans na takie rozpieszczanie.

– Bez przesady. Zawsze znajdę czas na to, żeby zrobić ci kakao. Pewne rzeczy są niezmienne, bez względu na okoliczności. Jesteś moim dzieckiem i nim pozostaniesz.

– Myślisz, że jakoś się dogadamy?

– My? – Tamara wpatrywała się intensywnie w rondelek z mlekiem, żeby nie dopuścić do wykipienia.

– Nie. Ja i dziecko. Co to właściwie będzie? Chłopak czy dziewczyna?

– Jeszcze nie wiem.

– W sumie wszystko jedno. Ale od razu mówię, że przewijać nie będę. Ostatecznie mogę je na spacer wyprowadzić.

– Wyprowadza to się psa! – oburzyła się Tamara. – Jak ty możesz tak traktować rodzeństwo!

– O, jeszcze się nie urodziło, a już awantura. – Marysia parsknęła śmiechem.

– No i wykipiało – stwierdziła z rezygnacją Tamara. – To przez ciebie, zdekoncentrowałaś mnie.

– To zagotuj jeszcze raz. Obiecałaś, że zawsze znajdziesz czas, żeby zrobić mi kakao – powiedziała Marysia i wystawiła matce język.

– Jak będziesz tak wywalać ozór, to ci się zrobi długi do ziemi i nie będzie się mieścił w buzi.

– O, Jezu! – jęknęła Marysia. – Mam nadzieję, że teraz dziecko będzie słuchało twoich mądrości.

No i tak było rano. Wydawało się, że Marysia wyrosła na mądrą osobę i chociaż jeszcze czasami reagowała zbyt emocjonalnie, to jednak miała swój rozum i można było liczyć na jej rozsądek. Tamara cieszyła się z tego, nie wiedząc, że za chwilę córka po raz kolejny ją zaskoczy.

– Panna Zuzanna powiedziała, że cię tu znajdę. – Głos Marysi oderwał ją od pracy. Podniosła wzrok znad monitora.

– Przyszłaś na kakao?

– Nie bezpośrednio – zaprzeczyła córka. – Raczej po to, żebyś mogła mi je robić codziennie – dodała z tajemniczą miną.

– Coś ty wymyśliła, dziecko drogie?

– Właściwie to nie ja, ale uznałam, że pomysł jest dobry. – Odwróciła głowę i krzyknęła: – Tereska! Chodź! – Poczekała, aż dziewczyna podejdzie i dokonała prezentacji. – Mamo, to jest Tereska, córka pani Jadwigi i nowa pomocnica panny Zuzanny. Dyspozycyjna, przynajmniej do końca wakacji, potem może trochę mniej, ale przy imprezach weekendowych też pomoże. Spokojna, bez nałogów, sumienna i obowiązkowa. Cud, miód!

– To jakiś żart?

– Nie, proszę pani. – Tereska energicznie pokręciła głową. – Ja chcę pomóc.

– Marysiu, czy ty możesz mi to wyjaśnić?

– Gdybym tak miała w wielkim skrócie, to powiedziałabym, że Tereska podsłuchiwała i wie o babci

Róży, twoim dziecku oraz tym wszystkim, co się u nas podziało. Podsłuchiwać jest brzydko, wiadomo, ale dzięki temu możesz liczyć na pomoc. I twoje protesty raczej na nic się nie zdadzą, bo najpierw poszłam do panny Zuzanny, ona przepytała Tereskę i powiedziała, że się nadaje. A że wiadomo, kto tu naprawdę rządzi, to...

— Marysiu, czy ty masz jakiś słowotok?

— Usiłuję cię zagadać. — Córka głośno wypuściła z płuc nagromadzone powietrze.

— Właśnie widzę. — Tamara zamknęła laptopa i wstała. — Siądźcie tu, dziewczynki, a ja pójdę do kuchni. Porozmawiam z panną Zuzanną, ochłonę i spróbuję zrozumieć, co się dzieje. A potem tu wrócę i wtedy porozmawiamy.

Marysia popatrzyła na swoją towarzyszkę i mrugnęła porozumiewawczo.

— Będzie dobrze — szepnęła.

Tereska miała nadzieję, że dziewczyna się nie myli. Naprawdę jej zależało, żeby rozprzestrzeniać dobro po świecie. Chciała to zrobić dla pani Zofii.

Czterdzieści osiem godzin zajęło jej podjęcie tej decyzji. A jeżeli odjąć od tego szesnaście godzin snu, cztery godziny pracy nad szkicem i projektem, dwie godziny spędzone na zakupach, dziesięć na pomocy w kuchni, jedną wypitą kawę z Tamarą, wyjazd na spotkanie z człowiekiem, który wyrabiał z krzemienia pasiastego pamiątki dla turystów i twierdził, że ma dojścia w kamieniołomie, kilka rozmów z klientkami, które zamówiły mającą powstać biżuterię, co razem dało około czterdziestu godzin, to można uznać, że zdecydowała się błyskawicznie.

– Trzeba spojrzeć prawdzie w oczy – powiedziała do swojego odbicia w lustrze. – Nikt nie jest nieomylny. Popełniłaś błąd, Lea, i teraz trzeba stawić temu czoła.

Przeczesała palcami włosy. Czy ja dobrze wyglądam? – zastanowiła się. – Może powinnam jednak zrobić makijaż?

Po namyśle zrezygnowała. Słoneczne promienie w naturalny sposób przyciemniły twarz, regularny sen sprawił, że znikły cienie pod oczami, a brak pośpiechu rozluźnił mięśnie i bruzda między brwiami była prawie niewidoczna.

Zresztą nie jadę na oficjalne spotkanie i nie muszę się nikomu spodobać – stwierdziła.

Poprzestała na zamianie bluzki i spodni na asymetryczną, warstwową spódnicę w kolorze ognistej czerwieni i czarny top na cienkich ramiączkach. Na szyi powiesiła gruby rzemień z przyczepionym ceramicznym czerwonym kołem, które sama zrobiła i szkliwiła w pracowni znajomej artystki. Przeczesała włosy, wsunęła stopy w skórzane sandały, przerzuciła przez ramię torebkę i ostatni raz zerknęła do lustra.

– Wiele można o mnie powiedzieć, ale na pewno nie to, że jestem zawziętą feministką. O! – powiedziała z satysfakcją. – Dużo lepiej pasowałoby: samodzielna i niezależna kobieta. I tego będę się trzymać!

Miała nadzieję, że zastanie go na podwórku albo znowu będzie stał na balkonie. Oczywiście nie wyobrażała sobie, że cały dzień spędza oparty o balustradę, ale w sumie los mógłby okazać się dla niej łaskawy i nieco ułatwić to zadanie, prawda?

Niestety, kiedy podjechała pod bramę, Grzegorza nie było w zasięgu wzroku. Zerknęła w lusterko, żeby sprawdzić, czy wiatr za bardzo nie potargał jej włosów. Było dobrze, więc wysiadła i pchnęła furtkę zrobioną z grubych desek.

Rozejrzała się, ale na podwórku nie zastała nikogo. Poszła więc dalej, bo intuicja podpowiadała jej, gdzie znajdzie gospodarza.

Nie myliła się. Brama jednego z garaży była podniesiona. Pomyślała, że skoro jest otwarte, to przynajmniej nikt, a miała na myśli gburowatego gospodarza, nie będzie mógł zarzucić jej włamania.

Przejście z ostrego słońca do pozbawionego światła pomieszczenia sprawiło, że przez chwilę nic nie widziała. Stanęła więc i czekała, aż wzrok przyzwyczai się do półmroku. Powoli zaczynała dostrzegać otoczenie: najpierw wiszące na ścianach narzędzia, potem leżące na podłodze opony i oczywiście królujący pośrodku pomieszczenia samochód, który wyglądał, jakby wyjechał wprost z przeszłości, i to na pewno przedwojennej. Spod tego samochodu wystawały nogi w roboczych spodniach i czarnych trampkach.

Lea patrzyła na wspaniałego citroëna i zastanawiała się, ile godzin zajęło doprowadzenie go do stanu, w jakim teraz się znajdował. Ciekawe, czy Grzegorz zna jego historię – rozważała w duchu. – W jaki sposób przetrwał wojenną zawieruchę, gdzie stał potem, kto był jego pierwszym właścicielem i kogo nim woził?

– Czy możesz mi podać tę ścierkę, która leży przy twojej prawej stopie?

Odruchowo cofnęła się, wystraszona niespodziewanym głosem.

– Ścierka to taki kawałek materiału – wyjaśnił ironicznie.

– Wiem przecież – burknęła.

Podniosła ubrudzoną smarem szmatę i podeszła do nóg. Włożyła materiał tam, gdzie jej zdaniem powinny być jego ręce.

– Dziękuję. – Usłyszała. – To wszystko.

– Jak to: wszystko?

– Nie mam dla ciebie więcej zadań.

– Czy ty musisz być taki irytujący?

– Przecież nikt cię nie zmusza, żebyś tu stała – dobiegło spod samochodu. – Możesz sobie iść.

– I pójdę. Ale najpierw chciałam ci coś powiedzieć.

– Skoro musisz, to mów.

Tego było już za wiele! Co on sobie wyobraża?!

Lea, niewiele myśląc, schyliła się i pociągnęła za wystające nogawki.

— Co ty, do cholery, wyprawiasz?! — wrzasnął z wściekłością i wysunął się spod samochodu. Stanął przed nią z zaciśniętymi zębami i spojrzał groźnie.

— Nie będę rozmawiała z nogami! — odparowała.

Pochylił głowę i zaczął staranie, palec po palcu, wycierać ręce w podaną mu przed momentem szmatę. Potem włożył ścierkę do kieszeni i starając się zachować powagę, powiedział:

— Proszę bardzo, teraz masz całość. Możesz wybrać, z którą częścią chcesz rozmawiać.

— Jesteś okropny — stwierdziła zrezygnowana. — Nie znam drugiego równie wkurzającego człowieka. Przyszłam, żeby przyznać się do błędu, powiedzieć, że doceniam twoją pasję, i przeprosić, że niesprawiedliwie cię osądziłam. Ale już mi się odechciało to wszystko mówić, bo jestem wściekła. No i tyle.

Grzegorz zmierzył ją spojrzeniem od stóp do głów.

— Jak nie chcesz, to nie musisz mówić nic. Po prostu zostaw swój wóz, żebym mógł wymienić ten reflektor.

— I tyle?

— Nie. Jeszcze cię odwiozę. Chyba że chcesz wracać piechotą.

— Jeśli to nie problem...

— Gdyby był, to na pewno bym nie proponował.

— Próbowałam być miła.

— To nie próbuj. Nie lubię udawania. — Skrzywił się na sam dźwięk ostatniego słowa. — Poczekaj chwilę, pójdę się przebrać.

Poczekała.

Znowu jechali w milczeniu. Lea nigdy nie miała problemów z nawiązywaniem kontaktu z ludźmi, potrafiła zjednać każdego i rozmawiać nawet o bzdurach. Ale w przypadku tego mężczyzny było zupełnie inaczej. Nie wiedziała, co mogłaby powiedzieć, więc milczała.

– A tak w ogóle – zagadnął, gdy wysiadła przed dworkiem – to kiedy idzie się kogoś przepraszać, wypadałoby ubrać się skromnie, a nie w takie barwy wojenne. Dam znać, jak wóz będzie do odbioru.

Ale przynajmniej zauważył moją piękną spódnicę – pomyślała Lea. – Takie są fakty.

Pierwszy deszczowy dzień od miesiąca był niczym chwila wytchnienia dla zmęczonej upałem natury. Kwiaty podnosiły główki, jakby spijając każdą lecącą z nieba kroplę, drzewa rozkładały gałęzie, a ziemia chłonęła życiodajny płyn, aby przekazać go potrzebującym roślinom. Powietrze znowu zaczęło pachnieć lasem, a ludzie oddychali głębiej i swobodniej.

– Nareszcie pada – powiedział Łukasz, wchodząc do kuchni. – Było już tak sucho, że paprocie zaczynały żółknąć.

– Buty dobrze wytarł? – Panna Zuzanna spojrzała karcąco. – Bo kto potem będzie to błoto sprzątał?

– Wytarł, wytarł. – Machnął ręką. – A znajdzie się tu coś do przegryzienia? Zgłodniałem trochę.

– Jak się popracuje, to i apetyt jest. Po śniadaniu już sprzątnięte, ale niech zajrzy do lodówki, coś tam znajdzie.

Łukasz docenił komplement hrabianki. Oczywiście pochwała wyrażona wprost nie była w jej stylu, ale zrozumiał, co chciała powiedzieć. Zauważyła, że w ostatnich dniach odciążył Tamarę, i dała mu to do zrozumienia.

– Mogę ci zrobić kanapki – zaproponowała Lea, która właśnie skończyła krojenie cebuli i otarła wierzchem dłoni załzawione oczy.

– Ma dwie ręce, to sobie sam zrobi. A teraz trzeba Julii herbatę zanieść i zapytać, czy jej czegoś nie potrzeba.

– Dobrze, nie ma problemu – zgodziła się Lea.

– Jak się ma zdrowe nogi, to może nie ma – mruknęła hrabianka, stawiając na srebrnej tacy dzbanek i filiżankę. – Nie każdy ma siłę tak latać w tę i z powrotem.

Łukasz i Lea wymienili porozumiewawcze spojrzenia ponad głową starszej kobiety.

– Gotowe – powiedziała staruszka. – Można podawać.

Lea wzięła tacę i wyszła do hallu. Po raz pierwszy miała przekroczyć próg prywatnego saloniku hrabianek i była bardzo ciekawa tego, co zobaczy. Nie miała też wcześniej okazji poznać osobiście drugiej rezydentki, widziała tylko z daleka, jak panna Zuzanna pchała wózek siostry.

Zastukała do starych drewnianych drzwi i kiedy usłyszała zaproszenie, nacisnęła łokciem pokrytą patyną klamkę.

– Dzień dobry, przyniosłam pani herbatę. Gdzie mogę to postawić?

– Tutaj, na małym stoliku. – Drobna postać siedząca na wózku wskazała kierunek.

Lea wykonała polecenie, ale celowo niespiesznie. Chciała rozejrzeć się po pokoju, bo już od progu zauważyła wiele ciekawych mebli i kolekcję porcelany stojącą w witrynie.

– A może zechcesz mi towarzyszyć? Herbata pita w samotności traci wiele ze swojego aromatu.

– Z przyjemnością.

– Zatem weź sobie filiżankę. – Panna Julia wskazała na oszkloną szafkę. – Wybierz tę, która najbardziej ci się podoba. – Patrzyła, jak Lea wykonuje polecenie. – A teraz napełnij je i usiądź obok – poprosiła. – I posłódź mi, proszę, jedną łyżeczkę. – Poczekała, aż napój będzie gotowy, a Lea zajmie wskazane miejsce. – I jak ci się tu podoba? – zapytała.

– Bardzo klimatycznie. Dopiero teraz naprawdę poczułam atmosferę tego dworku. Wyobrażam sobie, że tak musiało tutaj być sto lat temu.

– Aż tak dawnych czasów nie pamiętam, ale rzeczywiście, w tym pokoju nic nie zostało zmienione – przyznała Julia z uśmiechem.

– Doskonałe miejsce do sesji fotograficznej – oceniła Lea. – Już to widzę: autentyczne tło z epoki, modelki w strojach inspirowanych tamtym okresem, a to wszystko przełamane bardzo awangardowymi dodatkami. Byłby szał!

Hrabianka patrzyła na roziskrzone oczy swojego gościa. Podobała jej się energia bijąca z tej kobiety.

— Nie wiem, czy wszyscy podzielaliby ten entuzjazm — stwierdziła. — W gruncie rzeczy większość sprzętów ma lata świetności za sobą. Chociaż wierzę, że uda się je uratować. Trafiła do nas osoba, która zajmuje się właśnie renowacją mebli. Skrycie liczę, że zainteresują ją te pamiątki z dawnych lat...

— Byłoby dobrze, zasługują na to. Jeżeli akurat trafił się ktoś, kto zna się na rzeczy, warto skorzystać.

— Tak, muszę powiedzieć, że nasz dworek ma szczęście do gości utalentowanych artystycznie. — Panna Julia sięgnęła po swoją filiżankę. — A pani, słyszałam, też jest artystką?

— Chyba tak, a w każdym razie lubię w ten sposób o sobie myśleć. — Lea roześmiała się. — Artystom więcej się wybacza, prawda?

— Owszem. Bo na to zasługują. Brak pokory rekompensują światu swoją twórczością. No i są takimi barwnymi ptakami ludzkości.

— Bardzo ładne określenie: barwne ptaki ludzkości. Takie literackie...

— Może i ja mam w sobie artystyczną duszę. — Hrabianka uśmiechnęła się i upiła łyk herbaty. — Nie wiem, czy moje informacje są prawdziwe, ale podobno zajmuje się pani biżuterią?

— Jak najbardziej prawdziwe — potwierdziła Lea. — Sama projektuję i wykonuję. I nawet udaje mi się z tego utrzymać — dodała. — Więc może jednak nie jestem artystką, ale rzemieślnikiem. Podobno prawdziwe talenty umierają w nędzy.

– Tak, kiedyś to było modne – potwierdziła hrabianka z udawaną powagą. – Ale niestety bardzo niezdrowe.

Lea ledwie powstrzymała śmiech. Co za dowcipna staruszka – pomyślała.

Chciała odpowiedzieć jakąś uwagą o obecnej modzie na fit i zdrowy styl życia, ale spojrzała na pannę Julię i zauważyła, że ta ma nieobecne spojrzenie.

– Przepraszam, czy pani źle się poczuła? – zapytała zaniepokojona.

– To ja przepraszam. Zamyśliłam się. Czasami wspomnienia wracają... – Odstawiła filiżankę na stolik i podjechała do stojącego przy przeciwległej ścianie sekretarzyka. Wyciągnęła jedną z maleńkich szufladek, a z niej czarny aksamitny woreczek. – Podejdź tu, moja droga... jak ty masz na imię?

– Lea. To znaczy Leonia, ale nigdy mi się to nie podobało, więc skróciłam i wszyscy mówią na mnie Lea.

– Ciekawe imię. Nie wiedziałam, że jeszcze używane.

– Raczej właśnie nieużywane. Mama mnie tak uszczęśliwiła. To podobno po babci. Może ona była z niego zadowolona, ale ja niespecjalnie.

– Dobrze, w takim razie niech będzie Lea. – Staruszka wróciła na miejsce przy stoliku. – Czy możesz to zobaczyć? – Podała jej woreczek.

Dziewczyna rozsunęła wstążeczkę i wysypała zawartość na dłoń.

— Piękny — powiedziała na widok pierścionka. — Ma wielką wartość, szkoda tylko, że kamień wypadł. To rubin, prawda?

— Tak — potwierdziła. — Chciałabym, żebyś to naprawiła.

— To stara, misterna robota. — Lea pochyliła się nad pierścionkiem. — Niestety, widzę, że brakuje kawałka, który utrzymywał oczko. Dorabianie tego obniży wartość przedmiotu. — Obracała złoty krążek w różne strony. — Można spróbować troszkę zagiąć, ale bardzo delikatnie. Może wtedy...

— Podejmiesz się tego? Byłabym bardzo wdzięczna.

— Mogłabym spróbować. Lubię wyzwania. Tylko nie obiecuję, że się uda.

— Spróbuj jednak. Bardzo mi na tym zależy.

— To rodzinna pamiątka?

— Tak, to pamiątka z dalekiej przeszłości. Po ludziach, których już nie ma... — Głos panny Julii zadrżał, a szczupła dłoń zacisnęła się na brzegu koca przykrywającego jej kolana.

— Dobrze, naprawię to — obiecała Lea.

— Dziękuję, dziecko. Weź go i wybacz, ale chciałabym teraz zostać sama.

Przymknęła oczy.

Lea ostrożnie spakowała przedmiot do woreczka i wyszła z saloniku hrabianek. Czuła, że dostała do wykonania ważne zadanie, i pragnęła mu sprostać. Chciałabym poznać historię tego pierścionka — pomyślała.

A projekt „Barwny ptak ludzkości" powstał jeszcze tego samego wieczora.

۶

Tamara postanowiła skonsultować ostateczną decyzję z Łukaszem. Po niedawnej rozmowie o obowiązkach zrozumiała nie tylko to, że zbyt wiele brała na swoje barki, ale jeszcze coś. Zdała sobie sprawę, że o wszystkim decydowała sama. Nie liczyła się z niczyim zdaniem, nawet własnego partnera.

Zachowuję się zupełnie tak jak mama — rozmyślała, jadąc do dworku. — Uważam, że wszystko wiem i zrobię najlepiej, i jeszcze oczekuję, że inni się do tego dostosują. A przecież doskonale wiem, jak takie zachowanie jest denerwujące dla otoczenia. Jak mogłam tego dotąd nie widzieć!

Miała jednak coś na swoje usprawiedliwienie. W końcu przez większość dorosłego życia była zdana na siebie, musiała radzić sobie, utrzymać i wychować dziecko. Nie miała u swego boku mężczyzny, któremu mogłaby się zwierzyć ze słabości, doradzić czy liczyć na wsparcie w trudnych chwilach. Nauczyła się samodzielności, ale aż tak bardzo do tego przywykła, że zapomniała, jak to jest, kiedy decyduje się wspólnie.

Pora to przerwać — zdecydowała. I dlatego postanowiła porozmawiać z Łukaszem zaraz po przyjeździe.

Nie musiała go szukać, był w ruinach po stajni. Wykopywał resztki fundamentów i wrzucał kamienie do stojącej obok taczki. Na widok Tamary wyprostował się i otarł czoło z potu.

– Znowu ten upał. Ale po deszczu przynajmniej ziemia trochę zmiękła. Wcześniej była tak twarda, że nawet nie dało się wbić łopaty – powiedział, całując kobietę w policzek.

– Może zrobisz sobie chwilę przerwy? – zaproponowała.

– Chętnie. Chociaż planowałem solidnie popracować, zanim słońce będzie największe.

– Nie zajmę ci wiele czasu. Po prostu chciałam obgadać jedną sprawę. Potrzebuję twojej rady.

Spojrzał na nią nieco zdziwiony, ale nic nie powiedział. Usiedli na schodach, w cieniu daszku podpartego kolumienkami.

– Marysia przyprowadziła córkę Jadwigi do dworku. Żeby pomagała w kuchni i przy obsłudze gości.

– Mówisz to takim tonem, jakby stało się coś strasznego.

– Nie wiem, czy powinnam się zgodzić. Przecież to jeszcze dziecko. Ile ona ma lat? Pewnie z piętnaście.

– No i co z tego? A Marysia nie pracuje? Dzieciaki chcą zarobić, to chyba dobrze.

– Ty to taki nieczuły jesteś – oburzyła się Tamara. – Widziałeś ją kiedyś? Chucherko takie...

– Przecież nie musi drzewa rąbać, prawda? Pozamiata, zmieni pościel, nakryje do stołu. Jaki problem?

– Sama nie wiem...

– To porozmawiaj z panną Zuzanną. Teraz pomaga jej Lea, ale przecież w końcu wyjedzie. Może młoda przyda się w kuchni?

– Dziewczynki już z nią rozmawiały. Tereska przeszła testy. Hrabianka powiedziała, że jak na osobę, która opiekowała się domem i rodzeństwem, to zbyt wiele nie umie, ale ziemniaki może obierać. – Tamara parsknęła śmiechem. – Tereska się zestresowała, dobrze, że Marysia wyjaśniła jej co i jak.

– No tak, to może być problem. – Łukasz uśmiechnął się. – Teraz rozumiem. Boisz się o życie tej małej. Tak, panna Zuzanna to prawdziwy nadzorca niewolników.

– Nie żartuj sobie ze mnie! – Szturchnęła go żartobliwie. – Naprawdę myślisz, że można się zgodzić?

– Tak uważam. Zwłaszcza że nie przepadam za noszeniem waz z zupą i talerzy z kotletami.

– No tak, wszystko jasne! Tereska ma cię wyręczyć.

– Nie powiem, że nie. Ale prawdę mówiąc, wolałbym się zająć tym bałaganem. – Wskazał na ruiny. – Bo jeśli się nie pospieszę, to niczego nie zaczniemy przed zimą.

– I tak chyba nie zaczniemy – westchnęła Tamara. – Niedługo dojdą dodatkowe wydatki.

– Tym bardziej muszę jak najwięcej zrobić sam. To obniży koszty. No i powinienem poszukać najtańszych materiałów, pojechać do hurtowni, pogadać z miejscowymi budowlańcami. Na to też potrzeba czasu.

– Rozumiem. – Tamara pokiwała głową. – W takim razie przyjmujemy propozycję Tereski. – Pocałowała Łukasza w opalone ramię. – Dzięki.

Mężczyzna wyciągnął rękę i delikatnie poklepał brzuch kobiety.

– No, dzieciaku – powiedział. – Nie wiem, co ty tam robisz, ale zupełnie odmieniłeś swoją matkę.

– To nie ono. Po prostu jego ojciec jest fajnym facetem.

– Mam nadzieję, że to słyszy i zapamięta, bo będę ci przypominał te słowa do końca życia.

– Nawet jak usłyszy, to i tak w razie czego stanie po mojej stronie. Matka jest zawsze najważniejsza, nie wiesz o tym?

Łukasz nagle spoważniał.

– Dobra, koniec tej przerwy. Wracam do roboty.

Tamara spojrzała w górę i zmrużyła oczy.

– Wiesz, tak mi przyszło do głowy, że może pogadałbyś ze swoim ojcem. Oni przecież budują dom, więc na pewno ma wszystkie koszty w małym palcu.

– Tak, masz rację. – Łukasz odwrócił od niej wzrok i popatrzył gdzieś w dal, ponad Tamarą. – I tak miałem z nim porozmawiać.

– W takim razie może pojedziemy do nich po południu?

– Wolałbym pójść sam, jeśli ci to nie przeszkadza.

Spojrzała zdziwiona, ale po chwili zrozumiała, o co mu chodzi.

– Rozumiem, męskie sprawy w męskim gronie.

– Coś w tym rodzaju.

– Dobra, rób, jak chcesz.

W końcu miałam się we wszystko nie wtrącać – pomyślała. – Poza tym już widzę tę rozmowę w towarzystwie mojej matki. Na pewno wiedziałaby wszystko lepiej. W końcu po kimś to mam, prawda?

– W takim razie ja też zrobię coś konkretnego. Póki jeszcze dopuszczacie mnie do jakiejkolwiek pracy. Wkrótce będę tylko siedziała bezczynnie jak królowa pszczół. No, oczywiście do porodu. – Roześmiała się. – Potem to już dziecko stanie się całym moim światem. Wszystkie matki tak mają.

– Nie wszystkie – powiedział cicho Łukasz, sięgając po wbitą w ziemię łopatę.

Marysia przyszła do pracy w doskonałym humorze, co nie uszło uwadze Beaty.

– Udana randka wczoraj była? – zapytała.

– Jaka randka?

– Myślałam, że chłopak się postarał, bo taka radosna jesteś.

– A, o tym mówisz! Nie, mój chłopak siedzi w Norwegii.

– Łał, to dobrze trafiłaś! Pewnie nieźle tam płacą. Słyszałam, że można u nich zarobić i warunki też dobre. Brat mojego sąsiada już dwa lata tam siedzi. Pracuje w hotelu i bardzo sobie chwali tę robotę.

– Kamil jest na stażu, w ramach studiów – wyjaśniła Marysia. – I wraca już za kilka dni.

– A, szkoda. – Beata skrzywiła się.

– Ja tam nie żałuję. Stęskniłam się.

— Miałam na myśli, że szkoda, że nie pracuje. Mogłabyś dojechać po maturze i za parę lat bylibyście ustawieni. Ale jak tak...

Wróciła do układania paczek z chipsami.

Marysia pomyślała, że lubi Beatę, ale w pewnych sprawach zupełnie się różnią. Koleżanka miała bardzo praktyczne podejście do życia, studia nie wydawały się jej ważne, a wizja dobrej płacy za granicą była bardziej kusząca niż zdobywanie doświadczenia.

Tylko co ja tak naprawdę o niej wiem — pomyślała. — Zresztą tylko razem pracujemy, nie musimy się przyjaźnić.

— Chciałabym dzisiaj wcześniej skończyć. — Beata postawiła ostatnie pudełko pod ladą i oparła się o ścianę przyczepy.

— Nie ma sprawy, ja mogę zostać. Nigdzie mi się nie spieszy.

— To super. Muszę być wcześniej w domu, bo znajoma do mnie przyjedzie i chcę trochę ogarnąć pokój. Wiesz, ma przywieźć swojego brata. Że niby potrzebuję porady. Bo on jest policjantem, pracuje w Kielcach, w wojewódzkiej. No to taki sposób wymyśliłyśmy, żeby się zgodził

— On ci się podoba?

— Nie jest zły. Wiesz, jak się nie ma, co się lubi...

— Przecież nie trzeba koniecznie mieć chłopaka. — Marysia wzruszyła ramionami.

— Łatwo ci mówić — zezłościła się Beata. — A ty ile masz lat? Siedemnaście? No właśnie. A ja prawie dwadzieścia. Na dyskotekę chciałabym iść albo gdzieś.

A samej to trochę słabo, nie? Wszystkie koleżanki kogoś mają, niektóre już zaręczone. Matka mi głowę suszy, zresztą sama też bym chciała się do kogoś przytulić. A, dobra, strasznie smucę, co?

— Skąd, wcale nie — zaprzeczyła Marysia.

— Dobra, ja swoje wiem. Zresztą nie jest tak bardzo źle. Przynajmniej nie muszę nikomu obiadków podawać i gaci prać. Ech, co ja ci będę mówić. Masz matkę i ojca, to wiesz, jak to wygląda.

— Tak się składa, że ojca nie. Rodzice się rozwiedli.

— A to sorry. Nie wiedziałam.

No właśnie — pomyślała Marysia. — Spędzamy razem prawie całe dnie, a nic o sobie nie wiemy.

— Słuchaj, a może pójdziemy do mnie któregoś dnia po pracy? — zaproponowała spontanicznie. — I tak całe wieczory siedzę sama, bo mama wraca późno, a babcia jest w szpitalu. Pogadamy, zjemy coś innego niż frytki. Co ty na to?

— Serio? — zapytała Beata. — Spoko, ja chętnie.

Widać było, że się ucieszyła. Miło jest poprawić komuś humor — pomyślał Marysia. — Mam nadzieję, że ten policjant będzie chciał się z nią umówić. W sumie to fajna dziewczyna.

Klientów było sporo, więc nie miały już okazji dłużej porozmawiać. Marysia nawet nie zauważyła upływu kolejnych godzin. Myślała o tym, że matka zgodziła się przyjąć Tereskę do pomocy i dzięki temu ona mogła bez wyrzutów sumienia planować wyjazd nad morze.

Poprzedniego wieczora dzwonił Kamil i długo rozmawiali. Mówił, że nie może już się doczekać powrotu, że ciągle o niej myśli. I co najważniejsze, ani razu nie wspomniał o tej swojej koleżance. Może się pokłócili? Oczywiście nie pytała, bo nie chciała mu o niej przypominać. Cieszyła się, że może mieć go takiego jak dawniej i czuła, że jednak ich związek ma sens.

Wyglądało na to, że wszystkie problemy zaczynają się powoli rozwiązywać. Kamil ją kochał, z mamą znowu było w porządku, a dzięki Teresce opiekę nad babcią Różą na pewno uda się jakoś zorganizować. Nie jest źle — myślała, smażąc kolejną porcję frytek. — A sakiewka też coraz pełniejsza.

Ostatnie trzy godziny pracowała sama. Szef wpadł na chwilę, przyjął spokojnie nieobecność Beaty.

— Mnie to nie interesuje, dopóki wszystko tu gra — powiedział. — Ustalajcie między sobą. Ma być otwarte, a klienci zadowoleni.

Chyba wszyscy mają dzisiaj dobry dzień – pomyślała dziewczyna.

Mimo wspaniałego nastroju z ulgą dostrzegła zbliżający się koniec pracy. Posprzątała, przygotowała wszystko na kolejny dzień i zamknęła przyczepę. Dzisiaj chyba zasnę, zanim moja głowa dotknie poduszki — pomyślała.

— Co za zbieg okoliczności! Chyba skończyliśmy pracę o tej samej porze?

Bartek wyszedł zza rogu przyczepy w chwili, gdy przekręcała klucz w zamku.

– Cześć! Zmęczona?

– W życiu – powiedziała. – Przeleżałam cały dzień na plaży.

– O, czuję sarkazm i aluzję do mnie, a raczej do mojej pracy. Ale uwierz, że bycie ratownikiem to wcale nie takie łatwe zajęcie.

– W takim razie też musisz być zmęczony. – Włożyła klucze do plecaka i zarzuciła go na ramię.

– Nie tak bardzo, żeby cię nie odprowadzić.

– Dziękuję, ale pójdę sama.

– Będę nalegał.

– Słuchaj, czy ty nie rozumiesz po polsku? – zezłościła się Marysia.

A taki miałam dobry humor – pomyślała.

– Rozumiem, ale jestem uparty, gdy czegoś chcę.

– A czego chcesz?

– I ty mi zarzucasz, że nie rozumiem po polsku? Dziewczyno z warkoczem, przecież to chyba jasne, że chcę się z tobą umówić.

– Ale ja z tobą nie chcę.

– Dlaczego? Podaj mi jeden powód, który mnie przekona. – Stanął przed nią z szelmowskim uśmiechem.

– Mam już chłopaka. Wystarczy?

– Jakoś go tu nie widzę. – Pokręcił głową.

– Będzie za kilka dni.

– Zobaczę, to uwierzę.

– Możesz nie wierzyć. Mam to gdzieś – powiedziała i odeszła.

Na szczęście nie poszedł za nią.

— Zofio kochana, jak się cieszę, że mnie odwiedziłaś!
Nawet nie wiesz, jak bardzo się tutaj nudzę. — Babcia
Róża siedziała na łóżku i właśnie kończyła jeść obiad.

— Nie narzekaj, odpoczynek jest ci potrzebny.
A jakbyś w domu była, to zaraz znalazłoby się coś do
zrobienia.

— Jak ty mnie dobrze znasz — podsumowała staruszka. — Ale wierz mi, kochana, że mam już tego odpoczywania po dziurki w nosie. Wszyscy mi ciągle o tym
przypominają. Jakbym do niczego się już nie nadawała.
A ja czuję, że siły mi wracają. I chyba od tego leżenia to
się na nowo pochoruję.

— Już ty nie strasz. — Zofia pogroziła palcem. — Twoja
choroba wszystkich dużo nerwów kosztowała.

— I zupełnie niepotrzebnie. Tym też się martwię. Bo
być dla kogoś kłopotem to najgorsze, co może człowieka
spotkać.

— Nie jesteś żadnym kłopotem, wstydziłabyś się nawet tak mówić. Niechby pani Ewa usłyszała albo Tamarka, to byłoby im przykro. One tak cię kochają, że
słów nie ma...

— Ja to wiem, Zofio, naprawdę.

— To dobrze. A jak wiesz, to słuchaj, co mówią, bo
chcą dobrze. — Wyciągnęła z siatki słoiczek. — Coś ci
przyniosłam. Dżem z wiśni.

— W sam raz na deser. — Róża się ucieszyła. — Bardzo
chętnie spróbuję. — Wzięła z rąk Zofii słoik i odkręciła

wieczko. – Pachnie wspaniale! Poczekaj, gdzieś tu miałam łyżeczkę... – Odsunęła szufladkę szpitalnej szafki.

– Tylko czy tobie wolno takie rzeczy? – zapytała z troską Zofia. – Bo nie wiedziałam. Nie zaszkodzi ci?

– Zosiu, w moim wieku to już nic bardziej niż lata na karku nie zaszkodzi. Co prawda cukier mam podobno wysoki, ale przecież wszystkiego nie zjem. Spróbuję łyżeczkę albo dwie i resztę sobie schowam na później.

– Różo, lekarze pewnie nie będą zadowoleni...

– Nic im nie powiemy. – Róża mrugnęła. – O, widzisz, jedna łyżeczka i koniec. Pyszny! – pochwaliła i posmutniała. – A ja nie zrobiłam ani słoiczka. Pewno już nie zdążę...

– Tym się przejmować nie musisz. U nas tak wiśnie obrodziły, że mam aż nadto. Jak tylko wrócisz, przyniosę. Zresztą już przy robocie o tobie myślałam.

– Masz złote serce, Zofio.

– A gdzie tam! Nie mów tak, Różo. – Machnęła ręką.

– Kiedy to prawda. Każdemu pomagasz i muchy byś nie skrzywdziła.

– Takie tam gadanie. Każdy coś za uszami ma. Ja też nie jestem święta. – Pochyliła głowę i zaczęła szukać czegoś w reklamówce. Wreszcie wyciągnęła kartkę złożoną na pół. – To dla ciebie. Nikolka zrobiła laurkę. Sama rysowała.

Babcia Róża popatrzyła na niezgrabne serce i kolorowe kwiatuszki wyrysowane niewprawną ręką.

– Podziękuj jej bardzo ode mnie – powiedziała ze wzruszeniem. – A co u chłopców? Jak sobie radzi Kasia?

— A powiem ci, że trochę się ostatnio namieszało. Bo widzisz, Jarek znalazł sobie nową kobietę.

— Ale chyba Kasia nie liczyła na jego powrót?

— A broń cię Boże! W żadnym razie! Tylko że on ciągle chce dzieci zabierać. To znaczy chłopców tylko. A oni nie chcą. Nie lubią tej kobiety. Jarek się denerwuje, że niby Kasia dzieci przeciw niemu nastawia, a to nieprawda przecież. Tyle że nie chce ich zmuszać.

— Oj, to rzeczywiście jest problem — zmartwiła się Róża.

— Jest, a co gorsza, Jarek znowu sądem straszy. Kasia cała w nerwach, ale co się dziwić. Ja pomagam, ale w takich sprawach czuję się całkiem bezradna. No, ale ja nie przyszłam tu, żeby ci się wyżalać... Przepraszam cię, Różo, ale tak mi ciężko na sercu...

— Troskami też się czasami trzeba podzielić. Przecież od tego są przyjaciele, żeby w potrzebie chociaż wysłuchali. A w dworku co słychać? Bo Tamara mówi, że wszystko dobrze, ale nie wiem, czy czegoś nie ukrywa. Może nie chcą mnie martwić?

— A nie, możesz spać spokojnie. — Zofia ją uspokoiła. — Gości mają cały czas, pogoda piękna, więc nie ma na co narzekać. Niedługo o dworku cała Polska będzie wiedzieć, bo nawet znad morza podobno ktoś przyjechał. Kasia mi mówiła, bo była u Tamary w gościach.

— Aż znad morza? — zdziwiła się Róża. — A skąd się tam o Jagodnie dowiedzieli?

— A kto to wie — ucięła temat Zofia. — Zresztą to tylko jedna kobieta.

– Sama przyjechała? Na wakacje? – zainteresowała się babcia Róża i uważnie spojrzała na Zofię. – Coś mi się wydaje, że nie wszystko mi mówisz...

– Nie mówię, bo nie wiem. – Zofia odwróciła wzrok.

– Tyle, co Kasia wspomniała. Że jakaś artystka od pierścionków i naszyjników. Podobno daleką rodzinę tu ma.

– A widzisz! Czyli to jednak nie przypadek. Może przyjechała, żeby krewnych odnaleźć?

– Nie wygląda, żeby szukała. Zresztą nie każdy chce w przeszłości grzebać.

– To prawda. Tyle że przeszłość zawsze sama na wierzch wyjdzie. Prędzej czy później. Sama się o tym przekonałam – westchnęła.

– I ty myślisz, że to dobrze?– Zofia spojrzała na Różę, a ta zobaczyła w jej oczach jakiś smutek. – Myślisz, że każdy powinien wiedzieć o tym, co było kiedyś? Nawet jak nie chce?

Babcia Róża zamyśliła się.

– Myślę, że wszystko ma swój czas – powiedziała po chwili. – I życie już tak się toczy, że kiedy przyjdzie odpowiednia pora, wszystko samo się układa, jak powinno. Ale swoją historię każdy człowiek powinien znać, żeby wiedzieć, dlaczego jego los jest taki, a nie inny. Przeszłość, Zofio, pomaga zrozumieć to, co teraz się dzieje. Nawet jeżeli jest trudna albo nieprzyjemna. A tajemnica czasami bardziej boli niż nawet najtrudniejsza prawda.

– Może i tak... – Zofia zastanowiła się.

– A teraz pomóż mi, proszę, wstać. Chciałabym iść do łazienki, a samej mi jeszcze trudno się podnieść.

Lea doszła do wniosku, że zaczyna popadać w rutynę. Odkąd przyjechała do dworku, właściwie większość dni spędzała podobnie – pomagała pannie Zuzannie, odpoczywała w altanie, patrząc na kwitnące róże, a wieczorem projektowała albo czytała pożyczone z dworkowej biblioteczki książki.

Postanowiła przerwać ten jednostajny rytm. I to wcale nie dlatego, że jej przeszkadzał, ale przeciwnie – zauważyła, że bardzo jej odpowiada. Przecież to niemożliwe – myślała. – Siedzę na wsi, każdy dzień jest taki sam, a ja dobrze się z tym czuję. Jak to się ma do tego, co robiłam?

Odkąd pamiętała, dążyła do różnorodności. Chciała korzystać z życia, próbować wciąż nowych rzeczy, odwiedzać nieznane miejsca, poznawać ludzi. Gromadziła doświadczenia, kochała wszystko, co dawało jej nowe bodźce i nie pozwalało na nudę. Tak trzeba żyć – twierdziła. – Pełną piersią, szybko i intensywnie, z wiatrem we włosach.

A teraz siedziała już drugi tydzień z tymi samymi ludźmi, pichciła obiady w towarzystwie staruszki i największą atrakcją były zakupy. Owszem, kilka razy wyjeżdżała na spotkania, załatwiła już sobie dostawę krzemienia pasiastego i to z miejsca, gdzie wydobywano najładniejszy. Za kilka tygodni dostanie pierwszą część zamówienia, już wstępnie oszlifowanego, i zacznie pracować nad swoimi projektami.

Poza tym nikogo nie spotykała. No, nie licząc tego Grzegorza, który co prawda nie był może zbyt towarzyski, ale miał w sobie coś intrygującego. I nie chodzi nawet o to, że jest atrakcyjny – myślała, maszerując leśną drogą – bo przystojny mężczyzna nie jest dla mnie nowością. Raczej ta jego gburowatość ma w sobie coś pociągającego. Oczywiście w połączeniu z pasją do starych samochodów, bo bez tego byłby tylko nieuprzejmym mechanikiem. W każdym razie mogę go dołączyć, razem z panną Zuzanną, do kolekcji nietuzinkowych postaci.

Ostatecznie uznała, że potrzebuje zmiany. Wielkiego wyboru nie miała, więc po namyśle zdecydowała się na odwiedzenie Małgorzaty. W końcu zajmuje się sztuką – stwierdziła – więc może jest szansa na podjęcie jakiegoś ciekawego tematu.

Kolorowy Szalik przywitał ją gwarem dziecięcych rozmów.

– Wchodź, nie zwracaj na to zamieszanie uwagi – przywitała ją Małgorzata. – Przed południem często tak u mnie jest. Mamy na zakupach, a ja robię za bawialnię. Siadaj, zaraz podam kawę.

– To stąd nazwa? Pod dzieciaki? – zapytała Lea, siadając jak najdalej od kącika zabaw.

– Nie, zupełnie z innego powodu. Po prostu kiedyś pewien kolorowy szalik odegrał znaczącą rolę w moim życiu. I gdyby nie on, nie byłoby też tego lokalu – wyjaśniła Małgosia.

– Miłość?

– Przeciwnie. Jej brak.

– A to przepraszam.

– Nie ma za co. Tym bardziej że wszystko skończyło się dobrze. Mój mąż wiele zrozumiał, ja też i odnaleźliśmy się na nowo. Okazało się, że warto zawalczyć o związek.

– Cieszę się. Chociaż przyznam, że nie rozumiem. Uważam, że żaden mężczyzna nie zasługuje na to, żeby o niego walczyć. – Posłodziła kawę i podniosła do góry filiżankę. – Bardzo ładna. Widać, że masz oko do ciekawych rzeczy.

– Staram się, chociaż muszę znajdować złoty środek między moim gustem a potrzebami klientów. W końcu to ma być przedsięwzięcie przynoszące zysk, więc... – Rozłożyła ręce.

– Rozumiem. Ja też kiedyś musiałam dostosowywać swoje projekty do życzeń klientów. Na szczęście ten etap mam już za sobą.

– Trochę ci zazdroszczę. Chciałabym móc sprzedawać tylko to, co sama uznaję za piękne. Pewnie w dużym mieście jest inaczej, ale uważam, że i tak udaje mi się robić coś ciekawego.

– Gosiu, ja nie miałam zamiaru cię krytykować – pospieszyła z wyjaśnieniem Lea. – Może to tak zabrzmiało, ale nie takie były moje intencje. Raczej miałam na myśli siebie i usiłowałam powiedzieć, że też nie od razu mogłam robić to, co chciałam. Wiem, że to męczy, i dlatego w pewnej chwili zdecydowałam, że będzie tak, jak ja sobie wyobrażam. I w pracy, i w życiu. Albo się to komuś spodoba, albo nie. A wtedy nasze drogi się rozejdą. Bez żalu z mojej strony.

Małgorzata popatrzyła na siedzącą przed nią kobietę. Mówiła pewnym głosem, wyglądała na zdecydowaną i silną. A jednak gdzieś głęboko w jej spojrzeniu, na dnie niebieskich oczu ukrywanych za okularami w modnych oprawkach, czaiło się coś... delikatnego. Nie mogła stwierdzić czy to jakiś smutek, czy raczej strach, ale wyczuwała, że tylko to jest prawdziwe. A cała reszta stanowi dobry produkt, w który mają uwierzyć ludzie. W końcu Lea była specjalistką od tworzenia pięknych rzeczy na potrzeby innych.

— A nie czujesz się czasami samotna? — zapytała nieoczekiwanie.

— I tak każdy z nas jest w gruncie rzeczy samotny w tłumie.

— Ładnie powiedziane, ale pytałam serio. Nie z ciekawości, po prostu ja często siedziałam sama w pięknym domu, czekałam na męża i czułam się bardzo samotna.

Lea spojrzała na Małgorzatę znad okularów, jakby sprawdzała, czy tamta jest szczera. Uznała, że tak.

— Wolę być samotna niż zrobiona w balona przez kogoś, komu zaufam. Przynajmniej sytuacja jest jasna. A jak facet zaczyna się za bardzo angażować, natychmiast to ucinam. Właśnie uciekając przed takim, trafiłam tutaj.

— Może to, co powiem, zabrzmi banalnie, ale kiedyś się zakochasz i zmienisz zdanie — powiedziała Małgorzata.

– Nic z tych rzeczy, nie ma obaw. – Lea pokręciła głową. – Swoje serce oddałam kamieniom. Oprawiam je najlepiej, jak potrafię, i przynajmniej mam pewność, że ta inwestycja się zwróci. Powiem ci, że jeszcze żaden mnie nie zawiódł. – Uśmiechnęła się. – Ale dość o mnie. Teraz powiedz mi, co tutaj masz i czego potrzebujesz. Może razem zrealizujemy jakiś projekt?

– Zaraz ci o wszystkim opowiem. Tylko poczekaj chwilę, dobrze? Mam nadzieję, że się nie spieszysz? Wypijemy spokojnie kawę, za jakieś pół godziny powinno się zrobić spokojniej. – Wskazała ruchem głowy na dzieci. – Wytrzymasz?

– Jasne. Mam czas. Dziś pannie Zuzannie pomaga jakaś Tereska. Miłe dziecko, tylko zdecydowanie zbyt pokorne. Nie wiem, jak da sobie radę z hrabianką, ale skoro sama chciała...

– Tereska? Taka szczupła dziewczyna z ciemnymi włosami? To córka Jadwigi. – Małgorzata postawiła na stoliku wazon z bukietem bibułkowych róż. – Zaraz opowiem ci ciekawą historię...

Adam stał przed domem i obserwował robotników, którzy przenosili drewniane belki z samochodu do miejsca, gdzie miał powstać taras. Był już zmęczony budową i marzył o chwili, kiedy dom będzie gotowy, a on usiądzie spokojnie i wreszcie razem z Ewą będą mogli patrzeć w gwiazdy i odpoczywać.

— Cześć, tato. — Usłyszał i obok niego stanął syn.

— Cześć.

— Jak idzie?

— Na zewnątrz już prawie koniec. Jeszcze taras — wskazał na deski — potem ewentualne poprawki elewacji i balustrady na balkonach. No i wreszcie będziemy mogli wejść z pracami wykończeniowymi do środka.

— A ci tu po co? — Łukasz popatrzył na robotników. — Przecież mogliśmy to zrobić sami. Zostałoby w kieszeni pewnie kilka tysięcy.

— Wiesz, synu, myślałem o tym. I nawet miałem ochotę na taką wspólną męską pracę. Ale doszedłem do wniosku, że są argumenty przeciw i zrezygnowałem z pomysłu.

— Tak? A co stało na przeszkodzie?

— Trzy rzeczy. Po pierwsze: nie te lata, synu. Mogę ci się przyznać, bo jesteś dorosły i nie muszę już służyć za wzorzec, że nie mam tyle siły, co kiedyś. Chęci, żeby spróbować, to może jeszcze by się znalazły, ale obawiam się, że pora zacząć mierzyć zamiar podług sił, jak mawiał poeta. Po drugie: nie chciałem cię angażować. Wiem, że jesteś zajęty. Masz swoje życie, własne sprawy, zakładasz rodzinę. I pewnie masz dużo desek do przybijania gdzie indziej.

— Bez przesady — zaprotestował Łukasz. — Gdybym wiedział, że trzeba pomóc, to czas by się znalazł. Powoli, na spokojnie, zrobilibyśmy wszystko. I na pewno dokładniej.

— Pewnie tak — przyznał Adam. — Ale właśnie nie moglibyśmy powoli i na spokojnie. I to jest ten trzeci powód: czas. Wiesz, że Ewa planuje tutaj zorganizować święta? No właśnie. Dlatego wszystko musi iść zgodnie z planem. Jej planem, którego dla własnego dobra wolę nie zmieniać.

Łukasz uśmiechnął się lekko.

– Skąd ja to znam...

– Widać niedaleko pada jabłko od jabłoni. – Adam podniósł cegłę leżącą tuż obok jego stopy i ważył ją w dłoni. – Ale mam nadzieję, że w przypadku córki, podobnie jak u jej matki, zalety rekompensują tych kilka drobnych wad.

– Powinieneś pracować w dyplomacji.

– Lata doświadczeń, synu. – Poklepał go po ramieniu. – Może się czegoś napijesz? Mamy tu w środku taką prowizoryczną kuchnię: butla gazowa z palnikiem i dwie deski na drewnianej skrzynce, które nazywamy stołem. – Ruszył w kierunku domu. Po drodze odłożył cegłę na stosik innych. – Zobacz, niby resztki, a nazbierałem ich całkiem sporo. Wydaje mi się, że już wszystkie posprzątałem, a każdego dnia znajduję kolejną. Jeszcze trochę i będzie akurat na murek pod małą szklarnię.

– Masz zamiar hodować pomidory? – zażartował Łukasz.

– Nie śmiej się. Dokładnie. Podobno emeryci tak robią.

Łukasz popatrzył na ojca i zobaczył starszego człowieka. Chyba po raz pierwszy tak mocno zdał sobie z tego sprawę. Dotychczas jakoś nie zauważał siwych włosów, zmarszczek i nieco przygarbionych pleców. Patrzył na nie i jednocześnie ich nie widział.

Przecież ja mam tyle lat, ile miał ojciec, kiedy wyjechałem z domu – pomyślał. I zrozumiał, tak naprawdę do niego dotarło, że ma przed sobą nie silnego czterdziestopięciolatka, ale zbliżającego się do siedemdziesiątki mężczyznę.

Weszli do środka. Nieotynkowane ściany i beton na podłogach może nie zachwyciłyby wybrednego estety, ale wnętrze miało tę zaletę, że było tu chłodno. Usiedli na turystycznych krzesełkach, po dwóch stronach butli gazowej, a Adam postawił na palniku czajnik.

– Wodę przywożę sobie w butelce, a kubków używam jednorazowych. Sięgnij, są w tej torbie za tobą. To przenośna szafka kuchenna – wyjaśnił.

– Wyglądasz na całkiem zadowolonego. Jakby odpowiadała ci ta prowizorka – zauważył Łukasz.

– Chyba masz rację. – Adam rozstawił kubki i do każdego włożył torebkę z herbatą. – Czasami sobie tutaj siadam, patrzę na to wszystko i przypomina mi się czas, kiedy z twoją mamą budowaliśmy dom w Toruniu. Było dokładnie tak samo. – Wyciągnął spod drewnianej skrzynki słoik z cukrem i postawił go między kubkami z taką miną, jakby prezentował srebrną cukiernicę. – Tak, synu, też tak siedzieliśmy. Było ciężko, ale cieszyliśmy się, bo sił dodawała nam myśl, że budujemy coś swojego. Dom, w którym spędzimy piękne lata.

Łukasz słuchał w milczeniu.

– Teraz, tutaj, przypominam sobie tamte dni, a chwilami wydaje mi się, że znowu jestem młodym człowiekiem i mam całe życie przed sobą. – Czajnik zagwizdał i Adam nalał wrzątku do kubków. – Dobry czas przed tobą, synu. – Odstawił czajnik i przesunął się razem z krzesełkiem bliżej prowizorycznego stołu. – Mogę ci powiedzieć, z własnego doświadczenia, że może czasami będzie ciężko, ale na pewno nadejdzie moment gdy, tak jak ja, wspomnisz to z sentymentem. A może nawet kiedyś siądziesz ze swoim synem i będziesz zamęczał go gawędami, które jego wcale nie interesują i których w ogóle nie słucha, bo myśli o czymś innym – dokończył i czekał na reakcję Łukasza.

Ten pokiwał głową, a Adam przyjrzał mu się uważnie.

– Coś cię dręczy?

– Myślę, że dziecko to wielka odpowiedzialność.

– Zgadzam się z tobą. Ale trzeba się starać być jak najlepszym rodzicem.

– Wy z mamą się staraliście?

– Owszem. Myślę, że mamie wychodziło to nawet lepiej niż mnie. Ale i tak tylko ty możesz to ocenić.

Łukasz pokiwał głową.

– Będę już wracał – powiedział. – Obiecałem gościom ognisko, muszę przygotować drewno.

– Nie wypijesz herbaty?

– Następnym razem.

– Na pewno wszystko w porządku?

– Tak – zapewnił.

Bo jak po tym, co usłyszał, miał rozmawiać o sprawie, z jaką przyszedł? Chciał zapytać o wiele rzeczy, ale szczególnie o jedną. Tę, która od czasu, gdy dowiedział się, że Tamara jest w ciąży, nabrała jeszcze większego, prawie symbolicznego znaczenia.

Jednak patrząc na ojca, słuchając, jak mówi o młodości, o matce i o byciu rodzicem, nie odważył się zapytać, czy to, o czym przeczytał w pamiętniku matki, jest prawdą. A co, jeżeli ojciec nic o tym nie wiedział? Jeżeli zamiast otrzymać wyjaśnienia, zniszczyłby ojcowski obraz przeszłości? Czy miał do tego prawo?

Zamiast odpowiedzi niósł z powrotem kolejne pytania.

— Panno Zuzanno! Panno Zuzanno! — Marzenka wbiegła do hallu, krzycząc już od progu. — Panno Zuzanno! — Wpadła do kuchni i stanęła zdyszana, opierając się o stół.

— Pali się czy co? — Hrabianka odwróciła się od kuchenki i zmierzyła Marzenkę zdegustowanym spojrzeniem. — Od kiedy to damy biegają i krzyczą jak zarzynane prosię?

— Oj, panno Zuzanno, są takie chwile, w których można przestać być damą, bo inne rzeczy są ważniejsze.

— Damą się jest, a nie bywa. — Staruszka podniosła w górę łyżkę. — A każdą sytuację można przyjąć ze spokojem i klasą. Tyle mam do powiedzenia.

Reprymenda hrabianki ani trochę nie zbiła Marzenki z tropu.

– Ciekawe... A czy z takim spokojem przyjmie pani wiadomość, że moje wesele z Janeczkiem odbędzie się tutaj? O ile oczywiście Tamara nie będzie miała nic przeciwko temu...

Staruszka odłożyła łyżkę tak gwałtownie, że Tereska, która siedziała cichutko w rogu kuchni i obierała ziemniaki, aż otworzyła oczy ze zdumienia.

Tymczasem panna Zuzanna podeszła do stołu, odsunęła jedno z krzeseł i wskazała je Marzenie.

– Niech siada i wszystko opowiada – rozkazała.

– Dobrze, ale najpierw muszę się czegoś napić. Mogę tego? – Wskazała na dzbanek z kompotem.

Hrabianka kiwnęła głową.

– Oooo, jakie dobre. – Wypiła duszkiem całą szklankę, napełniła ją ponownie i usiadła. – Jutro lecimy do Londynu – oznajmiła. – A ja jeszcze nie jestem spakowana.

Panna Zuzanna mruknęła ostrzegawczo.

– Dobrze, dobrze, już mówię. Tylko chciałam zaznaczyć, że rzuciłam wszystko i od razu przyjechałam, żeby opowiedzieć o tym pomyśle. – Dmuchnęła w grzywkę i uśmiechnęła się radośnie. – Nawet się nie spodziewałam, że tak łatwo pójdzie. To było tak... – I zaczęła opowiadać. – Stresowała mnie ta wizyta u rodziców Janka. Niby już tam byłam i, co pragnę podkreślić, wbrew obawom niektórych – spojrzała znacząco na pannę Zuzannę – zachowywałam się na tyle dobrze, że arystokraci nie wykopali mnie na londyński bruk. Ale tym razem mieliśmy rozmawiać o ślubie i odnosiłam wrażenie, że to mnie trochę przerasta. Dlatego nie szalałam z radości.

Hrabianka słuchała wywodu Marzeny, nie przerywając jej. Tylko delikatne postukiwania laski dawały sygnał, że niecierpliwie czeka na dalszy ciąg opowieści.

— Janek to zauważył i kilka razy nawet pytał, co się dzieje, ale nie wiedziałam, jak mam mu to powiedzieć. W końcu, jak by nie patrzeć, on też jest z tych dobrze urodzonych, więc pewnie chciałby mieć huczne wesele. A ja wręcz przeciwnie. — Spojrzała na staruszkę i wzruszyła ramionami. — Co ja poradzę, że mam inne wyobrażenie o weselu? Może za mało bawiłam się Barbie w dzieciństwie?

Laska stuknęła głośniej.

— Szczerze mówiąc, już zaczęłam powoli godzić się z tym, że ubiorą mnie w jakieś tiule i koronki i będę musiała kroić siedmiopiętrowy tort, a po łabędziu z lodu będzie spływał szampan — kontynuowała Marzena. — Ale mocno mnie to dołowało. I jeszcze zastanawiałam się, co to będzie, jak Leszczyńscy zechcą wyprawiać wesele w Anglii. Bo przecież moja mama nie nadaje się do takich wyjazdów. No sama pani widzi, że nie było mi wesoło.

— To tak jak mnie teraz — mruknęła panna Zuzanna.

— No dobrze, to postaram się streszczać. Na czym to skończyłam? A, dobra, wiem. No i tak się gryzłam do dzisiaj. Bo Janek w końcu nie wytrzymał. Powiedział, że albo mu wreszcie wyznam, z jakiego powodu mam focha, albo on nie ręczy za siebie. No, może niedokładnie to mówił – dodała, widząc minę hrabianki – ale sens był taki. Bo on ostatnio bardzo stanowczy się zrobił, ten mój Janeczek. – Złożyła usta w dziubek, jakby chciała kogoś pocałować, ale jedno spojrzenie staruszki wystarczyło, żeby znowu wróciła do opowieści. – Teraz już będzie sama konkluzja. I bardzo konkretnie. Najpierw ja się rozpłakałam. – Podniosła dłoń i odgięła jeden palec. – Potem on zmiękł i mnie przytulił, następnie ja mu powiedziałam, co mnie dręczy, a on słuchał i podawał mi chusteczki. – Wyliczała kolejne etapy rozmowy. – A na koniec postukał się palcem w czoło, co tak na marginesie mówiąc, nie jest chyba zachowaniem godnym dżentelmena, i powiedział, że to nie jest wesele jego rodziców, tylko nasze, i mam mu natychmiast przedstawić swoje oczekiwania. Nie jestem głupia, nie wahałam się ani przez chwilę. Moja odpowiedź była krótka: chcę mieć wesele w najwspanialszym miejscu na świecie, w otoczeniu tych, których pokochałam jak własną rodzinę. I Janek od razu wiedział, co mam na myśli! A na dodatek się zgodził! – Spojrzała na pannę Zuzannę i zobaczyła, że staruszka ma w oczach łzy. – Pani płacze?

– Jeszcze czego! – mruknęła hrabianka. – Po prostu oczy mi łzawią od tej pary znad kuchenki. Okno trzeba otworzyć. A ty wracaj do domu, bo podobno masz się pakować. – Podeszła do Marzeny i stuknęła laską w podłogę. – Ale zanim pojedziesz, to daj się uściskać, dziecko. Taka jestem szczęśliwa!

Ostatnie zdanie powiedziała cicho, ale Marzena je usłyszała. Pochyliła się i przytuliła do gorsu czarnej bluzki.

Tereska obserwowała całą scenę z ogromnym zdziwieniem, a kiedy Marzena wyszła, zapytała:

— To ona wychodzi za mąż za księcia?

— Każda wychodzi za księcia. Tylko czasami później się to zmienia, więc uważaj, jak wybierzesz — odpowiedziała panna Zuzanna. — I lepiej patrz, co robisz, bo sobie palce poucinasz.

Kasia siedziała na kanapie i oglądała z matką film. Jaki? Gdyby ktoś ją o to zapytał, nie umiałaby odpowiedzieć. Zgodziła się na propozycję wspólnego wieczoru tylko dlatego, żeby zrobić mamie przyjemność i żeby uwierzyła w zapewnienia, że Kasia wcale nie jest zdenerwowana. W rzeczywistości było zupełnie inaczej. Dlatego właśnie nie mogła skupić się na fabule i co chwila zerkała na wiszący nad komodą zegar.

Odliczała czas do powrotu chłopców, a każda minuta wydawała się trwać całą wieczność. Bez przerwy przypominały jej się dwie dzisiejsze rozmowy. Pierwsza była telefoniczna, z Jarkiem

— Zabieram dzisiaj chłopców do kina — poinformował ją swoim nieznoszącym sprzeciwu tonem.

— Przykro mi, ale mam inne plany — próbowała grać na czas i jeszcze raz odłożyć spotkanie synów z ojcem.

— To je zmień! — warknął. — Mam prawo widywać dzieci.

— Tak. Co drugi weekend.

— Naprawdę chcesz, żebym zabrał ich na dwa dni? Z tego, co mówiłaś ostatnio, to chyba powinnaś się cieszyć, że proponuję jedynie wyjście do kina i odstawię ich na noc do domu. Więc nie wydziwiaj, tylko ich wyszykuj na siedemnastą.

Odstawiać to można samochód — pomyślała, ale po szybkiej analizie stwierdziła, że w pewnym sensie Jarek ma rację. Będzie lepiej, jeśli spotkanie potrwa tylko kilka godzin. No i może zdoła namówić do niego chłopców.

— Ale mają być w domu przed dwudziestą drugą — oświadczyła i rozłączyła się bez pożegnania.

Potem przyszła pora na drugą rozmowę. Kasia wiedziała, że ta będzie trudniejsza.

— Coś ty, córciu, taka spięta? — zapytała matka. — Siedzisz cała sztywna i tylko włosy przygryzasz. Stało się coś?

Nie było sensu oszukiwać, bo nawyk przygryzania włosów miała od dziecka i matka doskonale wiedziała, że robi to zawsze, kiedy się denerwuje.

— Muszę namówić chłopców, żeby pojechali z Jarkiem do kina.

— Pawełek pojedzie, on przecież kino bardzo lubi. Zawsze pierwszy do tego. I ten, jak mu tam, popcorn, mu smakuje. Na pewno się zgodzi — pocieszała Zofia, jak umiała.

– Tak, mamo, na pewno. Niepotrzebnie się martwię – odpowiedziała, żeby sprawić jej przyjemność, ale doskonale wiedziała, że o ile w przypadku Pawełka matka może mieć rację, o tyle z Krzysiem tak łatwo nie pójdzie.

I miała rację. Chłopak nawet nie oderwał wzroku od ekranu smartfona.

– Nigdzie nie jadę.

– Krzysiu...

– Nie jadę i już.

– Synku, odłóż telefon, chcę z tobą porozmawiać.

Chyba zrozumiał, że matka nie da się zbyć, bo wyłączył grę i spojrzał na nią spod oka.

– Nie pojadę – powtórzył.

– Tata zaprasza was do kina. Przyjedzie o siedemnastej.

– Szkoda, że nie zapytał, czy ja mam ochotę.

– Wiem, że jesteś na niego zły, ale to przecież twój tata. – Próbowała zachować spokój.

– Nie mów tak! – zezłościł się.

– Przecież to prawda. Poza tym nie powiesz mi chyba, że nie masz ochoty na kino. Na pewno będzie fajnie...

– Nie będzie, bo nie pójdę. – Założył ręce piersi i ostentacyjnie spojrzał w sufit.

– Synku, obawiam się, że będziesz musiał – westchnęła. Miała nadzieję, że uda się przekonać chłopaka bez użycia tego argumentu. – Tata ma prawo się z wami widywać. Sąd wydał takie postanowienie i musimy się do niego zastosować.

– To niesprawiedliwe! Szkoda, że sąd nie zapytał mnie o zdanie. Jak on ma prawo mnie widzieć, to ja powinienem mieć prawo go nie oglądać. Tak czy nie?

– Jeżeli dzisiaj nie pójdziesz, to pewnie dojdzie do kolejnej rozprawy. – Kasia postanowiła być wobec syna szczera. – Ale to będzie trudne i może być przykre. Dla mnie, dla ciebie i dla Pawełka. Dla Nikoli też. A ja będę miała kłopoty, bo tata myśli, że zabraniam wam się z nim spotykać.

Chłopak spojrzał na matkę i zmarszczył brwi.

– Przecież to nieprawda.

– Ale zanim sąd to ustali, na pewno minie sporo czasu.

– I będą nas przesłuchiwać?

– Z pewnością. Tylko chyba nie w sądzie. Raczej zbada was psycholog.

– Pawełka i Nikolę też?

– Nie wiem, ale to bardzo możliwe.

– Oni się będą denerwować, prawda? I ty też?

Nie odpowiedziała.

– Dobrze, pójdę – powiedział Krzysio z rezygnacją. – Ale powiem tacie, że nie chcę już nigdzie z nim jeździć.

– Zastanów się jeszcze nad tym. Nie zapominaj, że to twój tata.

Chłopak nie odezwał się, ale zaciśnięte wargi wystarczyły Kasi za odpowiedź.

Miała nadzieję, że syn jednak nie doprowadzi do konfrontacji. Znała Jarka i jego wybuchowy charakter. Wiedziała, jak reagował na każdy przejaw sprzeciwu i dlatego odkąd chłopcy wyszli, nie mogła znaleźć sobie miejsca.

Kiedy oni wreszcie wrócą? – zastanawiała się. Wiedziała, że odetchnie dopiero, gdy zobaczy chłopców.

Wreszcie usłyszała nadjeżdżający samochód. Nasłuchiwała, czy zatrzyma się przed bramą. Tak, to oni!

Podeszła do okna i wyjrzała na ulicę. Patrzyła, jak drzwi samochodu się otwierają, we wnętrzu auta zapala się światło i chłopcy wysiadają. Zamrugała oczami, bo nie mogła uwierzyć w to, co zobaczyła. Miejsce pasażera na przednim siedzeniu było puste, a za kierownicą nie siedział Jarek, ale jakaś kobieta. Od razu domyśliła się, kto to jest. Tego już za wiele! Ogarnęła ją furia. – Już ja ci pokażę!

Wybiegła przed dom, żeby powiedzieć tej babie, co sądzi o takiej sytuacji, ale synowie byli już na schodach, a samochód odjechał. Może to i lepiej – pomyślała – bo jeszcze zrobiłabym coś, czego potem mogłabym żałować.

– Dlaczego tata was nie odwiózł? – zapytała Pawełka, który jako pierwszy dotarł do drzwi.

– Bo pił piwo po kinie i nie mógł jechać. – Syn popatrzył matce w oczy. – Mamo, a czy ja muszę mówić do tej pani „ciociu"?

– Nie musisz.

– Ale tata mówi...

– Porozmawiamy o tym później – przerwała Pawełkowi, bo ledwie powstrzymywała emocje. – Teraz zdejmij buty, idź do łazienki, a potem spać.

Krzysio minął ją bez słowa.

Już ja sobie z nim pogadam! – pomyślała o mężu ze złością. – Piwko, ciocia i co jeszcze?!

Tamara tak dawno nie siedziała na miejscu pasażera, że musiała odwrócić wzrok od drogi, bo cały czas miała wrażenie, że samochód zjeżdża na pobocze i za chwilę wylądują w rowie. Patrzyła więc na swoje kolana i starała się jakoś oswoić z sytuacją.

Analizowała ostatnie dni, żeby przypomnieć sobie, czy za to, co się stało, powinna winić siebie. Myślała o tym, co robiła, ale przecież nie dopatrzyła się w tym niczego nadzwyczajnego. W ogóle ostatnio miała dużo mniej obowiązków – dłużej spała, prawie wcale nie zajmowała się kuchnią, Łukasz przejął wszystkie cięższe prace. Prawdę mówiąc, głównie siedziała w Różanym Kąciku i nadrabiała zaległości w papierach.

Staram się zdrowo odżywiać, odstawiłam kawę, a odkąd dowiedziałam się o ciąży, nie wypaliłam ani jednego papierosa – wyliczała w myślach. – Czy o czymś zapomniałam? Mogłam jakoś temu zapobiec?

Nie potrafiła znaleźć odpowiedzi na te pytania. Naprawdę nic nie zapowiadało takich problemów. Nawet tego dnia rano.

Wstała w dobrym humorze, zrobiła Marysi śniadanie i zjadły razem, jeszcze w piżamach.

– Jadę do dworku – powiedziała, odstawiając talerz do zlewu. – Pozmywasz?

– Pewnie. Mam jeszcze godzinę.

– Super. W takim razie idę się ubrać.

Pierwszy ból poczuła, kiedy wkładała spodnie. Krótki, przeszywający skurcz w dole brzucha.

Chyba za szybko się schyliłam – stwierdziła.

Przez chwilę stała skupiona i wsłuchiwała się w swoje ciało. Cisza. Ból się nie powtórzył. Odetchnęła z ulgą i uznała, że wszystko jest w porządku.

Potem było tak jak zawsze. Pojechała do dworku, sprawdziła wszystko, przez chwilę rozmawiała z panną Zuzanną i przekazała Łukaszowi listę zakupów, do której dopisała proszek do prania, mydło i papier toaletowy. Tak, pamiętała wszystko, najdrobniejszy szczegół.

Nie zapomniała też chwili, w której znowu poczuła się gorzej. Tym razem jednak było inaczej niż rano. Czyżby zaszkodziły mi parówki? – pomyślała. – Na pewno były świeże, kupiłam przecież wczoraj. Zresztą goście też je jedli i nikt nie zgłaszał problemów. Cóż, w ciąży organizm rządzi się swoimi prawami – westchnęła. – Chyba dzidziuś nie lubi parówek.

Po kilku minutach dziwne napięcie w brzuchu ustało i Tamara wróciła do przeglądania e-maili. Dopiero kiedy poszła do łazienki i zobaczyła kilka czerwonych plam na bieliźnie, zrozumiała, że dzieje się coś niedobrego. I wpadła w panikę.

– Łukasz, krwawię! – Szarpnęła go za ramię tak mocno, że materiał koszuli zatrzeszczał ostrzegawczo.

Mężczyzna w pierwszej chwili nie zrozumiał. Zdjął robocze rękawice i powiedział:

– Co? Ręka? Noga? – Spojrzał pytająco. – Chodź do apteczki, załóżymy opatrunek.

– Dziecko! – Cała się trzęsła, nie mogła zebrać myśli.

Dopiero teraz dostrzegł, w jakim jest stanie.

– Jedziemy do szpitala – zdecydował. – Gdzie masz kluczyki?

– W torebce, chyba w twoim pokoju. – Ze zdenerwowania nie mogła sobie przypomnieć.

– Poczekaj tutaj. – Posadził ją na pieńku. – Znajdę i wracam.

Pokiwała głową, a kiedy wrócił, pozwoliła zaprowadzić się do samochodu.

– Ale nie wiem, czy dam radę – wyznała szczerze.

W głowie miała natłok myśli, lecz żadna nie zatrzymywała się na dłużej. Co się dzieje? Czy to poważne? A co będzie, jeśli...? Ta ostatnia była najgorsza i właśnie ona powodowała, że ręce się trzęsły, broda drżała, a kolana miękły.

– Oszalałaś? Nawet o tym nie pomyślałem – oburzył się Łukasz. – Tutaj siadaj. – Otworzył drzwi z prawej strony.

Sam usiadł za kierownicą i odpalił silnik.

– Potrafisz? – zdziwiła się.

– Owszem.

– Nigdy wcześniej... – Kolejny ból, tym razem znowu w dole brzucha, sprawił, że odruchowo zacisnęła powieki.

– Piłem, to nie prowadziłem. – Ruszył szybko, ale płynnie. – Zresztą nie mam samochodu. Jak się czujesz?

– Nie wiem – odpowiedziała zgodnie z prawdą. Nie potrafiła jednoznacznie tego określić. Oprócz tych kilku bolesnych momentów nic jej właściwie nie dolegało. Oczywiście poza tym, że nie mogła opanować drżenia.

– Chyba dobrze. Ale boję się o dziecko...

– Robię, co mogę – zapewnił Łukasz.

Wiedziała, że też jest zdenerwowany, ale w przeciwieństwie do niej panował nad sobą. Prowadził pewnie, zdecydowanie i musiała przyznać, że bardzo szybko dojechali do szpitala.

Nie zapomni ulgi, jaką zobaczyła na jego twarzy, gdy lekarz stwierdził, że z dzieckiem wszystko w porządku.

– W pierwszych miesiącach ciąży zdarzają się czasem takie drobne krwawienia. To nic poważnego, ale dobrze, że jesteście państwo czujni.

– W pierwszej ciąży nic takiego nie miało miejsca.

– Każda jest inna. – Lekarz rozłożył ręce. – Poza tym teraz ma pani, bez urazy, trochę więcej lat.

– A te bóle?

– Cóż, to już nieco bardziej niepokojące. Co prawda na razie nic dziecku nie grozi, ale zalecam dużo odpoczynku. Przepiszę też odpowiednie leki.

– Powinna leżeć? – zapytał Łukasz.

– Powiedziałbym, że wskazane jest raczej ograniczenie aktywności. Właśnie po to, żebyśmy nie musieli pani unieruchomić w łóżku aż do rozwiązania. I proszę się zgłosić do swojego lekarza zgodnie z harmonogramem wizyt. – Wypisał receptę i podał ją Tamarze.

Wracali już spokojniej. Z dzieckiem wszystko w porządku – myślała. – I to najważniejsze.

Nie pojechali do dworku. Łukasz zawiózł ją do białego domku i poczekał, aż się przebierze i położy. Obok materaca postawił dzbanek z wodą i szklankę.

– Odpocznij, najlepiej postaraj się przespać – powiedział. – Miałaś dzisiaj sporo nerwów.

Pokiwała głową.

– I bardzo cię proszę, nie rób głupstw. Słyszałaś, co powiedział lekarz. Nie chcesz chyba ryzykować niepotrzebnie.

Nie musiał tego mówić, była przecież odpowiedzialną osobą. Ale nie miała pretensji. Potraktowała to jako przejaw troski i opiekuńczości. Wiedziała, że też się przejął. Gdyby nie on... Popatrzyła na Łukasza z wdzięcznością. Dobrze, że był. Bardzo dobrze.

– Nie martw się – powiedziała. – Odpocznę i wszystko minie.

Kucnął i pocałował ją w policzek.

– Na pewno. – Nakrył ją kocem i wstał. – A kluczyki zostawiam na stole w kuchni.

– Zwariowałeś? Weź samochód, mnie przecież i tak jest niepotrzebny.

– Dobrze. Ale teraz już odpoczywaj. Później przywiozę ci obiad – powiedział i pogładził ją po policzku.

Zamknęła oczy i zasnęła natychmiast, zanim zdążył wyjść. Łukasz, stojąc w drzwiach, popatrzył na leżącą postać. Trzymała rękę na brzuchu i lekko się uśmiechała.

Kacper wrócił do domu, ale nie zastał w nim żony. Zdziwiony spojrzał na zegarek. Była już prawie dwudziesta, więc Małgorzata powinna wrócić z pracy. Obszedł kuchnię i salon w nadziei, że zostawiła jakąś kartkę, ale żadnej informacji nie znalazł.

Pewnie coś ją zatrzymało – stwierdził i poszedł na górę.

Zrzucił garnitur, wziął prysznic i owinięty w ręcznik zajrzał do komody w poszukiwaniu świeżej koszulki. Miał za sobą ciężki dzień. Kilka rozmów z mieszkańcami popsuło mu humor. Ludziom wydaje się, że wystarczy mój podpis i wszystko stanie się możliwe – rozmyślał. – Nie chcą przyjąć do wiadomości, że wójt to nie jakiś król i obowiązują mnie przepisy.

Wrócił do kuchni i otworzył lodówkę. Przez cały dzień nie miał nawet czasu zjeść. Przegryzł tylko kawałek ciasta, które jedna z urzędniczek przyniosła z okazji swoich urodzin, a poza tym nie miał nic w ustach.

Zdecydował się na jajecznicę. Z pięciu jajek – postanowił. – Jak szaleć, to szaleć. Po kilku minutach zdjął patelnię z kuchenki, położył na jej brzegu trzy kromki chleba i usiadł z posiłkiem przy stole.

Małgosia by tego nie pochwaliła – pomyślał. – Tyle cholesterolu i na dodatek prosto z patelni.

Uśmiechnął się do swoich myśli. Jego żona uważała, że powinno się celebrować posiłki, nawet te codzienne i szybkie. A on lubił od czasu do czasu zjeść właśnie tak, bez pięknego talerzyka, popijając sokiem prosto z kartonu. Po męsku.

Wykorzystał nieobecność Małgorzaty i pozwolił sobie nawet na wytarcie patelni skórkami od chleba. Otarł usta i wyciągnął się na krześle, przekładając ręce za oparcie. Tego mi było trzeba – stwierdził z poczuciem, że opuszcza go napięcie. – Teraz jeszcze szklaneczka czegoś mocniejszego i jakiś dobry film. Najlepiej sensacja, bo dramatów mam dość w pracy. Małgosia pewnie wolałaby komedię, ale mam nadzieję, że dzisiaj zniesie trochę pościgów i strzelaniny.

Wspomnienie żony sprawiło, że zerknął na zegar stojący na kominku. Minęło ponad czterdzieści minut, a jej nadal nie było. Chyba nic się nie stało – zaniepokoił się. To było niepodobne do Małgorzaty. Nigdy nie znikała bez wyjaśnienia.

Może dzwoniła, kiedy brałem prysznic? – przypomniał sobie, że telefon zostawił w sypialni. Poszedł sprawdzić, ale na wyświetlaczu nie było żadnej informacji o nieodebranym połączeniu. Ani żadnej wiadomości od Małgorzaty. Zmarszczył czoło i potarł brodę. Niepokój narastał, więc wybrał numer żony. Czekał, wsłuchując się w sygnał, ale nie odbierała. Spróbował jeszcze raz – bez skutku. Teraz niepokój zamienił się w strach.

Nie było czasu na rozmyślania. Zgarnął portfel i kluczyki z blatu komody, zamknął dom i ruszył na poszukiwania.

Najpierw postanowił sprawdzić Kolorowy Szalik. Podjechał na parking przed Lewiatanem i od razu zobaczył samochód żony. Na ten widok kamień spadł mu z serca, ale jednocześnie strach zamienił się w złość. Wyglądało na to, że wszystko jest w porządku. A skoro tak, to naprawdę mogła mu oszczędzić dodatkowych nerwów!

Pokonał schody, przeskakując po dwa, i pchnął drzwi do lokalu.

– Dlaczego nie odbierasz telefonu?

Odpowiedziała mu cisza. Dopiero teraz zorientował się, że górne światła nie są włączone i pomieszczenie tonie w wieczornym mroku. Paliła się tylko mała lampka na biurku, przy którym siedziała jego żona. Głowę miała opartą na splecionych pod brodą dłoniach i wpatrywała się w widok za oknem. Sprawiała wrażenie, jakby w ogóle nie zauważyła jego wejścia.

– Co się stało? – zapytał, podchodząc bliżej. Jednocześnie obrzucił wzrokiem całe pomieszczenie, ale na pierwszy rzut oka wyglądało, że wszystko jest w porządku.

Dotknął jej ramienia, a ona szybko zamrugała oczami, wyraźnie zaskoczona jego obecnością.

– Co tu robisz?

– A jak myślisz? Dochodzi dziewiąta, a ciebie nie ma. Dzwoniłem, ale nie odbierałaś. To co miałem robić?

– Przepraszam, nie słyszałam. – Odgarnęła włosy z czoła i podniosła wzrok na męża. – Zamyśliłam się.

– Rozumiem, ale...

– Tak mi jakoś smutno...

Usiadł na biurku i przytulił głowę żony do swojej piersi. Gładził blond włosy i zastanawiał się, co powinien zrobić. Cała złość minęła. Tym bardziej że domyślał się, jaka jest przyczyna smutku Małgorzaty.

Siedzieli tak w zapadającym zmroku. Wreszcie usłyszał głos żony:

— W domu jest tak pusto...

Westchnął, bo to potwierdziło jego przypuszczenia.

— Może pojedziemy na spacer? — zaproponował pierwszą rzecz, jaka przyszła mu do głowy. Położył ręce na ramionach Małgorzaty i popatrzył jej w oczy. — Zabiorę cię nad zalew. Teraz już nikogo tam nie będzie, połazimy trochę. — Starał się, żeby zabrzmiało to entuzjastycznie. — A potem usiądziemy na tamie i popatrzymy w niebo. Jest pogoda, więc na pewno będzie mnóstwo gwiazd. — Wstał i skłonił do tego samego Małgorzatę. — Gaś światło i zamykaj. — Ruchem głowy zachęcił ją do działania. — Zrobimy sobie randkę.

Popatrzyła na niego i lekko się uśmiechnęła.

— Taką jak kiedyś? — zapytała.

— Taką samą — potwierdził, zadowolony, że udało mu się choć trochę poprawić jej nastrój. — Będziesz udawała, że jestem młodym chłopakiem, a w ciemnościach nie widać zmarszczek i włosy wydają się gęściejsze, więc dasz radę.

— Dobrze, ale ty też będziesz musiał trochę poudawać.

— Ja nie muszę. Przecież nic się nie zmieniłaś. Jesteś dokładnie taka sama jak wtedy. Śliczna i młoda.

Małgorzata pokręciła głową, ale uśmiechnęła się po raz drugi.

– Nie stój tak, szkoda czasu – popędził ją. W gruncie rzeczy naprawdę nabrał ochoty na ten nocny spacer.

Zostawili samochód Małgorzaty na parkingu.

– Jutro rano cię odwiozę – powiedział. – Teraz pojedziemy razem. W końcu to randka, prawda?

Po powrocie do domu Kacper stwierdził, że chociaż spędził wieczór zupełnie inaczej, niż planował, to wcale tego nie żałuje. Patrzył na żonę i wreszcie dostrzegł blask w jej oczach. Otworzył więc wino, wypili już w łóżku, a potem przyciągnął ją do siebie i tulił tak długo, aż zasnęła. Dopiero wtedy zszedł na dół, żeby włożyć do zmywarki pozostawioną w pośpiechu patelnię. Zgasił światło na tarasie i usiadł na kanapie z kieliszkiem w dłoni.

Tak, ten dom naprawdę jest teraz pusty – pomyślał.

– Lea, telefon do ciebie. – Łukasz wszedł do kuchni i wyciągnął w kierunku kobiety swojego smartfona.

– Do mnie? – zdziwiła się.

– A jest tu jeszcze jakaś inna osoba o tym imieniu? – Uśmiechnął się. – Bierz, bo ja muszę mieć wolne ręce, żeby tego spróbować. – Wskazał ruchem głowy na blachy z ciastem ustawione na szerokim parapecie.

– Ani mi się waż! – Panna Zuzanna uderzyła go ścierką. – To podwieczorek dla gości.

– Tym bardziej ktoś powinien przetestować, żeby im przypadkiem nie zaszkodziło. – Łukasz ani myślał zwracać uwagę na protesty hrabianki i skubnął spory kawałek ze stojącej w zasięgu jego ręki blachy.

Lea odeszła w najdalszy kąt kuchni, bo przez te przekomarzanki nie słyszała swojego rozmówcy.

— Przepraszam, jest trochę głośno — powiedziała, osłaniając mikrofon drugą dłonią. — Nie słyszałam, z kim rozmawiam.

— Nadal nie mam twojego numeru, więc musiałem skorzystać z pośrednika. — Usłyszała głos Grzegorza. — Samochód jest gotowy. Przyjedź i odbierz.

— Kiedy?

— Najlepiej zaraz.

— Nie wiem, czy dam radę tak natychmiast. — Była zaskoczona. — Poczekaj, zaraz zapytam. — Odsunęła telefon od ucha i odwróciła się. — Panno Zuzanno, muszę wyjechać na chwilę. Poradzi sobie pani? Mogę panią zostawić czy to będzie problem?

— Problem jest wtedy, jak kobieta jest na każde zawołanie mężczyzny — prychnęła panna Zuzanna. — Wstyd!

— To nie mężczyzna, to mechanik — wyjaśniła szeptem. — Muszę odebrać moją alfę. To co? Mogę?

— A co mnie do tego? Niech jedzie, jak musi.

Lea wróciła do rozmowy.

— Dobrze, będę jak najszybciej — powiedziała.

— Czekam. — Usłyszała w odpowiedzi, a potem zabrzmiał dźwięk przerwanego połączenia.

Wtedy zdała sobie sprawę, że będzie musiała iść piechotą. Cholera! — pomyślała. — Przecież wie, że nie mam samochodu. Powinien zaproponować, że po mnie przyjedzie.

– Dziękuję. – Oddała telefon Łukaszowi.

– Wszystko w porządku? – zapytał nieco niewyraźnie, bo usta miał pełne drożdżowego ciasta.

– Tak, oczywiście. Tylko niektórym przydałoby się kilka lekcji dobrego wychowania – powiedziała z wściekłością i wyszła z kuchni.

– Mnie miała na myśli? – Mężczyzna popatrzył na pannę Zuzannę z miną niewiniątka.

– Raczej tego tam. – Hrabianka wskazała na telefon. – Ale i tak poleciała, jakby jej ktoś soli na ogon nasypał.

– Bo kobietom podobają się tacy niepokorni faceci, prawda, panno Zuzanno?

– A tak, co prawda, to prawda. Już jednej się tu taki spodobał, to teraz z brzuchem chodzi. – Hrabianka założyła ręce na piersi. – Ale ja mam inny gust i czuję, że moja cierpliwość się kończy.

– Rozumiem. Już mnie nie ma – odparł Łukasz. Ale zanim wyszedł, sięgnął jeszcze raz do blachy i urwał kolejny kawałek ciasta.

*

Kasia od dwóch godzin próbowała uporządkować faktury. Niestety, ciągle musiała zaczynać od nowa, bo natłok myśli sprawiał, że myliła numerację.

– Zaraz mi głowa pęknie. – Ścisnęła skronie i zamknęła oczy.

W takiej pozycji zastał ją Tomek. Wracał z hurtowni, gdzie udało mu się wynegocjować korzystne ceny na kolejne zamówienia, i chciał podzielić się z Kasią tą dobrą nowiną.

— Mam wieści, które powinny cię ucieszyć — oznajmił radośnie od progu.

— To będzie miła odmiana — westchnęła, nie podnosząc powiek.

— A tobie co?

— Głowa mnie boli. W ogóle nie mogę się skupić — pożaliła się.

— To weź tabletkę.

— Wzięłam. Nie pomaga.

— Jakieś problemy? — Usiadł okrakiem na plastikowym taborecie, który ugiął się lekko pod ciężarem mężczyzny.

— Nic nowego. — Nie miała ochoty na zwierzenia. Już wczoraj próbowała porozmawiać z matką, ale niewiele to zmieniło.

— Jeżeli mogę ci jakoś pomóc, to powiedz — poprosił Tomek. — Widzę przecież, jak się męczysz.

— Nie zwracaj na mnie uwagi. Po prostu muszę podjąć pewną decyzję i cały czas nie wiem, co powinnam zrobić.

— A nie pomogłaby ci nowa fryzura? — Dorotka weszła do socjalnego i powiesiła torebkę na swoim wieszaku. — Mam klientkę dopiero za godzinę, ale przyszłam wcześniej, bo musiałam zawieźć teściową do lekarza i już nie opłacało mi się wracać do domu. Siadaj na fotel i zrobimy coś fajnego.

— Nie mam nastroju — broniła się Kasia.

– No i właśnie dlatego – upierała się Dorotka. – Nic tak nie poprawia humoru kobiecie, jak zrobienie się na bóstwo.

– Ale ja mam robotę... – próbowała się jeszcze wykręcić.

– Śmiało, idź – zachęcił Tomek. – Ja to dokończę. – Wskazał dokumenty. Tym samym pozbawił ją ostatniego argumentu i nie miała już wyboru.

– To będzie niespodzianka – powiedziała Dorotka i odwróciła ją tyłem do lustra. – Zrelaksuj się, a jak skończę, to ocenisz.

– Tylko bez szaleństw – poprosiła, chociaż w sumie było jej wszystko jedno. Nie sądziła, żeby jakiekolwiek uczesanie poprawiło jej nastrój. Gorzej już być nie może – pomyślała – a lepiej się nie da.

Jednak kiedy po trzech kwadransach weszła na zaplecze, w oczach Tomka zobaczyła potwierdzenie tego, co widziała chwilę wcześniej w lustrze.

– Jestem pod wrażeniem! – Na widok Kasi aż podniósł się i wyszedł zza biurka. – Wyglądasz jak jakaś celebrytka na czerwonym dywanie!

Musiała przyznać, że Dorotka znała się na rzeczy. Zupełnie ścięła resztki trwałej i wyczarowała Kasi twarzową, lekko asymetryczną fryzurę. Sama pewnie nie zdecydowałaby się na coś takiego, była raczej zachowawcza w kwestii własnego wyglądu, ale widziała podobne uczesania w kobiecych pismach i bardzo jej się podobały. Nie sądziła jednak, że jej będzie w czymś takim do twarzy.

– Teraz to aż nie wypada, żebyś siedziała w pracy. Taka laska powinna leżeć i pachnieć. – Nie był to może wyszukany komplement, ale za to prosto z serca.

– Popachnę może wieczorem. – Zaśmiała się, trochę zawstydzona. – Bo teraz to muszę zawieźć faktury do księgowej. O ile oczywiście skończyłeś...

– Skończyłem, a jakże. I myślę, że możemy połączyć przyjemne z pożytecznym. Pojedziemy zawieźć, co trzeba, a po drodze wpadniemy gdzieś na szybką kawę. Co ty na to?

– Jak na bardzo szybką, to tak. Najlepiej taką w kubku na wynos. Muszę być jak najprędzej w domu, bo mama na dzisiaj zaplanowała porządki w piwnicy. Chce przygotowywać słoiki do przetworów. A ona jak się uprze, to nie ma zmiłuj, gotowa sama to robić, więc nie mam wyjścia.

– Dobrze, jakoś to wszystko pogodzimy – obiecał Tomek. – Pozamykasz, Dorotko?

– Jasne, jedźcie spokojnie. – Odprowadziła ich wzrokiem i uśmiechnęła się. – A mówiłam, że jej się humor poprawi – powiedziała do własnego odbicia.

Kasia rzeczywiście poczuła się dużo lepiej. Szczególnie po tym, co usłyszała od Tomka.

Bo poszli jednak na tę kawę. Wybrali kawiarnię Bosko! na rogu Rynku i Koziej. Było tam przytulnie i niedrogo. W sam raz na krótki odpoczynek i szybką rozmowę, ale Kasia pomyślała, że to mogłoby też być dobre miejsce na niedzielne wyjście z dziećmi. Zwłaszcza że podawali tu także lody.

– Kiedy znajdziesz dla mnie trochę więcej czasu? – zapytał Tomek, gdy już kelnerka podała zamówione napoje.

– Przepraszam cię, ale ostatnio staram się jak najwięcej być z dziećmi. Są w kiepskiej formie. Nadal nie mogą zapomnieć o tym wyjeździe – opowiadała Tomkowi o feralnych wakacjach, więc wiedział, o czym mówi.

– Ciągle nie chcą widywać ojca?

– No właśnie, to największy problem. – Zamieszała swoją latte i oblizała łyżeczkę. – Nigdy nie mogę się powstrzymać. – Spojrzała przepraszająco.

– Mnie to nie przeszkadza. – Poklepał ją po ręce. – A co na to Jarek? – wrócił do tematu.

– Straszy mnie sądem. I przyznam, że się boję, bo w końcu prawo jest po jego stronie. Dlatego namówiłam chłopców, żeby poszli z nim do kina. I teraz żałuję. – Streściła mu przebieg tamtego wieczoru. – Nie podoba mi się to wcale. Po pierwsze: pił, a po drugie: nie życzę sobie, żeby moje dzieci zostawiał pod opieką obcej kobiety, której na dodatek oni nie lubią. A poza tym chce, żeby mówili do niej „ciociu". Pawełek się łamie, bo chyba boi się ojca, ale Krzysio kategorycznie oświadczył, że nigdy więcej nie da się namówić na spotkanie z Jarkiem. – Popatrzyła na Tomka pytająco. – I co powinnam zrobić?

– Tak na logikę, to lepiej byłoby, gdyby się z nim widywali. Szczególnie że on tego chce. Może się jakoś dogadają? W końcu to ojciec...

– To samo im mówię, ale mam ich siłą wypychać?

– No tak, rzeczywiście masz problem. Bo jeśli dojdzie do sprawy w sądzie, to niby masz szansę udowodnić, że nie zajmuje się nimi tak, jak powinien, ale łatwo na pewno nie będzie.

– Doskonale o tym wiem. Nawet mam wrażenie, że jemu właśnie o to chodzi. – Zacisnęła palce na brzegu stolika. – Tylko matce nie jest łatwo patrzeć na to, jak cierpią jej dzieci. Naprawdę nie mam serca ich zmuszać...

– Wiesz, co ci powiem? Zrób tak, jak ci matczyna intuicja podpowiada. A cokolwiek postanowisz, będę cię wspierał. Tego możesz być pewna.

I właśnie ostatnie słowa Tomka sprawiły, że kiedy dojechała do domu, nie weszła od razu do środka. Zgasiła silnik, spojrzała w lusterko i wyciągnęła z torebki telefon.

– Jarek? Mam dla ciebie informację: chłopcy nie chcą się z tobą widywać, a ja nie zamierzam ich do tego zmuszać.

I rozłączyła się, a potem wyciszyła dzwonki. To popołudnie zamierzała spędzić w spokoju. Niech teraz Jarek się denerwuje.

Lea wstała i rozciągnęła się. Spojrzała z góry na leżący na pościeli szkicownik. „Łza na mchu" wyszła jej naprawdę dobrze. Taki wisiorek powinien bez problemu znaleźć właścicielkę, tym bardziej że był mniej ekstrawagancki niż reszta projektów. Dużo mniejszy i delikatniejszy, świetnie będzie pasował zarówno do służbowego żakietu, jak i do wieczorowej sukienki. Tylko będę musiała zmienić nazwę – pomyślała, zdejmując okulary i przecierając zmęczone oczy. – Nikt nie chce łez, nawet tych symbolicznych. Tylko że one przychodzą nieproszone i nic nie można na to poradzić. W każdym razie coś wymyślę, chociaż dla mnie i tak na zawsze zostanie taka, jaka jest.

Rysowała, odkąd wróciła do dworku. Nie poszła na kolację, a pukającej do drzwi Teresce wyjaśniła, że boli ją brzuch.

– Może przynieść pani gorącej herbaty i jakieś lekarstwo? – zapytała dziewczyna z zatroskaną miną.

– Nie trzeba. Samo przejdzie.

– Jak pani uważa.

Tak właśnie uważała. Że samo przejdzie. I nawet nie dopuszczała myśli, że mogłoby być inaczej. Po prostu trzeba to uznać za chwilową niedyspozycję – pomyślała, zrzucając sukienkę. – Nie ma nawet nad czym się zastanawiać, a poza tym pora zbierać się do wyjazdu.

Weszła pod prysznic i odkręciła wodę. Zimny prysznic powinien ochłodzić rozgrzaną skórę i uspokoić myśli. Robiła tak zawsze, kiedy chciała przywołać się do porządku. Skutkowało, więc pomoże i teraz – zdecydowała. Przyjmowała lodowate strużki uderzające w ramiona jak niezbędny środek dyscyplinujący. Przenikający do głębi chłód był tym, czego potrzebowała, żeby nie zapomnieć o danej sobie obietnicy. I wytrwać w swoich założeniach. Może i nie było to łatwe, może wymagało wysiłku, ale i tak wydawało się lepsze niż ból, który mogłaby poczuć, gdyby straciła kontrolę nad swoim życiem i pozwoliła sobie na uleganie uczuciom.

Decyzji podjętej po długim namyśle nie powinno się zmieniać pod wpływem chwili – powtarzała w myślach. I chociaż rozum przyjął to do wiadomości, to jednak nie udało jej się odpędzić wspomnienia tego popopołudnia.

Dojście do domu Grzegorza zajęło jej ponad pół godziny, mimo że szła szybkim krokiem. Kiedy wreszcie stanęła przed furtką, musiała odczekać chwilę, żeby uspokoić oddech. Przygładziła też włosy i otarła chusteczką spoconą twarz. Pewnie błyszczę się jak karoseria jego mercedesa – pomyślała. – Na szczęście ona pewnie bardziej go interesuje niż ja.

Kiedy weszła za ogrodzenie, od razu zobaczyła swoją alfę. Stała przed garażami i wyglądała ślicznie. Stęskniłam się za nią – pomyślała, jakby chodziło o żywą istotę.

– Jestem! – krzyknęła, gdy doszła na środek podwórka.

– Widzę. – Usłyszała. Odwróciła się w stronę, z której dochodził głos.

Siedział na ławeczce pod rozłożystym świerkiem. Nie podniósł się, więc podeszła do niego.

– Cześć.

– Cześć.

– Tak, trzeba przyznać, że rozmowa toczy się wartko – zauważyła ironicznie.

– Nie spotkaliśmy się chyba na pogawędkę?

– Rzeczywiście. W takim razie przejdźmy do konkretów.

— Jak sobie życzysz.

— Wydawało mi się, że to ty sobie tego życzysz.

— A tak powiedziałem?

— Teraz rozmowa zaczęła się toczyć, tyle że głupio — zauważyła, bo znowu zaczynał wyprowadzać ją z równowagi. Tylko czego się spodziewała? Przecież nie zmienił się przez kilka dni. I niby dlaczego miałby to w ogóle robić?

— Dobra, nie męczmy się i skończmy to. Poproszę kluczyki. — Wyciągnęła rękę.

— Są w stacyjce.

— Domyślam się, że razem z paragonem i gwarancją?

— Niestety nie mam rachunku. Reflektor kupiłem od znajomego.

— W takim razie ile jestem ci winna?

— Tysiąc pięćset złotych — powiedział spokojnie, patrząc jej prosto w oczy.

— Ile?! — Aż podskoczyła, gdy usłyszała kwotę. — Za jeden reflektor?! Chyba zwariowałeś! Czy on jest ze złota?!

— Czterysta pięćdziesiąt za reflektor, a reszta za robociznę. — Pozostał zupełnie obojętny na jej podniesiony głos.

— Przecież mówiłeś, że nie jesteś mechanikiem.

— Owszem, ale ty chyba tego nie przyjęłaś do wiadomości. I nadal mnie za niego uważasz. W takim razie uznałem, że powinnaś zapłacić za moją pracę. A że jestem naprawdę dobry, to mój czas jest bardzo cenny.

– Ale ja nic takiego nie mówiłam...

– Owszem. Mówiłaś. – Podniósł się i stanął tak blisko, że poczuła zapach jego ciała. – Sam słyszałem. Powiedziałaś: to nie mężczyzna, to mechanik. – Zrobił jeszcze krok i jego twarz znalazła się tak blisko, że widziała, jak rozszerzają mu się źrenice. – Koszty za usługę mechanika już znasz. A teraz poznasz resztę faktów, które pozwolą ci stwierdzić, jak jest naprawdę.

Pochylił się i ją pocałował. Świat zaczął wirować, więc zamknęła oczy. Podniosła powieki dopiero wtedy, gdy poczuła, że ich wargi się rozłączyły. Popatrzyła prosto w jego oczy i... pobiegła do samochodu.

Nie pamięta, jak odpaliła silnik i wyjechała z podwórka. Zatrzymała się w lesie, żeby przed powrotem do dworku uspokoić kłębiące się w niej emocje. Wysiadła i kucnęła obok auta. Nie, nie zgadzam się – myślała w popłochu. – Nie przyjmuję tego. Nie chcę, nie potrafię, nie potrzebuję!

I wtedy zobaczyła własną łzę spadającą na poduszkę mchu. Kropla zatrzymała się na moment i rozbłysła niczym diament. Tak właśnie powstał jej najnowszy projekt.

Kamil: *Jutro będę już w Polsce. Cieszysz się?*
Marysia: *Bardzo.*
Kamil: *Jakoś tego nie czuję.*
Marysia: *Bo widzisz, jest taka sprawa...*

Kamil: *Coś się stało?*

Marysia: *Chyba jednak nie będę mogła jechać nad morze.*

Kamil: *Jak to? Przecież mówiłaś, że już wszystko załatwione. Ta Tereska miała pomagać, dobrze pamiętam?*

Marysia: *I pomaga.*

Kamil: *No to w czym problem?*

Marysia: *W tym, że mama źle się czuje.*

Kamil: *Zachorowała?*

Marysia: *To nie tak. Po prostu coś z jej ciążą. Nie wiem dokładnie, bo nie pytałam. Była u lekarza i powiedział, że ma dużo odpoczywać. Jeździ czasami do dworku, ale tylko po to, żeby popatrzeć, a poza tym głównie leży.*

Kamil: *Bardzo mi przykro. Tylko jakie to ma znaczenie dla naszego wyjazdu? Skoro to nic poważnego...*

Marysia: *No ma. Powinnam zostać i jakoś pomóc.*

Kamil: *A ty ciągle z tym pomaganiem! Chyba przesadzasz. Przecież jest Łukasz, twoja babcia. To nie wystarczy? I co ty właściwie masz robić?*

Marysia: *Jeszcze nie wiem.*

Kamil: *Czyli nic specjalnego? No to w takim razie nie rozumiem...*

Marysia: *Jak można nie rozumieć? Boję się o mamę i o to dziecko.*

Kamil: *Okej, ale co zmieni odpuszczenie wakacji?*

Marysia: *Może nic, ale chcę być przy mamie.*

Kamil: *Naprawdę rozumiem, że się martwisz, ale może przemyśl to jeszcze raz. Są przecież telefony, można dzwonić, zrobić połączenie wideo. Będziesz w kontakcie.*

Marysia: *Kamil, ja już zdecydowałam. Nie pojadę.*

Kamil: *I to twoja ostateczna decyzja?*

Marysia: *Tak.*

Kamil: *Szkoda. Przecież wiesz, że chciałem, żebyś pojechała. Stęskniłem się za tobą bardzo.*

Marysia: *Ja za tobą też. Ale naprawdę nie mogę.*

Kamil: *Bez ciebie nie będzie tak fajnie.*

Marysia: *Czyli ty jedziesz?*

Kamil: *Nie mam wyjścia. Już umówiłem ekipę. Teraz nie mogę im powiedzieć, że rezygnuję.*

Marysia: *Myślałam, że moglibyśmy jakoś to urządzić, żeby mimo wszystko spędzić trochę czasu razem. Przyjeżdżałbyś do Borowej. Albo zapytałabym mamę o ten mały pokoik w dworku. Tam teraz jest jakaś kobieta, ale niedługo wyjeżdża. Mógłbyś tam nocować.*

Kamil: *Brzmi spoko. Może po powrocie z Gdańska wpadnę na kilka dni.*

Marysia: *Ale to będzie za dwa tygodnie.*

Kamil: *Szybko minie.*

Marysia: *Chyba tobie.*

Kamil: *Nie obrażaj się. Pojutrze przecież ciebie odwiedzę.*

Marysia: *Wiesz, lepiej nie przyjeżdżaj.*

Kamil: *No co ty? Masz focha?*

Marysia: *Nie mam focha. Po prostu myślę, że lepiej, żebyś przygotował się do wyjazdu ze swoją ekipą.*

Kamil: *Ej, nie bądź złośliwa. To nie ja zmieniłem plany w ostatniej chwili.*

Marysia: *Owszem, ty. Ale nawet tego nie zauważyłeś. Bo ważniejsi są nowi znajomi niż ja.*

Kamil: *Teraz przesadzasz.*

Marysia: *Tak? No to przynajmniej będziesz miał spokój. Aga na pewno nigdy nie zmienia planów i nie przesadza. Będziecie się świetnie bawić.*

Kamil: *Uspokój się! Przyjadę pojutrze, to pogadamy.*

Marysia: *Powiedziałam ci, żebyś nie przyjeżdżał. Nie mamy już o czym gadać.*

Kamil: *Jak chcesz. Nie będę się narzucał. Gdybyś zmieniła zdanie, to numer znasz.*

Marysia siedziała na schodkach przyczepy i po raz kolejny przeglądała zapis ich wczorajszej rozmowy. Zrobiła to już chyba kilkanaście razy i właściwie znała każde napisane słowo na pamięć, ale ciągle wydawało jej się, że to niemożliwe. I nawet nie fakt, że jej związek z Kamilem się skończył, ale bardziej to, że w jego wypowiedziach nie mogła odnaleźć chłopaka, którego znała. Wydawało jej się, jakby pisała z obcym człowiekiem. Czy ta Norwegia tak go zmieniła? – zastanawiała się. – A może ja wcześniej tego nie widziałam?

Tak czy inaczej, czuła się opuszczona i rozczarowana. Czekała na chłopaka, za którym tęskniła i bardzo liczyła na jego zrozumienie i wsparcie. A tymczasem on pojechał na wakacje i wcale się nie przejął jej kłopotami.

W takim razie ja też nie zamierzam się nim przejmować – postanowiła i zdecydowanym kliknięciem wyłączyła telefon. Wstała i poszła w kierunku stanowiska ratowników.

– Cześć. – Stanęła, zasłaniając Bartkowi widok na zalew.

– O! Proszę nie przeszkadzać mi w pracy. – Chłopak mrugnął do niej.

– Nadal chcesz się ze mną umówić?

– Niezmiennie i wciąż.

– W takim razie możesz mnie dzisiaj odprowadzić do domu. Kończę o dwudziestej.

– A twój chłopak?

– Nie mam chłopaka.

– Rozumiem – skomentował krótko. – Będę o dwudziestej.

Czasami trzeba trochę odpuścić. Nawet jeżeli bardzo wolałoby się niczego nie zmieniać. Niektórzy mówią, że jeśli chce się rozśmieszyć Boga, trzeba mu powiedzieć o swoich planach. I chyba coś w tym jest, bo życie czasami układa się zupełnie inaczej, niż chcielibyśmy, i zmusza nas do ich weryfikacji.

Jednak równie często okazuje się, że nowa sytuacja niekoniecznie musi być zła. Bywa, że nieoczekiwane wydarzenia pokazują nieznane dotąd możliwości albo stają się szansą na to, o czym zapominaliśmy, a co jest nam potrzebne.

Tak było z Tamarą. Początkowo nie mogła się pogodzić z zaleceniami lekarza i była bliska płaczu za każdym razem, kiedy rezygnowała z jakiegoś działania, uznając je za zbyt obciążające. Ale wtedy patrzyła na swój brzuch, który już lekko się zaokrąglił i wreszcie stał się widocznym dowodem na to, że naprawdę jest tam nowa istota, maleńki człowiek. Jej dziecko. I właśnie ta świadomość sprawiała, że przestawała żałować, poddawała się temu, co konieczne, bo gotowa była na wszystko, byle dziecku nic nie zagrażało.

Wiedziała już, że marzenia o kolejnych pokojach będą musiały poczekać. Co prawda Łukasz uparcie porządkował teren, ale miała świadomość, że robi to bardziej dla jej dobrego samopoczucia niż z rzeczywistej potrzeby.

– Daj sobie z tym spokój – mówiła mu już kilka razy. – Wiesz tak samo dobrze jak ja, że musimy to odłożyć.

– Ani mi się śni – odpowiadał. – Zawsze to coś do przodu. Najwyżej posiejemy tu wiosną trawę. Zresztą nigdy nie wiadomo, co może się wydarzyć.

Nie rozumiała, dlaczego tak kurczowo trzyma się tego projektu, bo sama uznała, że szkoda jego czasu i sił. Pojąć nie mogła, dlaczego on, zwykle tak racjonalny, teraz nie przyjmuje do wiadomości, że nic z tego nie będzie. Przynajmniej na razie.

Jednak los bywa przewrotny i lubi zaskakiwać. Nigdy nie wiemy, co może się zdarzyć i kiedy wróci do nas dobro, które kiedyś wysłaliśmy w świat. Tamara miała się o tym przekonać.

Dobra energia przyjechała do dworku niebieskim dostawczym samochodem kierowanym przez Piotra. Było sierpniowe popołudnie i Tamara właśnie pożegnała młode małżeństwo, które spędziło w Stacji Jagodno ostatnie dziesięć dni.

— Do zobaczenia za rok! — Jureczek, rezolutny ośmiolatek, z zapałem machał na pożegnanie.

Odwzajemniła gest i patrzyła, jak odjeżdżają leśną drogą.

— No to mamy trochę luzu — stwierdził Łukasz. — Przynajmniej nie będę musiał robić kolejnego łuku.

— Do pojutrza — poinformowała Tamara. — Przypominam ci, że za dwa dni przyjeżdża babcia z dwójką wnuków. Jakaś znajoma tej pani Janeczki, która pomaga Marzenie w opiece nad rodzicami.

— Dobre i dwa dni. A to kto? — Wskazał na niebieski pojazd powoli pokonujący kolejne metry piaszczystej drogi.

— Pojęcia nie mam.

— Może pomylił drogę?

Okazało się, że nie pomylił.

— Hej, witajcie! — Sylwia wyskoczyła z szoferki, zanim jeszcze samochód całkiem się zatrzymał. — Jak miło was widzieć!

— Sylwia? Cześć! — przywitała się ucieszona Tamara. — Co za niespodzianka!

Piotr dołączył do powitania i uścisnął dłoń Łukasza.

— Masz chwilę? — zapytał. — Potrzebuję pomocnika.

— Jasne. Coś się popsuło?

— Na szczęście nie. Po prostu będziemy robić za tragarzy.

Sylwia podskoczyła jak mała dziewczynka.

— Bo my do was z niespodziankami. Mam nadzieję, że wam się spodobają.

Tamara patrzyła na dziewczynę i starała się nie okazywać zdziwienia. Zmiana była ogromna. Miała przed sobą zadowoloną i radosną osobę, aż trudno było uwierzyć, że jeszcze niedawno w jej oczach częściej gościły smutek i rezygnacja. Widać, że jest szczęśliwa – pomyślała Tamara. – Zresztą miłość najwyraźniej służy obojgu, bo Piotrowi też uśmiech nie schodzi z twarzy.

Miło popatrzeć, gdy ludzie są ze sobą szczęśliwi. A jeszcze milsza była świadomość, że Stacja Jagodno miała w tym swój udział.

– A co ty taka zamyślona? Chodź, pokażę ci, co przywiozłam. – Sylwia pociągnęła Tamarę za rękę i zaprowadziła ją do tylnych drzwi samochodu.

Piotr otworzył metalowe skrzydła.

– Proponowałem, żeby was najpierw zapytać, ale jak się kobieta uprze, to nie ma dyskusji – powiedział z udawaną pretensją, ale spojrzenie, jakie skierował na swoją partnerkę, jasno mówiło, że wcale się na nią nie gniewa.

– Przecież wiem, że się przyda. Najwyżej upchniecie gdzieś po kątach. – Machnęła ręką.

– Chyba żartujesz! – zaprotestowała Tamara, patrząc z zachwytem na przywiezione przez gości sprzęty. – Przecież to prawdziwe cudeńka!

– W takim razie, panowie, do roboty! – zakomenderowała Sylwia.

– Pani kierowniczko, gdzie to mamy składać? – zażartował Piotr.

– Chyba na razie wzdłuż hallu. – Tamara jeszcze nie do końca potrafiła zebrać myśli, zaskoczona nieoczekiwanymi prezentami. – Później się zastanowię, gdzie to rozstawić.

Mężczyźni przystąpili do pracy, a kobiety przyglądały się kolejnym opuszczającym samochód meblom. A było na co popatrzeć. Trzy komody, dwie biblioteczki, cztery małe szafki nocne, stolik i osiem krzeseł. Wszystko odnowione i – zgodnie ze stylem Sylwii – łączące w interesujący sposób klasykę z nowoczesnością.

– Zrobione – poinformował Łukasz, gdy wszystko znalazło już miejsce w dworkowym hallu. – Co prawda panna Zuzanna zmyła nam głowę, że jakieś graty znosimy, ale ostatecznie pozwoliła je zostawić. Warunkowo i z zastrzeżeniem, że nie będzie z nich ścierać kurzu.

– W takim razie pora na odpoczynek. Zapraszam do Różanego Kącika. Zaraz przyniosę coś do picia – zadysponowała gospodyni. – Bardzo wam dziękuję za to wszystko – zwróciła się do gości, gdy już usiedli przy kawie i kruchych ciasteczkach. – Ale nie wiem, czy powinniśmy przyjąć takie prezenty. Zdaję sobie sprawę z ich wartości. I z pracy, którą musiałaś w nie włożyć – powiedziała do Sylwii.

– Daj spokój! Naprawdę zrobiłam to z przyjemnością. Chciałam się wam jakoś zrewanżować za spokój i wsparcie, jakie tu znalazłam. A żebyś nie miała wyrzutów sumienia, to powiem ci, że naprawdę nie są drogie. To w większości holenderskie pseudoantyki, tylko troszkę je podrasowałam. – Mrugnęła łobuzersko okiem. – Najważniejsze, że ci się podobają.

– Bardzo – potwierdziła z przekonaniem Tamara. – Byłyby idealne do mojej koncepcji nowych pokoi...

– No to je tam wstawisz i będzie super.

– Właśnie nie będzie. Niestety, nie ruszymy z budową w tym roku...

– Spodziewamy się dziecka – wtrącił Łukasz – i Tamara nie może zbyt dużo pracować.

– Gratuluję! – Piotr podniósł kciuk w górę. – To świetna wiadomość! To co? Cieszycie się?

– Jasne. Tylko trochę nam to pokrzyżowało plany. – Tamara nie zamierzała ukrywać faktów. – Nie czuję się najlepiej i finansowo też nie damy rady. Wiadomo, będą nieprzewidziane wydatki...

– W takim razie nasza druga niespodzianka chyba też was ucieszy. – Piotr spojrzał porozumiewawczo na Sylwię. – I może nawet łatwiej uda się was przekonać.

❧

Czasami dobrze jest z kimś po prostu pogadać. Nie, żeby zaraz poważnie, ale tak zwyczajnie, o błahostkach. Może nawet pośmiać się z głupstw. Pobyć z drugim człowiekiem, poczuć czyjąś obecność, ot tak. I nie myśleć o problemach, nie zastanawiać się, po prostu wyluzować.

Do takich wniosków doszła Marysia i dlatego przypomniała Beacie o swojej propozycji.

– Jasne, że pamiętam. Tylko nic nie mówiłaś, więc myślałam, że może zmieniłaś zdanie.

– Nie zmieniłam. To co? Dzisiaj po pracy?

– Spoko. Bardzo chętnie.

Dziewczyny dotarły do białego domku w doskonałych humorach.

– Ale mu powiedziałaś! Jesteś niesamowita. – Beata chichotała na wspomnienie sytuacji sprzed półgodziny.

– No co? Przecież nie byłam niemiła? – Marysia otworzyła drzwi i wskazała koleżance wejście do kuchni.

– Rozgość się. Na razie tutaj, a potem przejdziemy do mnie.

– Ale że on się nie obraził? – Beata rzuciła torebkę na blat stołu. – Chyba naprawdę mu się podobasz.

Rzeczywiście, Bartek ze zrozumieniem przyjął odmowę Marysi.

– Dzisiaj nie mogę. Mamy babski wieczór. Będziemy obgadywać facetów – powiedziała, kiedy pojawił się przy przyczepie.

– Mnie też? – zapytał.

– Jasne, że tak.

– Super! Przynajmniej będę wiedział, że o mnie myślisz. – Musiała przyznać, że uśmiechał się czarująco. – W takim razie spróbuję jutro. Może będę miał więcej szczęścia.

– Może...

Marysia sama nie wiedziała, skąd bierze się w niej takie zachowanie. Zdawała sobie sprawę, że nie jest zbyt miła, ale ku jej zdziwieniu powodowało to skutek odwrotny od oczekiwanego. Chłopak nie tylko się nie obrażał, ale wyglądał na coraz bardziej zaangażowanego.

— Ale ty się na mnie nie gniewasz? – zapytała, stawiając czajnik na gazie.

— O co?

— O Bartka. Przecież mówiłaś, że on ci się podoba.

— Przestań! To już nieaktualne. – Podeszła do szafki — Mogę? – Wskazała na paczkę herbatników.

— Pewnie, że tak! A co? Masz kogoś innego na oku?

— Spotykam się z Radkiem. Tym policjantem. – Szturchnęła Marysię. – Wiesz, chyba coś z tego będzie.

— To super! Bardzo się cieszę. – Radość Marysi była szczera. Naprawdę życzyła koleżance dobrze. No i przy okazji spadł jej kamień z serca, bo prawdę mówiąc, trochę się bała jej reakcji na to, że umawia się z Bartkiem.

— Ja też. Fajny facet. Starszy i już w życiu ustawiony. Wiesz, stała praca...

Marysia pokiwała głową. Dla niej myśl o zatrudnieniu czy zarobkach była jeszcze właściwie abstrakcją. Ale rozumiała, że dla Beaty to ważne.

— A tobie jak z tym Bartkiem? Mogę powiedzieć, bez zazdrości, że niezłe ciacho ci się trafiło. – Parsknęła śmiechem. – Najlepszy na całej plaży. Daj, wezmę to. – Przeniosła kubki na stół. – A w ogóle to fajny jest?

— Tak naprawdę ja jeszcze nie wiem, czy chcę z nim, wiesz, być na poważnie – zwierzyła się Marysia koleżance. – Zresztą prawie go nie znam. Dwa razy mnie odprowadził i tyle.

— A co z twoim chłopakiem? – zainteresowała się Beata. – Mówiłaś, że ma wrócić. Gdzie on był? W Norwegii?

— Wrócił. — Marysia wzruszyła ramionami. — Ale nie do mnie.

— No co ty? Zdrada?

— Nie. To ja zrezygnowałam. Zawiodłam się na nim. — Powiedzenie tego głośno przyniosło jej dużą ulgę. — Myślałam, że jest inny.

— No to dobrze zrobiłaś — stwierdziła Beata tonem znawczyni. — Bo jak facet raz zawiedzie, to pewne, że zrobi to znowu. Wiem, co mówię, kilkakrotnie takie coś przeżyłam. I nauczyłam się, że jak coś jest nie tak, to lepiej od razu skończyć, niż ciągnąć taki związek.

— A ja właśnie nie jestem pewna, czy dobrze zrobiłam.

— E, dziewczyno, to ty go jeszcze kochasz. Co?

— Sama nie wiem...

— Znaczy, że kochasz. Współczuję. — Herbatnik chrupnął w jej rękach. — Z miłością bywa najgorzej. Trudno się wtedy uwolnić. — Pomyślała chwilę. — Ale jak się bardzo chce, to można. Trochę poboli i przestanie. Mam takie coś za sobą, więc wiem.

— No to co ja mam robić? — Marysia postanowiła skorzystać z okazji, żeby usłyszeć poradę od bardziej doświadczonej koleżanki.

— To, co robisz. Umawiaj się z innym. Posłuchasz komplementów i od razu ci się samoocena podniesie. Bo na początku każdy facet się stara. A poza tym im więcej próbujesz, tym większa szansa, że znajdziesz wreszcie tego jedynego. Widzisz, ja tak robiłam i mam swojego Radka. Warto było poczekać i szukać, serio!

— Czyli ty też zakochana?

— Też. Ale z tą różnicą, że ja szczęśliwie. Ej, nie obrażaj się! — Wyciągnęła w kierunku Marysi paczkę z herbatnikami. — Bierz! Słodkie jest dobre na stres i problemy.

Posłuchała. Po herbatnikach przyszła kolej na znalezioną w szafce paczkę wafli, które smarowały przyniesionym z kredensu dżemem truskawkowym. A potem zrobiły sobie kakao.

Okazało się, że z Beatą można miło spędzić czas. Marysia dawno się tak nie uśmiała. Rozmawiały o urodzie aktorów, planach na przyszłość, zabawnych wydarzeniach z przeszłości. Naprawdę omówiły wszystkich znanych im chłopaków, porównały swoje męskie ideały i żartobliwie pokłóciły się o to, czy lepiej być skromną i miłą, czy bezczelną. Marysia opowiedziała o dworku, wysłuchała opowieści o przymiotach policjanta Radka, a Beata pocieszała ją, gdy zwierzyła się ze swoich zmartwień. A to wszystko z muzyką ze smartfonów w tle.

Czas mijał szybko i dopiero pojawienie się Tamary przerwało im zabawę.

— Dobry wieczór. Widzę, że mamy gościa.

— To Beata, pracujemy razem — przedstawiła koleżankę Marysia. — A to moja mama — dodała.

— Miło mi. Widzę, że dobrze się bawicie. Chętnie bym z wami posiedziała — zażartowała — ale jestem zmęczona i pójdę się położyć — dokończyła szybko, widząc spojrzenie córki.

— Ja w sumie muszę już iść. — Beata wstała. — Strasznie się zasiedziałam.

— Naprawdę możecie dalej rozmawiać — zapewniła Tamara. — Mnie to zupełnie nie przeszkadza.

Mimo to Beata zebrała się i wyszła.

— Nie chciałam jej wypłoszyć. — Tamara objęła córkę ramieniem. — Wygląda na sympatyczną. Cieszę się, że znalazłaś tu koleżankę.

— Ja też się cieszę. I nic się nie stało, przecież i tak miałyśmy kończyć. Jutro trzeba wstać do pracy.

— Czasami zastanawiam się, kto tu jest matką, a kto córką. — Tamara roześmiała się.

— Zostawię naczynia niepozmywane, to się zorientujesz. — Marysia pokazała jej język i poszła do łazienki.

— Czy podasz mu wreszcie swój numer, czy będę zmuszony biegać za każdym razem, żeby cię znaleźć? — Był nieco zirytowany, bo dzwonek przerwał mu pracę, i żeby odebrać, musiał postawić taczki, zdjąć rękawice, a na koniec jeszcze odnaleźć Leę. — Czasy posłańców skończyły się kilka ładnych stuleci temu.

Spojrzała na wyciągnięty w jej stronę telefon.

— Nie mam zamiaru z nim rozmawiać.

— Ona nie chce z tobą rozmawiać. — Łukasz przyłożył komórkę do ucha i przekazał wiadomość. Przez chwilę słuchał. — Mówi, że to tylko kilka zdań — powtórzył słowa rozmówcy.

— Nie będę rozmawiać i koniec. — Lea założyła ręce za plecy, jakby chciała podkreślić, że ani myśli użyć telefonu.

– Cholera! Czy ja jestem jakimś przekaźnikiem? – Mężczyzna naprawdę się zdenerwował. – Sama mu to powiedz. – Wyciągnął jej rękę zza pleców i wcisnął w nią smartfona. – A potem przynieś mi telefon.

Odszedł, a ona wpatrywała się przez chwilę w mały ekran i zastanawiała, co zrobić. Wreszcie włączyła tryb głośnomówiący i powiedziała:

– Nie mam ochoty z tobą rozmawiać. – Odsunęła komórkę na wyciągniętej ręce, jakby chciała mieć nawet jego głos jak najdalej od siebie.

– Ja też nie chciałem dzwonić, ale jestem do tego niejako zmuszony.

– Kogoś takiego jak ty można do czegoś zmusić? – prychnęła. – Wątpię.

– A jednak. Lubię kończyć to, co zacząłem, a mam wrażenie, że nasz rozmowa niespodziewanie się urwała.

– Urwanie to też jakiś koniec – zauważyła.

– Ale poszarpany – zauważył.

– A może to po prostu ostre cięcie? – wypaliła bez namysłu.

– Dobra riposta, przyznaję – odpowiedział. – Ale i tak się nie wywiniesz.

– Naprawdę nie wiem, o czym mówisz. Myślę, że pora kończyć.

– To dlaczego się nie rozłączysz?

Usłyszała w jego głosie jakąś nutkę rozbawienia, więc postanowiła zrobić właśnie to, co podpowiedział.

– Hej, zanim naciśniesz guzik i zrobisz to, do czego cię skłoniłem... – dobiegło ją i zatrzymała dłoń – posłuchaj jeszcze przez moment. Interesują mnie twoje wnioski z ostatnio poznanych faktów. Dlatego czekam na ciebie dzisiaj o dwudziestej.

– Nawet się nie łudź! – Tym razem naprawdę ją zdenerwował. – Na pewno nie przyjdę!

– Ależ przyjdziesz. I w zależności od tego, jaką wydałaś ocenę, albo przyniesiesz mi pieniądze za naprawę samochodu, albo zjesz ze mną kolację. Tak czy inaczej, do zobaczenia o ósmej. Teraz możesz się rozłączyć.

Zrobiła to, co powiedział, a kiedy zdała sobie z tego sprawę, tupnęła nogą ze złości.

– Cholera! – zaklęła, żeby jakoś rozładować złość. – I co teraz?

– Może powinnaś zacząć się szykować? Kolacja przygotowana przez mężczyznę jest jak oprawa wieczoru i wymaga od kobiety, żeby błyszczała niczym najdroższy klejnot.

Lea odwróciła się, zaskoczona niespodziewanym komentarzem.

– Nie wiedziałam, że pani tutaj jest. – Zawstydziła się, bo panna Julia była świadkiem jej rozmowy z Grzegorzem.

– Zuzanna wywiozła mnie na spacer i chyba o mnie zapomniała. – Hrabianka uśmiechnęła się. – Przepraszam, powinnam się ujawnić, ale wolałam nie przerywać. Miałam wrażenie, że to ważna rozmowa.

– Prawdę mówiąc, nie chciałam, żeby w ogóle miała miejsce.

– To dlaczego jej nie przerwałaś? – Pytanie, które już słyszała przed chwilą, zadane przez pannę Julię wydało się mieć zupełnie inny wydźwięk.

– Sama nie wiem. – Wzruszyła ramionami. – Jakoś nie potrafię przy nim robić tego, co chcę.

– A może jest zupełnie odwrotnie? – Jasne oczy patrzyły z sympatią na zakłopotaną kobietę. – Tak czy owak, wygląda na to, że nie masz wyjścia. Jedyne, co możesz zrobić, to przygotować się tak, żebyś bez względu na to, co się zdarzy, mogła być pewna, że zapamięta cię na całe życie.

Lea ściągnęła usta i pokiwała głową. Panna Julia miała rację.

– Tak właśnie zrobię.

– O której będziesz w domu?

To pytanie, choć z pozoru zwyczajne i niewinne, zdziwiło Małgorzatę równie mocno jak to, że Kacper zadzwonił do niej w ciągu dnia. Zwykle spotykali się dopiero wieczorem, czasami ona dzwoniła, ale tylko jeśli miała naprawdę ważny powód. Kiedyś bardzo ją to denerwowało, myślała, że mąż ją lekceważy, wyobrażała sobie kochanki, a tłumaczenia, że jest zajęty, przyjmowała jako wykręt. Teraz, kiedy więcej rozmawiali, zrozumiała, że praca wójta nie polega tylko na siedzeniu w gabinecie, a jeśli chce się liczyć na drugą kadencję, wiąże się także z wieloma spotkaniami poza urzędem.

Na dodatek pytał o godzinę powrotu. Przecież doskonale wie, o której kończę, więc brzmi to tak, jakby chciał się upewnić, czy przypadkiem nie wrócę wcześniej – pomyślała.

– Dlaczego pytasz? – zastosowała najprostszy z manewrów.

– Tak po prostu.

– I chcesz, żebym w to uwierzyła? Kacper, przecież nigdy tego nie robisz.

– Może postanowiłem zacząć?

– Bądź poważny, proszę – zniżyła głos, bo klientka oglądająca szklane wazony zrobiła kilka kroków w jej stronę i nastawiła ucha.

– No dobrze, powiem ci. Tak naprawdę chciałem sprawdzić, w jakim jesteś nastroju. I czy nie planujesz znowu siedzieć po ciemku do późna. Możesz się zezłościć, ale ostatnio najadłem się sporo strachu i wolałbym drugi raz tego nie przeżywać.

Nie zezłościła się, wręcz przeciwnie. Zrobiło jej się miło, że tak się o nią troszczy. No i trochę wstyd, że wtedy zachowała się tak nieodpowiedzialnie.

– Będę jak zawsze – odpowiedziała. – Zamknę punktualnie i od razu przyjadę do domu. Możesz pracować spokojnie.

– To dobrze. W takim razie widzimy się wieczorem.

Małgorzata wróciła do swoich zajęć. Przez resztę dnia doradzała klientom, wypiła dwie kawy z przyjezdnymi, którzy po raz pierwszy do niej trafili i zauroczeni atmosferą sklepiku nie wyszli z niego z pustymi rękami.

Trochę radości przyniosła jej zabawa z synkiem fryzjerki Dorotki, która zajrzała po słonika z porcelany, bo jej koleżanka miała urodziny, a kolekcjonowała słonie. Dla odmiany pocieszyła pierwszy raz widzianą kobietę z Bartkowa, która pożaliła się na zięcia, a na odchodne kupiła kilka róż Jadwigi. Na koniec, kiedy już klientów było niewielu, przejrzała internetowe aukcje, po czym spakowała dwie sprzedane filiżanki i jeden obrazek, które miała wysłać następnego dnia rano.

Później musiała przyznać, że dała się podejść. Kacper uśpił jej czujność do tego stopnia, że po zamknięciu weszła jeszcze do sklepu i kupiła świeżą wędlinę z myślą o wieczornym posiłku.

Kiedy podjechała pod dom, mąż wyszedł jej naprzeciw i odebrał torbę z zakupami.

– Zaniosę do kuchni – powiedział.

Nawet wtedy jeszcze niczego nie podejrzewała. Dopiero kiedy weszła do salonu i zobaczyła nakryty stół, dotarło do niej, na co się zanosi.

– Jak pięknie! – wyraziła szczery podziw. – Sam tak nakryłeś?

Na białym obrusie stały jasnoszare talerze, a obok nich, na serwetkach w nieco ciemniejszym odcieniu, leżały sztućce. Środek stołu zdobił wazon z przezroczystego szkła, a w nim dostrzegła bukiet polnych kwiatów: różowych, błękitnych i żółtych. Płatki w tych samych kolorach tworzyły barwne wzory na obrusie, pięknie z nim kontrastując. A między kwiatowymi dekoracjami stały tealighty w małych szklanych świecznikach.

– Podoba ci się? – Widać było, że jest zadowolony i czeka na pochwały.

– Chyba widzisz, że tak.

– W takim razie pani Renatka dostanie premię. – Widząc wzrok żony, roześmiał się. – Żartuję przecież. Ale podziękuję jej jutro. Nie wiedziałem, jak się do tego zabrać, i musiałem poszukać wsparcia. Wreszcie zrozumiałem, po co wójtowi sekretarka – żartował dalej.

Jego humor udzielił się Małgorzacie.

– Mam nadzieję, że nie poprzestałeś na nakryciach. Bo ja kupiłam tylko szynkę na kanapki. A to chyba nie bardzo pasuje do takiej zastawy?

– Za kogo mnie masz? Ale nie wszystko od razu. Musisz chwilę poczekać, bo nie mam zbyt wielkiej wprawy w gotowaniu.

– W takim razie pójdę się przebrać. Takie przyjęcie wymaga odpowiedniego stroju.

Chcąc mu sprawić przyjemność, włożyła sukienkę, którą szczególnie lubił. Psiknęła na nadgarstki odrobinę perfum, przeczesała włosy i pociągnęła usta delikatną pomadką. Była gotowa, żeby wrócić na dół.

Idąc w kierunku schodów, zauważyła, że drzwi w pokoju gościnnym są uchylone. Podeszła, aby je zamknąć, ale zanim to zrobiła, wiedziona jakimś przeczuciem, zajrzała do środka.

– Kacper!

Przerażający krzyk żony sprawił, że mężczyzna rzucił trzymaną w ręku pokrywkę i biegiem ruszył na piętro.

Kiedy zobaczył Małgorzatę, od razu zrozumiał, co się stało. Pokręcił głową, bo jego plan legł w gruzach. Podszedł do żony i delikatnie dotknął jej ramienia.

– Co to ma być? – mówiła tak cicho i była taka blada, jakby za chwilę miała zemdleć. Stała na progu pokoju z rozszerzonymi oczami i wpatrywała się w stojące pod ścianą dziecięce łóżeczko.

– Nie tak to zaplanowałem. – Objął żonę w pasie. – Chciałem cię powoli przygotować. Dlatego ta kolacja i świece...

– Do czego chciałeś mnie przygotować? – wyszeptała.

– Kurczę. – Nie wiedział, jak ma teraz poprowadzić rozmowę. – Przygotowałem przemowę, żebyś zrozumiała, że wszystko przemyślałem i że jestem gotowy. A teraz to tak się zaplątałem, że nie wiem nawet, jak zacząć...

Małgorzata odwróciła głowę i spojrzała mężowi w oczy wzrokiem pełnym nadziei.

– O czym chciałeś mi powiedzieć?

– Dobra, może nie będzie uroczyście, ale trudno. Przemówienia są dobre na zebraniach. Powiem wprost: miałaś rację. Ten dom jest pusty. Też to czuję, szczególnie odkąd Amelka wyjechała. Zrozumiałem, że powinniśmy to zmienić. Chcę tego. Nie wiem, czy tak bardzo jak ty, ale chcę. I pomyślałem, jeżeli oczywiście zechcesz i uznasz, że takie rozwiązanie może być dobre...

– No powiedz wreszcie – wyszeptała.

– Myślę, że moglibyśmy adoptować dziecko. W końcu mamy warunki i...

Nie dokończył, bo poczuł, że Małgorzata osuwa się na podłogę.

– Małgosiu, kochanie. – Podtrzymywał ją i gorączkowo myślał, co ma robić.

– Już dobrze. – Usłyszał głos żony. – To z emocji. Już w porządku...

Doszła do siebie i nawet uśmiechnęła się lekko. Nadal była blada, ale oczy jej błyszczały.

– Dasz radę zejść po schodach czy zostaniesz w sypialni? – zapytał.

– Zostanę tutaj na chwilę. Zaraz zejdę. A ty biegnij, bo czuję – pociągnęła nosem – że coś się chyba przypala.

– Kurczak! – Też poczuł zapach spalenizny. – Poradzisz sobie? Na pewno?

Pokiwała głową, więc zbiegł po schodach.

Małgorzata podeszła do łóżeczka i wygładziła flanelową poduszeczkę. A potem skierowała się do komody, wzięła z niej niewielki przedmiot i ułożyła go na środku miękkiego materiału. Biały kamyk – symbol momentu, w którym Kacper zrozumiał, że powinni zostać rodzicami, i uczuć, jakie mogą dać dziecku, które zamieszka w tym domu i wypełni pustkę.

Nie znalazła go ani na podwórku, ani w garażu. Nie miała więc wyboru. Zastukała w ciemnobrązowe drzwi i czekała.

Posłuchała porady panny Julii i włożyła to, w czym wyglądała najlepiej – prostą czarną sukienkę sięgającą kostek, ozdobioną na dole i wokół dekoltu maleńkimi kryształkami, które mieniły się w świetle i wyglądały jak gwiazdy na sierpniowym niebie. Taki strój nie wymagał już dodatków, więc ograniczyła się tylko do pierścionka z dużym szklanym oczkiem zrobionym z czarnego kryształu. Proste baleriny dopełniały stylizację. Nie wzięła szpilek, ale uznała, że to nawet lepiej, bo w końcu nie szła na bal i wysoki obcas byłby przesadą.

Staranny makijaż podkreślił migdałowy kształt oczu i uwydatnił kości policzkowe, a zaczesane do tyłu włosy nadawały Lei skromny, ale jednocześnie nowoczesny wygląd. Jedynym mocnym akcentem były usta, które pomalowała czerwoną szminką. Była zadowolona z tego, co zobaczyła w lustrze.

Teraz straciła pewność siebie. A jeśli mu się nie spodoba?

Co mnie to obchodzi – przywoływała samą siebie do porządku. – Przecież opinia tego człowieka w ogóle mnie nie interesuje.

A jednak szybkie bicie serca zdawało się mówić coś innego. A może jest zupełnie odwrotnie? Przypomniała sobie słowa hrabianki.

– Dobry wieczór – powiedział, otwierając drzwi.

Zauważyła, że też ubrał się staranniej niż zwykle. Biała koszula rozpięta pod szyją i ciemne płócienne spodnie świadczyły o dobrym guście i były doskonałym połączeniem elegancji i wygody.

– Widzę, że jednak wybrałaś kolację. – Zmierzył ją od stóp do głów i poczuła, że się czerwieni.

— Widzę, że też się na to nastawiłeś. — Za wszelką cenę nie chciała, żeby zauważył jej zakłopotanie.

— Chyba po raz pierwszy mamy podobne oczekiwania. Wejdź, proszę. — Odsunął się i wpuścił ją do środka.

Musiała przyznać, że spodziewała się zupełnie innego wnętrza. Wyobrażała sobie raczej rustykalny styl, może nawet niezbyt jednorodny i stanowiący odbicie lekceważącego stosunku do norm, jaki prezentował gospodarz. Tymczasem zobaczyła nowocześnie urządzone wnętrze, niepozbawione jednak duszy dzięki wykorzystaniu drewnianych belek i innych elementów starej willi. Komuś udało się idealnie zachować to, co w tym domu było najlepsze, nie popadając przy tym w przesadną sielskość, a przeciwnie — zwracając się bardziej w kierunku stylu industrialnego.

— Bardzo ciekawie urządzone. — Pokiwała z uznaniem głową.

— Mnie też się podoba. To już kolejna zgodna opinia, zauważyłaś?

— Tak, bo to dość zaskakujące.

— Dla mnie wcale.

— I znowu się różnimy.

— Z tym też się nie zgodzę. Wydaje mi się, że tak naprawdę różni nas tylko jedno.

— Chętnie poznam tę karkołomną teorię. — Uśmiechnęła się i usiadła na skórzanej sofie.

— Ja mam odwagę mówić, co myślę.

— Twierdzisz, że ja nie.

— Dokładnie to powiedziałem.

– Muszę cię zmartwić. Mylisz się.

– Udowodnij. – Usiadł obok i podał jej szklankę z napojem. – Bądź dziś naprawdę sobą. I mów to, co czujesz, bez względu na wszystko. Stać cię na to?

– Rzucasz mi wyzwanie?

– Coś w tym rodzaju.

– Przyjmuję.

O tym, co było dalej, opowiedziała następnego dnia pannie Julii. Odwiedziła hrabiankę po śniadaniu.

– Siadaj, dziecko. – Staruszka przywitała ją ciepłym uśmiechem i filiżanką herbaty. – Co cię sprowadza?

– Chciałabym to pani oddać. – Wyjęła z kieszeni czarny woreczek.

Pytające spojrzenie zmusiło ją do wyjaśnień.

– Wyjeżdżam. Tutaj i tak nie mogłabym tego zrobić, a nie planuję powrotu w te strony, więc... Przecież nie wyślę tego pocztą ani nawet kurierem. Jest zbyt cenny.

Panna Julia sprawiała wrażenie, jakby w ogóle nie słyszała słów Lei. Drżącą dłonią ujęła filiżankę i upiła kilka malutkich łyków.

– Jak tam kolacja? Udana? – zapytała, jak gdyby w ogóle nie było wcześniejszego tematu.

– Najbardziej udana jak to tylko było możliwe w tej dziwnej sytuacji – odpowiedziała Lea po krótkim namyśle.

– A co może być dziwnego w spotkaniu kobiety z mężczyzną? To chyba najbardziej naturalna kolej rzeczy.

– Normalnie może tak. Ale nie w tym przypadku. Dobrze, że przynajmniej wyjaśniłam mu wszystko.

Miała pani rację. Przy nim mogę być sobą. A to dlatego, że on też jest.

– To chyba dobrze?

– Nawet doskonale. Gdyby nie to, że nic z tego nie będzie. – Poprawiła nerwowo okulary. – Dobra, seks mógłby być. Przepraszam, ale jestem po prostu szczera. Wiem, bo to się czuje. Ale nie było. Obydwoje nie chcieliśmy. Gdyby do czegoś doszło, to ta znajomość stałaby się po prostu... banalna. A taka nie jest. Przepraszam. – Przysłoniła ręką usta. – Ja tak opowiadam, ale pewnie to pani wcale nie obchodzi.

– Przeciwnie. Zaintrygowałaś mnie. Niebanalne znajomości są zwykle interesujące. A to dobrze rokuje na przyszłość.

– Właśnie nie będzie żadnej przyszłości. Tak mu powiedziałam, bo chciał, żebym była szczera. Lepiej to skończyć, zanim się zacznie. Bo widzi pani, ja... – zawahała się. – Może to zabrzmi głupio, ale obiecałam sobie, że nigdy się nie zaangażuję. No i tyle. – Wzruszyła ramionami. – A gotuje dobrze, choć to bez znaczenia. – Przerwała i zamilkła.

Panna Julia podjechała do okna i popatrzyła na ścianę lasu.

– Opowiem ci historię tego pierścionka – powiedziała. – Myślę, że powinnaś ją poznać, zanim wyjedziesz.

Ponowna zmiana tematu tym razem nie była już tak zaskakująca, ale Lea pomyślała, że staruszka chyba zaczyna gubić się w rzeczywistości. W tym wieku to w sumie nic dziwnego – stwierdziła.

– Dostałam ten pierścionek od pewnego młodzieńca, mojej pierwszej miłości. Miał na imię Aleksander. Chcieliśmy zostać parą, ale w czasach naszej młodości nie było to tak proste jak dziś. Tym bardziej w sytuacji, kiedy rodziny nie czuły się przekonane do związku. Oboje byliśmy młodzi, wychowani na romantycznych ideałach, więc taka sytuacja jeszcze podsycała nasze uczucia. On pewnego dnia przyniósł mi pierścionek, który potajemnie zabrał ze szkatułki swojej matki, i wyznaliśmy sobie miłość. Wyobraź sobie, dziecko, on po tych tajnych zaręczynach powiedział, że skoro nie możemy być razem, to powinniśmy razem umrzeć. Jak Romeo i Julia.

Lea słuchała z zapartym tchem. Co za niesamowita historia – pomyślała. – Ciekawe, jak to się skończyło.

– Dalej nie było już tak pięknie – powiedziała panna Julia, jakby odczytując myśli Lei. – Wystraszyłam się. Od dziecka chorowałam i bardzo bałam się śmierci. Chciałam żyć. Odmówiłam Aleksandrowi, ale on i tak zrealizował swój zamiar. Byłam w rozpaczy i czułam się winna, choć przecież starałam się odwieść go od tego pomysłu. – Wyjęła spod koca chusteczkę i otarła oczy. – Po pogrzebie poszłam do jego matki, aby oddać jej pierścionek. I wiesz, co ona zrobiła? Rzuciła nim we mnie i powiedziała, żebym go sobie wzięła. Do końca życia nie zapomnę jej słów. „Odkąd mój syn nie żyje, moje serce zmieniło się w kamień. Innych mi nie potrzeba" – tak powiedziała. I w ten sposób pierścień został u mnie.

— Jest wspomnieniem wielkiej miłości, to piękne. — Lea podeszła do panny Julii i położyła jej woreczek na kolanach. — Przypomina pani ukochanego.

— Tak. Ale jeszcze bardziej przypomina mi oczy jego matki. Nigdy ich nie zapomnę. — Chwyciła Leę za rękę i podniosła głowę, żeby na nią popatrzeć. — Było w nich to samo, co przed chwilą w twoich. Postanowienie, żeby nigdy już niczego nie czuć, nikogo nie kochać. — Opuściła głowę i znowu spojrzała w okno. — Weź, dziecko, ten pierścionek. Napraw go. Oddasz, jeśli będzie okazja, a jeśli nie, niech zostanie u ciebie. Ja już go nie potrzebuję. Aleksandra mam w sercu i wolę to niż jakikolwiek kamień.

— Ale ja nie mogę...

— Idź już, dziecko. — Wcisnęła jej do ręki aksamitny woreczek. — Miałaś przecież przygotowywać się do wyjazdu.

Zofia na początku słyszeć nie chciała o odwiedzinach w dworku.

— Weź Nikolkę i Pawełka — powiedziała. — Krzysio poszedł z Kuklami nad zalew, obiecali go przypilnować, a ja sobie posiedzę, może poszerzę małej gumkę w spodenkach od dresu, bo ostatnio się skarżyła, że ją uwierają.

— Mamo, ostatnio nigdzie nie wychodzisz. Nie smutno to tak w domu samej siedzieć? — namawiała Kasia.

– Ludzi zobaczysz, pogadasz. Hrabianek to chyba od Wielkanocy nie widziałaś.

Tak się upierała, że wreszcie Zofia uległa.

– Może to i dobry pomysł, żeby z Leszczyńskimi się spotkać – powiedziała. – W tym wieku to nigdy nie wiadomo, czy kolejna okazja będzie.

– Wiesz, mamo, ty jak już coś powiesz, to naprawdę nie wiadomo, co robić – odpowiedziała z dezaprobatą Kasia. – No ale jeśli to jedyny argument, który cię przekonuje, niech i tak będzie.

Zofia zapakowała więc do dużej ortalionowej torby słoiki z przetworami i już była gotowa.

– Z pustymi rękami przecież nie pojadę – tłumaczyła się córce.

Jak dobrze, że Kasia to prawo jazdy zrobiła – rozmyślała, wyglądając przez okno samochodu. – Raz, dwa i człowiek na miejscu, a piechotą to kawał drogi. Ostatnio ledwie doszłam.

Całe towarzystwo zostało z radością powitane. Tamara już na nich czekała, bo Kasia dzwoniła do niej wcześniej, żeby się zapowiedzieć.

– Mama pół spiżarni w prezencie przywiozła – powiedziała. – Ale ja też coś mam. Specjalnie dla ciebie – zwróciła się do Tamary.

– Naprawdę nie musiałyście niczego przywozić. Sama wasza obecność to najlepszy prezent.

– Takie tam gadanie. – Zofia machnęła ręką. – Soki i konfitury zawsze się przydadzą. Nic wielkiego, ale akurat, żeby sobie lato przypomnieć, jak mróz ściśnie.

— Dziękujemy. Ale co pani robi! Proszę zostawić, to ciężkie. Łukasz zaniesie do kuchni – powiedziała Tamara. – Tam już panna Zuzanna czeka. Mówiła, że jak jej się zachce, to ciasto upiecze. A to znaczy, że już gotowe i będzie w sam raz do pogaduszek przy herbacie.

— Skoro mama już ma towarzystwo, a dzieci się bawią – Kasia wskazała na Nikolę i Pawełka, którzy zdążyli znaleźć jakieś patyki i grzebali nimi w popiele z ogniska – to ja mogę zająć się tobą. – Wyciągnęła z bagażnika dużą aluminiową walizkę. – Przenośny zakład pielęgnacji paznokci – wyjaśniła. – Dla ciężarnych z dojazdem do domu.

— No co ty! Kasiu!

— Nie broń się. Już dawno o tym myślałam. Ty mi zrobisz kawę, a ja tobie paznokcie. To się nazywa barter. Nauczyłam się na kursie – powiedziała z dumą. – I nie bój się, tylko delikatny frenczyk zrobimy. Gdzie tu jest jakiś kontakt, żebym lampę mogła podłączyć?

Tymczasem Zofia weszła do dworkowej kuchni, w której zastała wycierającą naczynia Tereskę.

— A ty co tutaj robisz? – zdziwiła się.

— Też ją o to czasem pytam. – Panna Zuzanna stuknęła laską.

— Dzień dobry, pani Zofio. Ja pomagam – powiedziała dziewczyna.

— Żeby nie było, że za darmo – wtrąciła hrabianka. – My tu dzieci nie wykorzystujemy. Tamara płaci, pewnie za dużo, ale do tego to ja się już nie wtrącam.

Tereska uśmiechnęła się lekko. Zdążyła już poznać pannę Zuzannę i przyzwyczaiła się do jej docinków. Zauważyła, że nikt nie bierze ich na poważnie, a staruszka, chociaż z pozoru groźna, nikomu krzywdy nie zrobi. Dlatego już nie denerwowała się, kiedy słyszała podobne uwagi. Nie to co na początku, kiedy myślała, że wszystko robi źle.

– No to teraz wiem, dlaczego do mnie nie zaglądasz. – Zofia podeszła i pogłaskała dziewczynę po głowie. – Bo już myślałam, że może chora jesteś albo coś się stało. Miałam nawet prosić Kasię, żeby do was zajechała i sprawdziła, ale ona taka zabiegana...

– U mnie wszystko w porządku – zapewniła Tereska.

– Teraz to widzę. I dorobić sobie postanowiłaś? To dobrze.

– To też. Tak przy okazji. Bo najbardziej to chciałam dobro dalej w świat posłać. – Spojrzała na Zofię. – Wie pani, o co chodzi? Pani mnie pomogła, to ja teraz komuś...

– Na razie to posłała kilka talerzy do kosza. I jeden spalony placek – mruknęła panna Zuzanna.

Ale Zofia zrozumiała. I jeszcze raz pogłaskała Tereskę po głowie.

Przez kolejną godzinę zdążyła opowiedzieć hrabiankom o wszystkim, co działo się w okolicy. Co prawda wielu osób nie znały, bo rzadko opuszczały dom, ale słuchały z ciekawością. Zrewanżowały się historiami z życia dworku, które – szczególnie dzięki uwagom Zuzanny – kilka razy bardzo Zofię rozbawiły.

— A jutro żegnamy kolejnego gościa — powiedziała Julia. — Chociaż akurat w jej przypadku wyjazd uważam za zbyt pochopny.

— A kto to taki? — zapytała Zofia, chociaż od razu poczuła, że wie, o kim mowa.

— Lea, bardzo utalentowana kobieta.

— Ta od biżuterii? Kasia mi o niej opowiadała.

— Tak, właśnie ta. Niestety w życiu chyba niezbyt dobrze jej się układa. — Słychać było, że Julię naprawdę to martwi.

— Widać można mieć talent do pieniędzy, a nie mieć do miłości — skomentowała Zuzanna.

Zofia słuchała uważnie. Miała nadzieję, że dowie się czegoś więcej, ale nie chciała, żeby hrabianki zorientowały się, jak bardzo interesuje ją ta Lea.

— Nie mów tak. — Julia podniosła w górę palec. — Wiesz dobrze, że nie można oceniać po pozorach. A ja z nią rozmawiałam i wydaje mi się, że ona nie zawsze taka była. Coś strasznego musiało się wydarzyć w jej życiu i to ją zraziło do miłości. I nie chce skorzystać z szansy. Dlatego ucieka. Szkoda.

— Ja tam się jej uczuciami nie interesuję, ale że szkoda, to muszę się zgodzić. Pomagała w kuchni i trzeba powiedzieć, że co nieco się na tym zna. No, może trochę za dużo tej zieleniny wszędzie wkłada, ale gościom smakuje.

Potem zmieniły temat. Kiedy po godzinie Zofia wyszła z saloniku hrabianek, w drzwiach wejściowych prawie zderzyła się z czarnowłosą szczupłą kobietą.

– Bardzo panią przepraszam – powiedziała.

– Nic nie szkodzi. – Zofia popatrzyła na nią i aż wstrzymała oddech.

Podobieństwo było niezaprzeczalne. Co prawda twarz, którą pamiętała, okalały jasne włosy i nos był troszkę dłuższy, ale Zofia nie miała już żadnych wątpliwości.

※

– Mam nadzieję, Jadwigo, że ci nie przeszkadzam?

– Ależ Małgosiu, dla ciebie tu drzwi zawsze stoją otworem! Wejdź, proszę, siadaj, zaraz dam coś do picia.

– Tylko nie kawę – poprosiła Małgorzata. – Dzisiaj już chyba z pięć wypiłam. W ogóle miałam pracowity dzień. Sporo klientów było, bo zaglądają w drodze nad zalew. A tak mnie straszyli, że latem będzie słabo...

– To ty prosto z pracy! W takim razie pierogów ci odsmażę, bo pewnie głodna jesteś. – Jadwiga od razu sięgnęła po wiszący na plastikowym haczyku fartuch.

– Nie trzeba. Ja tylko na chwilę, bo do domu muszę wracać. Kacper dzwonił, że już jest i razem zjemy kolację.

– W takim razie zapakuję ci na wynos – zdecydowała gospodyni. – Świeżutkie, dzisiaj lepiłam. Jak wieczorem nie zjecie, to będziesz miała obiad na jutro.

– Jadziu, ja nie przyszłam cię objadać...

– Jakie tam objadać. – Jadwiga roześmiała się. – Teraz to mi miło, że mogę się podzielić, a nie martwić, że braknie dla dzieci. Zresztą narobiłam tyle, a jeść nie ma kto. Igor powiedział, że jadł w pracy, Tereska w dworku pomaga, to tam zje, a Romek dzisiaj pojechał na urodziny chrześniaka i też wróci najedzony – wyliczała. – No to sama widzisz, że prawie już nie mam dla kogo gotować.

– To Igor pracuje?

– A to ja ci nie mówiłam? Od początku wakacji ratownikiem jest. Ze swoją dziewczyną pracuje. A Tereska też sobie dorabia. U Tamary. Pomaga w kuchni i przy gościach. Radzą sobie dzieciaki. – Widać była, że jest dumna z zaradności dzieci.

– Ciocia Małgosia! – Z pokoju wybiegła Amelka i od razu wdrapała się gościowi na kolana. – Przyjechałaś do mnie?

– Do mamy, Amelko. – Jadwiga pogłaskała ją po głowie. – Już się przywitałaś i teraz wracaj do zabawek.

Mała zrobiła smutną minę.

– Prawdę mówiąc, to przyjechałam właśnie do Amelki. – Małgorzata uśmiechnęła się. – I mam coś...

– Dla mnie? – Mała od razu odzyskała humor.

– Tak, dla ciebie. Poczekaj. – Zdjęła dziewczynkę z kolan i posadziła na krześle obok. – Muszę przynieść, bo zostawiłam w ganku.

Wróciła z dużym pudełkiem, które postawiła na stole.

– Co to jest? – Amelka nie mogła się doczekać.

– Już odpakowuję. – Małgorzata podniosła wieczko.

– Tort! – krzyknęła dziewczynka. – Mam urodziny? – Spojrzała zaskoczona na matkę.

Jadwiga zrobiła zdziwioną minę.

– To nie jest tort urodzinowy, Amelko. Przecież nie ma świeczek, prawda? – powiedziała Małgorzata. – Przywiozłam go, bo chciałam ci podziękować.

– A za co? – zaciekawiła się mała.

– Za to, że spędziłaś u mnie wakacje. To był bardzo miły czas.

– Mamo, a ty też dostaniesz tort za wakacje nad morzem?

– Raczej nie. – Jadwiga pokręciła głową.

– Szkoda, bo mielibyśmy dwa... – rozmarzyła się dziewczynka.

– Na razie dostaniesz kawałek i pójdziesz pokazać Okruszkowi. – Matka odkroiła porcję i nałożyła na talerzyk. – Uważaj, żeby ci nie spadł.

Dziewczynka wzięła swoją porcję słodyczy i patrząc uważnie pod nogi, poszła powoli do pokoju.

– Małgosiu, ja nic nie rozumiem. Skąd ten tort? – zaczęła wypytywać Jadwiga, gdy tylko córka znikła za drzwiami.

– Przecież powiedziałam. To podziękowanie za najlepsze wakacje, jakie miałam w życiu. – Małgorzata roześmiała się. – Twoje dziecko zrobiło coś, co nikomu wcześniej się nie udało.

– Mój Boże! – Jadwiga załamała ręce. – Ale żadnej szkody nie narobiła?

– Przeciwnie, Jadziu. Zrobiła coś bardzo dobrego.

– Powiedz ty mi, co się stało, bo już mam mętlik w głowie – poprosiła zdezorientowana kobieta.

— Twoja Amelka wniosła do naszego domu tyle życia i radości, że po jej wyjeździe nie mogłam sobie znaleźć miejsca. Nawet mi się z pracy nie chciało wracać.

— Ja się właśnie bałam, że tak będzie — westchnęła Jadwiga. — Nie chciałam się odzywać, żeby ci przykrości nie robić, ale przecież widziałam, jak ty na dzieci patrzysz. I wcale nie byłam pewna, czy ten twój pomysł jest dobry...

— Wiesz, że ja też po waszym powrocie tak myślałam — przyznała Małgorzata. — Ale na szczęście okazało się, że Kacper czuł to samo.

— Jak to: na szczęście? — nie zrozumiała Jadwiga.

— A tak! Na wielkie, ogromne szczęście! Bo dzięki Amelce zrozumiał, że bycie ojcem jest czymś wspaniałym i że ta rola mu odpowiada. A potem poczuł, że nawet wielki dom, ale bez dziecka nie jest w pełni domem. I wiesz, co zrobił?

Sąsiadka spojrzała pytająco.

— Zaproponował, żebyśmy pomyśleli o adopcji! — Wstała, podeszła do Jadwigi i ujęła jej ręce w swoje dłonie. — Jadziu, będziemy mieli dziecko! Rozumiesz?! Wreszcie będę mamą! — Nie potrafiła opanować wzruszenia. — Ciągle to sobie powtarzam, bo jeszcze nie mogę uwierzyć. Tyle lat czekania, tyle łez w poduszkę... A on był nieugięty. I kiedy już prawie pogodziłam się z tym, że moje marzenia nigdy się nie spełnią, wszystko się zmieniło. Będę mamą! — Ściskała dłonie Jadwigi. — A to wszystko dzięki twojej Amelce. I właśnie dlatego przyszłam podziękować.

Jadwiga patrzyła na szczęście Małgorzaty i łzy napłynęły jej do oczu. Jeżeli komuś na świecie należało się spełnienie marzeń, to właśnie jej – pomyślała. – Za dobre serce musi być nagroda. I widać, to prawda.

– Małgosiu, cieszę się razem z tobą – powiedziała.

– To może też spróbujemy tego tortu?

– A pewnie! Takie szczęście trzeba świętować!

Wspólne ognisko było inicjatywą Bartka. Marysia widziała, jak pewnego dnia rozmawiał z szefem, ale nie miała pojęcia, o co chodzi. Dopiero wieczorem, kiedy ją odprowadzał, dowiedziała się o niespodziance, którą organizował.

– Jutro wieczorem zapraszam cię na ognisko – oznajmił, gdy już byli pod jej domem.

– Ty i ja? – Nie była pewna, czy ma ochotę na takie spotkanie.

– A do tego wszyscy ratownicy, chłopaki od parkingu i dziewczyny z drugiej przyczepy. Odpowiada ci taki skład?

Dużo bardziej niż tylko nasza dwójka – pomyślała.

– W takim razie szykuj się na wieczorną zabawę. – Potraktował jej milczenie jako zgodę. – Tylko weź coś cieplejszego, bo w nocy na pewno będzie chłodniej.

– Dobrze. Uprzedzę mamę, że wrócę później.

Następnego dnia Bartek poinformował o niespodziance pozostałych.

— W ramach wsparcia socjalnego mamy od szefa kiełbasę i zgrzewkę coli — opowiadał wszystkim z dumą.

— Nie było łatwo, ale go przekonałem.

Beata nie wiedziała, co ma robić.

— Nie wiem, czy pójdę — rzuciła, krojąc pomidory.

— Nawet nie żartuj! Bez ciebie ja też nie idę.

— E tam! Przecież ty będziesz ze swoim facetem. A co ja tam sama będę robić?

— On nie jest moim facetem — zaprzeczyła Marysia.

— Gadanie! Codziennie cię odprowadza i kim niby jest? Kolegą z pracy? Weź przestań...

— A żebyś wiedziała! — upierała się Marysia. — I nawet nie próbuj się wymigiwać. Musisz iść.

— No nie wiem... — wahała się koleżanka. — Musiałabym zadzwonić do Radka, zapytać, czy nie ma nic przeciwko temu.

— I kto to mówi? A niedawno twierdziłaś, że nie można zwracać uwagi na facetów i kobiety powinny robić, co chcą. Ty chyba naprawdę się zakochałaś! — zachichotała Marysia.

— I dalej tak uważam. Tylko jeżeli trafi się na odpowiedniego mężczyznę, to warto czasem trochę odpuścić. I lepiej zapytać, niż potem wysłuchiwać pretensji.

— A co? Zabroni ci iść? Przecież nawet nie będzie wiedział. Beata, proszę cię, musisz być na ognisku... Zresztą głupio nie iść, w końcu to ekipa z pracy.

— No dobra, niech ci będzie. — Machnęła ręką. — Tylko zajmij się tymi pomidorami. Nienawidzę krojenia!

Dzień minął szybko i po skończonej pracy zebrali się przy wyjeździe z parkingu.

— To dokąd teraz? — zapytała ratowniczka z drugiej zmiany.

— Może Igor nam doradzi? — Bartek spojrzał pytająco na kolegę. — Pewnie znasz te lasy jak własną kieszeń.

— Możemy iść do dworku, do mojej mamy — wtrąciła się Marysia. — Tam jest miejsce na ognisko, drewno też...

— Twoją mamę odwiedzimy kiedy indziej — postanowił Bartek. — A dzisiaj chyba wolimy być z daleka od starych?

Pozostali go poparli i Igor zaproponował miejsce na polanie, niedaleko skraju lasu, ale na tyle oddalone od wsi, że nikt nie powinien zobaczyć nie całkiem legalnie rozpalonego ognia.

— Od lat tam chodzimy — wyjaśnił chłopak. — I wszystko jest w porządku. Nikt się nie czepia, więc...

— Okej. Idziemy — zdecydował Bartek.

Rzeczywiście — miejsce znajdowało się na uboczu, a wypalony krąg świadczył o tym, że nie byli tu pierwsi. Chłopcy zebrali gałęzie i rozpalili ogień, dziewczyny rozsiadły się wokół na ręcznikach albo wprost na trawie.

Nie wiadomo skąd pojawiły się butelki z alkoholem. Rozdzielane wśród chętnych jednorazowe kubeczki z mieszanką wódki i coli szybko rozluźniły atmosferę i poprawiły humory. Nie minęło wiele czasu, a towarzystwo śmiało się i żartowało.

— Ja nie piję — odmówiła Marysia.

— Jak chcesz. — Bartek nie nalegał.

Beata, w przeciwieństwie do niej, nie odmawiała i Marysia raz za razem słyszała jej głośny śmiech.

– Dobra zabawa, prawda? – Bartek usiadł obok niej.

– Chyba wszystkim się podoba.

– Chyba tak – potwierdziła dziewczyna.

– A wiesz, że ja to zorganizowałem specjalnie dla ciebie?

– Naprawdę?

– Naprawdę. – Tym razem nie wyczuł ironii w jej głosie. Najwyraźniej kilka szybkich kolejek nieco przytępiło jego intelekt. – A tymczasem widzę, że moja dziewczyna jest niezadowolona.

– Nie jestem twoją dziewczyną – sprostowała.

– Rzeczywiście, masz rację – potwierdził i przysunął się bliżej. – Nie jesteś jeszcze tak zupełnie moją dziewczyną. – Objął ją ramieniem i przytulił. – A wiesz dlaczego?

Nie odpowiedziała, ale w ogóle mu to nie przeszkadzało.

– Bo z dziewczyną trzeba się całować.

Pochylił się i jego usta znalazły się tuż przy ustach Marysi, a oczy naprzeciwko jej oczu. Czuła ciepło jego ciała i świeży zapach dezodorantu.

Przymknęła powieki i wtedy pojawiła się pod nimi nie twarz Bartka, ale... Kamila.

Zerwała się na równe nogi i ruszyła wprost przed siebie.

– Ej, co się stało?! – krzyknął Bartek.

Wstał i chciał iść za nią, ale na jego ramieniu wylądowała męska dłoń.

– Zostań! – Usłyszał zdecydowany głos. – Ja pójdę.

Igor szybko dogonił Marysię.

– Odprowadzę cię.

– Dziękuję.

Przez całą drogę milczeli. Igor rozumiał, że nie ma ochoty na rozmowę, a ona myślała o tym, że chociaż Bartek jest miły i przystojny, to jednak nie jego chciałaby całować przy ognisku.

✿

– Jednak wyjeżdżasz? – Tamara stanęła przy czerwonym kabriolecie i patrzyła, jak Lea wkłada torbę na siedzenie dla pasażera.

– Tak. Najwyższa pora. I tak się zasiedziałam dłużej, niż powinnam.

– Potraktuję to jako komplement.

– I bardzo dobrze – potwierdziła Lea. – Bo taka była moja intencja. Przyznaję, choć niechętnie, że spędziłam tu naprawdę dobry czas. Wypoczęłam, zaprojektowałam nową kolekcję...

– W takim razie skąd ta niechęć?

– Widzisz, wydawało mi się, że takie życie – wskazała na las i dworek – jest zupełnie nie w moim stylu. Unikałam podobnych miejsc, bo byłam przekonana, że nic oprócz nudy nie może mnie spotkać na takim odludziu.

– I zmieniłaś zdanie? – zapytała Tamara.

– Trochę tak. Może po prostu przekonałam się, że nie jest tak źle, jak myślałam. Chociaż to raczej sprawa ludzi, nie miejsca.

— Ale nie powiesz, że tu nie jest pięknie?

— Owszem, urokliwie. I inspirująco. — Spoważniała na wspomnienie swoich projektów. — Ale tęsknię już za nocnym życiem, równym podłożem, po którym można chodzić w szpilkach, i za moją wielką wanną z hydromasażem.

— Rozumiem. Ale mam nadzieję, że za nami też kiedyś zatęsknisz. Albo będziesz miała ochotę na wypoczynek. I wrócisz.

— Nie gniewaj się, ale raczej nie. Z wielu względów potraktuję to jako epizod w moim życiu. Miły, ale epizod. Trafiłam tutaj przypadkiem, można powiedzieć, że wpadłam na chwilę. I na tym koniec. Mam tylko nadzieję, że pozostaną tu po mnie miłe wspomnienia. — Uśmiechnęła się, ale był w tym jakiś smutek.

— Przede wszystkim zostaną przepisy na wspaniałe dania. — Tamara zauważyła nastrój Lei i miała nadzieję, że choć trochę ją rozbawi. — Chociaż, jak wiadomo, bez mięsa to nie jedzenie.

— Tak, rzeczywiście. Przynajmniej jedząc humus i seler w sosie greckim, będziecie mnie wspominać. — Zdjęła sweter i położyła go na torbie. — Pożegnaj ode mnie pannę Julię. Bo pannę Zuzannę widziałam już rano w kuchni. Powiedziała: „Dobrze, że już jedzie, bo te meble, co zbierają kurz w hallu, będzie gdzie wstawić". A potem wcisnęła mi reklamówkę pełną bułeczek drożdżowych.

— Taka już jest. — Tamara wzruszyła ramionami. — Nigdy nie powie wprost, że jej na kimś zależy. Udaje, że jest niesympatyczna i złośliwa, ale w sercu ma wiele dobroci. Jestem pewna, że cię polubiła.

Może dlatego, że jesteśmy podobne – pomyślała Lea.

– Już wyjeżdżasz? – Łukasz podszedł do rozmawiających kobiet. – Tak wcześnie?

– Wolę teraz, zanim jeszcze będzie gorąco.

– W kabriolecie chyba nie grozi ci przegrzanie? – zażartował.

– W sumie masz rację. Ale długa trasa przede mną, więc wolę mieć więcej czasu. Wiesz, gdyby jakaś awaria...

– Jeżeli Grzegorz przejrzał ten wóz, to nic nie ma prawa się wydarzyć przez najbliższych kilka tysięcy kilometrów – zapewnił mężczyzna. – À propos: dałaś mu wreszcie swój numer? Bo teraz to ci telefonu nie będę mógł podać. – Mrugnął porozumiewawczo.

– Wszystko z nim załatwiłam – powiedziała wymijająco Lea. – Na pewno nie będzie cię już niepokoił telefonami do mnie.

– W takim razie szerokiej drogi!

Objął Tamarę ramieniem i patrzyli, jak czerwony kabriolet odjeżdża w kierunku Jagodna.

– Nie lubię, kiedy ktoś odjeżdża. – Kobieta pokręciła głową.

– Przecież bez przerwy ludzie tu przyjeżdżają i stąd odjeżdżają.

– Ale z nią było jakoś inaczej...

– Nie chcę być uznany za seksistę, ale chyba te hormony sprawiają, że robisz się zbyt sentymentalna.

— Pogładził dłonią jej ramię. — Dla mnie taki widok to sygnał, że mamy wolny pokój.

— Panna Zuzanna powiedziała, że będzie gdzie wstawić meble od Sylwii.

— I to jest bardzo dobra koncepcja. Idę zobaczyć, czy da radę wcielić ją w życie.

᠊ᢟ᠊

— Odjechała. — Panna Zuzanna wniosła do saloniku tacę z herbatą.

— Szkoda. — Wózek z lekkim skrzypieniem podjechał do stolika.

— A wiesz, że tym razem masz rację. — Zuzanna podała siostrze filiżankę. — Została mi w kuchni tylko Tereska. Pomoże, ale z tamtej była większa pociecha.

— Wiesz, Zuzanno, myślę, że ona wróci.

— Żeby ci oddać pierścionek?

— A ty skąd wiesz, że jej go dałam?

— Wszyscy w tym domu myślą, że jestem ślepa i głucha. — Staruszka ze złością stuknęła laską. — Nawet ty.

Panna Julia uśmiechnęła się.

— Wiesz, że wcale tak nie jest. Po prostu zapomniałam, że przed tobą nic się nie ukryje.

— A to, że rozdajesz ostatnie cenne rzeczy, to już na pewno nie — mruknęła Zuzanna. — Taki kamień! Przecież to majątek!

— Żaden klejnot nie jest więcej wart niż uczucia. Tylko one są prawdziwe i pozostają w sercu. Nie uda się ich zakląć w kamieniu, choćby się bardzo chciało. Dlatego myślę, że ona wróci.

– Dobrze by było. – Panna Zuzanna stuknięciem laski podkreśliła swoje słowa. – Bo zapomniała mi zapisać przepis na nadzienie do krokietów.

Panna Julia pokiwała głową.

– Wróci. Na pewno.

Lea dociskała pedał gazu, zostawiając za sobą kolejne kilometry, Jagodno i dworek w lesie. Jechała szybko, jakby w nadziei, że w miarę oddalania się od tamtych miejsc oddali się też od niewygodnych myśli.

Jednak nawet pęd powietrza rozwiewający włosy nie pomagał. Okulary nie potrafiły zatrzymać łzawienia oczu, szczególnie że nie spowodował go wiatr. Chociaż Lea bardzo chciała, żeby tak było.

Pragnęła też zapomnieć. Ale wbrew woli rozumu wiozła ze sobą nie tylko torbę z rzeczami. Dużo większym bagażem były wspomnienia.

Spojrzała na leżący obok szkicownik. Na pierwszej stronie zobaczyła projekt, który powstał ubiegłej nocy. Najlepszy. Wiedziała, że nikomu go nie sprzeda. Po raz pierwszy zostawi dla coś dla siebie. „Uczucia zaklęte w kamieniu" – tak go nazwała.

Kasia weszła do domu i rzuciła torebkę na szafkę w przedpokoju.

– Jestem padnięta – oświadczyła, wchodząc do kuchni. – Mamuś, zrobisz mi herbatę?

– Oczywiście, córciu. – Zofia od razy włączyła czajnik. – Upiekłam sernik. Chcesz kawałek?

– Może później. Na razie muszę odsapnąć. Miałam klientkę za klientką. – Wyciągnęła nogi przed siebie. – Cały dzień pochylona, chyba jutro nie wstanę – narzekała. – To wszystko przez ten kurs. Wypadają mi całe dni i potem muszę nadrabiać.

– Teraz sobota i niedziela, to sobie odpoczniesz – pocieszała Zofia. – Poleżysz i ci przejdzie, młoda jeszcze jesteś.

– Mam nadzieję. Bo akurat w sobotę muszę jechać do Tamary. Spotkałam ją dzisiaj i zaprosiła mnie na wieczór, razem z chłopcami. Będą ognisko robić, a tam podobno jest babcia z dwoma wnukami, więc przyda się dla nich towarzystwo. Pojedziesz ze mną?

– Gdzie mnie tam na ognisko...

– No to się zastanów. – Odebrała z rąk matki kubek z herbatą. – A wiesz, że ta Lea już wyjechała? Tamara mówiła.

– Kiedyś musiała wyjechać. – Zofia wyjęła z lodówki talerz z sernikiem. – Przecież mówili, że przypadkiem się u nich znalazła.

– Ale Tamara twierdzi, że tak się zadomowiła, że po jej wyjeździe czuje, jakby ktoś bliski odjechał.

– Co robić, bliscy też czasami wyjeżdżają...

Tamara i Łukasz siedzieli na schodkach przed dworkiem. Wsłuchiwali się w szum sosen i odpoczywali po pracowitym dniu. Było spokojnie i cicho.

– Nie powinnaś już jechać do domu? Chyba jesteś zmęczona...

– Jestem, ale jeszcze chwilę posiedzę. Lubię te nasze wieczory. A dzisiaj jest taka piękna noc. – Przytuliła się do niego, a on poprawił jej sweter, żeby okryć ramię.

– Myślisz, że będzie dobrze?

– A dlaczego miałoby być inaczej?

– Tyle wyzwań przed nami...

– Pomyśl, ile trudności już udało nam się w życiu pokonać. – Objął ją i przycisnął do boku. – A każde z nas żyło samo. Teraz jesteśmy we dwoje, więc mamy podwójną siłę.

– We troje – przypomniała, kładąc jego rękę na swoim brzuchu.

– O tak. To dodatkowy bonus do siły. Wart tyle, co przynajmniej dwie osoby. – Uśmiechnął się.

– I damy sobie radę?

– Oczywiście.

Tego dnia podpisali umowę z firmą Piotra. Po długich namowach Tamara dała się przekonać do drugiej niespodzianki. Budowa pawilonu z pokojami gościnnymi miała się rozpocząć jeszcze jesienią, żeby przed nadejściem mrozów zdążyć przynajmniej pokryć mury dachem. Piotr udzielał Tamarze czegoś w rodzaju pożyczki – zamierzał zbudować pawilon w zamian za udział w zyskach, a połowę kosztów budowy ona miała mu stopniowo spłacać.

– Skąd wiedziałeś, że jednak w tym roku rozpoczniemy budowę? – zapytała teraz Łukasza.

– Nie wiedziałem, ale pomyślałem, że może tak zaczaruję rzeczywistość. Wiesz, że jeśli nie przestanę wierzyć w to, że się uda, to coś się stanie. I się stało.

Zamilkli, wpatrzeni w rozgwieżdżone niebo.

– Popatrz! Gwiazda spada! – Tamara podniosła rękę, wskazując kierunek.

– Pomyśl życzenie, to się spełni.

Chciałabym, żebyśmy zawsze byli tacy szczęśliwi – pomyślała Tamara.

Poczuła, że Łukasz mocniej ją przytulił, i domyśliła się, że właśnie wypowiedział to samo życzenie.

Babcia Róża powoli pokonała schodki i otworzyła drzwi. Weszła do środka i pogłaskała białą ścianę.

– Wreszcie w domu – powiedziała ze wzruszeniem.

Zamieniła buty na swoje ciepłe kapcie, zajrzała do pokoiku i pokręciła z dezaprobatą głową, widząc pozostawioną w nieładzie pościel.

Przeszła do kuchni. Krok za krokiem obeszła pomieszczenie. Zajrzała do kredensu, poprawiła kolorową zasłonkę, nalała wody do czajnika i włączyła kuchenkę.

Barnaba pojawił się nie wiadomo skąd i z głębokim mruczeniem zaczął ocierać się o nogi staruszki.

– Dobrze cię widzieć – powiedziała. – Stęskniłeś się za mną, stary łazęgo, co? – Wyjęła z szafki woreczek z miętą i nasypała ziół do kubeczka. Zalała je wrzątkiem. – Nie kręć się pod nogami, bo cię poparzę. – Przeszła z naparem do stołu i usiadła na swoim ulubionym miejscu.

W domu panowała cisza.

– Tak tu będzie, kiedy mnie zabraknie – powiedziała staruszka z westchnieniem. – Ale na razie jeszcze jestem i właśnie wróciłam. – Spojrzała na Barnabę, który usiadł i wpatrywał się w nią wielkimi zielonymi oczami. – Chodź tutaj. – Pokazała na swoje kolana. – Bo mnie ciężko się schylać.

Kot natychmiast wskoczył na wskazane miejsce.

– Nareszcie w domu – powiedziała babcia Róża i pogłaskała rude futerko.

Pięknie opowiedziana historia, w której każdy znajdzie coś dla siebie. Wojenne traumy, pogmatwane ludzkie losy i miłość, której wszyscy pragną.

Ałbena Grabowska

Mięty przed wojną należały do pradziadków Anny, lecz okupacja pozbawiła rodzinę majątku. Anna, mimo przeciwności losu, zrealizowała swoje marzenie – w odzyskanym dworku prowadzi pensjonat i stajnię. Gdy na jej drodze pojawi się dwóch różnych mężczyzn, będzie musiała dokonać wyboru. Czy wykorzysta szansę na szczęście?

Jej przyjaciółka, Aśka, również zmaga się z dylematem miłosnym. Kłopotów dokłada jej nieoczekiwany spadek. Jaką tajemnicę skrywa odziedziczony po ciotce dom?

Książki Joanny Gawrych-Skrzypczak to wspaniałe opowieści, w których współczesne życie przeplata się z burzliwą historią.

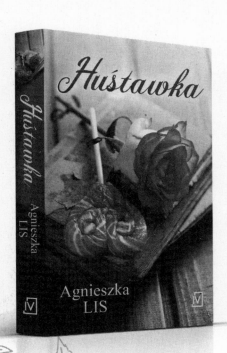

Jak wiele można wybaczyć w imię miłości?

Małgorzata ceni sobie w życiu porządek. Całkowicie poświęca się pracy na uczelni, relaks traktując jak stratę czasu. Stara się realizować swój plan kariery, nakreślony lata temu. Nie może jednak wiedzieć, że życie przygotowało dla niej zupełnie inny scenariusz. Nagle, w spokojny i przewidywalny świat Małgorzaty z impetem wkraczają szalone i lekkomyślne decyzje jej córki, a matka wyjawia skrywany latami sekret rodzinny, który wywraca wszystko do góry nogami. Na dodatek siostra wyrusza w podróż do Indii w poszukiwaniu szczęścia. W opanowaniu sytuacji nie pomaga mąż, którego Małgorzata podejrzewa o zdradę. Pojawiają się również poważne problemy zdrowotne... Jak poradzić sobie z tym wszystkim?

To opowieść o trzech pokoleniach kobiet, na pozór tak różnych, a jednak połączonych wspólnymi doświadczeniami i rodzinną miłością. Czy uda im się przetrwać trudne chwile? Czy popełnione błędy da się cofnąć?

GABRIELA
GARGAŚ

*Lato utkane
z marzeń*

*Gabriela Gargaś mistrzowsko opisuje ludzkie charaktery
i kreśli koleje losów, udowadniając przy tym, że jako czarodziejka
kobiecych uczuć nie ma sobie równych.*

W małym bieszczadzkim miasteczku czas płynie leniwie. W ogrodzie przy
Różanym Pensjonacie rozkwitają róże, a serce Michaliny tęskni za mężczyzną, którego pokochała pewnego zimowego wieczoru. Jej wybranek jednak
odwiedza ją zdecydowanie zbyt rzadko, przez co ich miłość zostaje wysta-
wiona na próbę.

Sielską atmosferę zburzy przybycie tajemniczego Damiana, który spróbuje
oczarować Michalinę i skraść jej serce. Czy uda mu się sprawić, że dziewczyna zapomni o ukochanym? A może to dystans pokona miłość?

W malowniczej scenerii goście pensjonatu przeżyją niezapomniane chwile,
a ich los się odmieni i wielu z nich dostanie od życia drugą szansę.